Domination and the Arts of Resistance
Hidden Transcripts
by James C. Scott

支配與抵抗的藝術

潛藏在順服背後的底層政治，公開與隱藏文本的權力關係

黃楷君 譯

詹姆斯・斯科特 著

目錄

導讀 小人物的大歷史

何明修
台灣大學社會學系教授

人們總是以上位者的視野來審視重大的歷史演進，沒沒無聞的尋常百姓只是被動跟隨潮流，他們始終不曾創造歷史。即使處於極端的壓迫處境下，勞動成果被剝奪、尊嚴被踐踏，也無權決定自己的命運；奴隸、農奴、佃農、賤民、被殖民者、獨裁統治下的人民等弱勢群體只能安分認命，公然的抵抗是少見的歷史短暫插曲。在更多時候，他們順從既有的遊戲規則，彷彿他們接納了統治者編織出來的謊言，也默認自己的從屬地位。要扭轉這些不平等的處境，我們只能依靠少數智勇兼備的領導者，他們宣揚另一種嶄新的世界觀，啟發蒙昧無知老百姓，鼓舞他們的參與士氣，最終才能通過集體力量，共同推翻不義的體制。

呈現在讀者面前的《支配與抵抗的藝術》大膽地挑戰上述的既定成見，讓那些從來沒有積極發聲的弱勢者獲得應有的歷史地位。簡而言之，就算被迫身處於支配的情境下，他們從來沒有喪失過自己的主動性。弱勢群體清楚了解他們身處於不利的社會位置，而且深知如果不經意地透露出自己的不滿或是反抗意圖，就有可能帶來嚴重的後果。他們知道自己不可能改變現狀，但是也沒有必要因此全然遵守既有的規定。在統治者面前，他們擺出謙卑順從的姿態，凡事畢恭畢敬；但是在其監督視線之外，他們卻採取了各種因地制宜、被特意掩飾的抵抗策略，其目的不只是維持他們的生存、減少自己的損失，也是為了捍衛其人格尊嚴。

統治從來就是雙重性，一方面是物質性的占有與剝奪，強勢者享有更優渥的生活條件，而弱勢者被迫處於貧窮與匱乏的不利情境；另一方面，統治也展現為一種文化觀念，強勢者顯得高貴而優雅，而他們所面對的他者則是低賤而粗俗的。在這種情況下，兩者的互動需要依循一套不對稱的準則，統治者總是試圖展現其「宗廟之美、百官之富」，震懾弱勢者，要求其遵守朝儀規範。不過，這本書指出，這樣的恭敬服從只是表面現象，不代表被支配者的真正內心想法，更遑論某種穩定的支配秩序獲得廣泛認可與接受。事實上，弱勢者往往只是特意呼應官方認可的說法，掩護其違背規定的各種舉動。換言之，面對官府大人言必稱自己是「愚民」的老百姓，不見得必然是循規蹈矩的「順民」，他們往往是踰越法律的「奸民」。本書作者斯科特（James C. Scott）是美國耶魯大學政治學系的講座教授，他的靈感來自於一九七〇—一九八〇年在馬來西亞吉打州（Kedah）的田野考察。在當時，斯科特原來是要研究東南亞綠色革命所帶來的農村現代化，然而，他卻看到了更深化的貧富落差。富人公然違背伊斯蘭律法所禁止的放款取利，用高利貸掠奪窮人的土地；但是窮人也不是完全束手無策，他們發動各種蜚言流語破壞富人的名聲，此外，他們也會用偷竊、占用等方式為自己取回公道。在一九八五年出版《弱者的武器》（*Weapons of the Weak*），斯科特將這種匿名化的、被掩藏的鬥爭稱之為「日常抵抗」（everyday resistance）。

從《弱者的武器》到一九八九年出版的本書，斯科特的觀察視野從東南亞的鄉村民族誌擴大至全球尺度，他所引用的資料包括小說、回憶錄、歷史研究等，提出了一套關於支配與抵抗的通用模型。探討高度不對稱的權力關係時，我們需要以下列前提作為出發點：弱勢者通常沒有公然發言的機會，他們無法集結與討論，公開流傳的敘事通常是符合優勢者的利益、正當化他們所享有的特權，並且將兩者的差異歸因於某種自然的、神聖的、無法改變的原因。膚淺的觀察者有可能犯下這樣的錯誤，誤以為缺乏明顯可見的衝突即代表和諧的秩序，上位者與下位者都共同遵守一套互動規範。事實上，處於極端不利的情境，弱勢者早就習到抑制自己負面情緒的生存之道，他們忍氣吞聲，用各種偽裝與規避的手法隱藏各種大大小小的抵抗行為。弱勢者通常會強化自身群體的團結，通風報信是被嚴格禁止，以避免統治者覺察這些被掩飾的非法或不端行為。

斯科特以戲劇表演的角度分析支配情境下的互動，他指出有兩種相互對立的文本。「公開文本」（**public transcript**）是一種體面合宜的表演，統治者展現出與其地位符合的優雅姿態，以儀式性的操演正當化與美化其權力來源。公開本文即是在位者的自我投射，一種理想化的敘事，因此，有些看似完全不合理的公開文本仍發揮了政治作用。斯科特提到了一九八五年在永珍的一場盛大舉辦的遊行，寮國共產黨動員了農民、幾乎不存在的勞工、坦克車、聊備一格的空軍米格機，甚至連搖旗吶喊的觀眾都是經過彩排預演過的。這一場只有演員、沒有真正的觀眾的表演所要證明的是，寮國共產黨與他們在莫斯科、北京、河內的老大哥們一樣，都是貨真價實的社會主義國家。

公開文本是菁英的自我宣稱，但是鮮少真正說服了被支配者，至多只是能威嚇他們。在統治者看不到的角落，弱勢者所採取的行動符合所謂的「隱藏文本」（hidden transcript），在表面的恭敬順從之下，以各種手段為自己討回公道。馬克思主義者通常認為無產階級大眾無法認清自己的處境，意識形態、錯誤意識（false consciousness）、文化霸權（cultural hegemony）等概念，都是用來說明階級洗腦是如何產生的。斯科特並不認為弱勢者採信進而認為現狀是美好的，或者說是自然而然的；毋庸說，這些理論誤信了公開文本，以為其宣稱就是真實。事實上，弱勢者也會策略性使用公開文本，以維護其利益，例如要求以家父長權威為名的統治菁英善盡「照顧」的責任。同樣一本聖經，黑人奴隸讀到的是逃離埃及與應許之地，而不是「要順從主人」的教訓。

隱藏文本經常附著於口述文化，以傳言、謠言，或是笑話的方式傳遞，這些幾乎查不到源頭的話語正是因其匿名性，較能夠安全的傳達被壓迫者的不滿。世界各地的民間故事也有常見的「搗蛋鬼」（trickster）角色，他們以智取勝、以小博大，破壞了既有的秩序。對於統治者而言，嘉年華或者是一些宣揚顛倒世界的傳言（貴族服侍奴僕、牲畜屠宰人類）具有高度顛覆性，因此他們常以維持秩序的理由，限制或是禁止這些有助於隱藏文本快速流傳的場合。

斯科特指出，從屬群體經常採取一種低調而審慎的「底層政治」（infrapolitics），他們的抵抗行為往往不是發生在公共領域。奴隸的偷竊、農民的越界採集、搗毀機器的勞工都是偷偷摸摸進行。就如同游擊戰一樣，弱勢的那一方總是避免正面交鋒，而是採取「敵進我退，敵駐我擾，敵疲我打」的迂迴戰術。斯科特認為，這樣的底層政治不只是某種無傷大雅的不滿宣洩，也不僅是疏導壓力的安全閥，而是弱勢者不斷在測試統治者的容忍界限。一旦時機成熟了，平常需要被特意掩飾的隱藏文本將得以公開展現，例如奴僕不再向主人致敬、被獨裁者禁止的異議言論可以公然講述，造反就等於正式登場。斯科特特別提到，打破長久禁令所帶來的喜悅與成就感，讓參與者覺知到有機會真正做自己，也重新取得了喪失的尊嚴。

《支配與抵抗的藝術》的寫作流暢，非常具有可讀性，斯科特展現深厚的人文素養，信手引徵豐富而有趣的個案資料，的確堪稱社會科學的經典名著。更重要的是斯科特所提供的理論創見，處於壓迫情境下的小人物並不是被動無助，他們反而是非常機靈地洞析世局，敏捷地捍衛自己的權益。這樣的看法直接挑戰了相信科學理論與組織紀律的馬克思主義，帶有濃厚的無政府主義色彩。同樣的源於十九世紀的左派運動，無政府主義認為國家即是壓迫的來源，而且人民具有自發的抵抗能力，他們不需要理論家或是革命先鋒隊的帶領。

斯科特的無政府主義信念更明顯展現於後來的幾本重要著作，也同樣獲得相當程度的重視。

在《人類學家的無政府主義觀察：從生活中的不服從論自主、尊嚴、有意義的工作及遊戲》（*Two Cheers for Anarchism: Six Easy Pieces on Autonomy, Dignity, and Meaningful Work and Play*）一書，他指出小人物追求自身的自主性與尊嚴才是驅動歷史的主導力量。大部分勞工階級不會想要推翻資產階級，或是廢除資本主義，他們真正的想法是成為小資產階級的頭家，不用看別人的臉色過活。同樣地，推翻俄羅斯沙皇體制的也不是高舉馬克思主義的革命分子，而是前線逃亡的士兵、占領工廠的勞工、拒絕繳租的農民。

《國家的視角：改善人類處境的計畫為何失敗》（*Seeing Like a State: How Certain Schemes to Improve the Human Condition Have Failed*）回顧了二十世紀幾場人為的重大慘劇，包括俄羅斯的農業集體化、坦尚尼亞強制游牧民族定居化等。斯科特指出，一旦國家全面壓制社會，而且掌權者又抱持高度現代主義（high modernism）的信念（例如科學的社會主義），其推動的政策將會忽略當地人長年累積的智慧，導致人為的災難。宣稱要提升人類福祉的現代國家是禍源，依賴農業剩餘的傳統國家也不遑多讓。在《不受統治的藝術：東南亞高地無政府主義歷史》（*The Art of Not Being Governed: An Anarchist History of Upland Southeast Asia*）中探討東南亞高原眾多難以被歸類的少數民族，斯科特強調他們不是文明化程度低的「野蠻人」，而是躲避平原政權統治的自由人。為了避免各種稅捐徭役與以教化為名的控制，有些民族甚至拒絕使用文字或是姓氏。

在《反穀：穀物是食糧還是政權工具？人類為農耕社會付出何種代價？一個政治人類學家對

國家形成的反思》（*Against the Grain: A Deep History of the Earliest States*），斯科特更進一步從生態史的角度考慮國家的古代起源。過往說法認為，新石器時期的農業革命帶來生產力提升，剩餘糧食促成了國家的出現。斯科特卻指出，定居農耕需要投入大量的勞動力，也容易招致人畜共通傳染病的危害，如果人類有選擇，這樣的勞苦而危險的生活不會是首選。相反地，定居農耕是被國家強行加諸的文明形態，因為一群沒有移動性、可以被清楚看見與盤點的人口是統治者所需要的，就如同人類馴化若干野生動物成為家畜。穀物的種植也是符合國家的需求，不像根莖類作物，長在地上的稻米與小麥有固定成熟的季節，也能清楚計算產量，有助於統治者的徵收。換言之，以國家為名的文明即是帶來了不自由與不健康的人類。

斯科特的這些後續研究作品在歷史學、人類學、社會學、地理學、政治學等領域都引發許多的迴響與討論。他對於小人物的關注，尤其是他們如何靈巧地因應各種具有壓迫性的權威、維繫自身的生存與尊嚴，幾乎都可以在這一本書找到。這也是為何每次重新閱讀《支配與抵抗的藝術》，都會帶來新的收穫與啟發。

偉大的領主經過時，有智慧的農民深深鞠躬又默默放屁。

——衣索比亞諺語

社會是種非常神祕的動物，擁有許多面貌和隱藏的潛力，而且……如果認定社會在某個時刻剛好向你展現的面向是其唯一真實的面貌，這種想法極度短淺。我們沒有任何人了解蟄伏在人們精神中的所有潛力。

——瓦茨拉夫．哈維爾（Václav Havel），一九九〇年五月三十一日

前言

這本書背後的概念是從我在一座馬來（Malay）村莊的研究成果發展而來，我長期靠著我有些遲鈍的腦袋試圖理解那裡的階級關係。關於土地交易、工資率、社會名聲和技術變遷等議題，我聽見許多分歧的言論。單就這點而言，考慮到不同村民的利益互相衝突，從他們口中得到相異的敘述並不太意外。比較令我困擾的是，即使是同一位村民，偶爾也會講出自相矛盾的言論！過了一段時間，我才意識到儘管這樣的矛盾可能出現在任何人身上，但尤其常見於比較貧窮、經濟依賴程度最高的村民。經濟依賴的因素和貧窮同樣重要，因為有幾位經濟相當自主的窮人所表達的意見始終如一且獨立。

此外，這些矛盾帶有某種情境邏輯。當我把議題限縮在階級關係——這是我探討的諸多議題之一——窮人似乎會在富人面前說一套，和窮人在一起時又說另一套。富人同樣也會對窮人說某些話，而在自己人面前又改變說法。這是最粗略的區分方法；許多更細緻的區別則要取決於談話群體的具體組成，當然還有討論的議題，才能顯現出來。不久，我就發現自己開始運用這樣的社會邏輯，來尋找或創造某些情境，好讓我能夠核對不同的論述，並且可說是藉由三角交叉檢證，進入未經探索的領域。這個方法的成效足以達成我為數不多的目標，而研究成果載錄在《弱者的武器：農民反抗的日常形式》（*Weapons of the Weak: Everyday Forms of Peasant Resistance*〔Yale University Press, 1985〕）一書，特別是在原文第兩百八十四至二百八十九頁的段落。

一旦我開始更加適應**馬來人之間**的權力關係是如何影響論述，不久我便發現自己也會在那些在某些重要層面權力比我大的人面前字斟句酌。而我觀察到，當我必須忍住不脫口說出某些不夠審慎的回應，我往往也能找到某些對象讓我**暢所欲言**。這種受到壓抑的言論背後似乎有某種近乎身體性的壓力存在。在某些罕見的場合，我的怒氣或憤慨戰勝我的謹慎理智時，儘管反擊可能會招致危險，我卻會感到興高采烈。直到當時，我才完整體會到，為何我可能無法完全根據表面去判斷比我更弱勢的人們的公開行為。

這些關於權力關係與論述的觀察絕非我所原創。這是數百萬人日常民間智慧的基本要素，這些人睜開眼睛的多數時間都身處在受權力壓迫的情境之中，一次不得體的舉止或一句錯話都可能帶來可怕的後果。我寫作這本書的目的，是要更有系統、甚至近乎固執地去探究這個概念，看看它在關於權力、霸權、抵抗和從屬的議題上能帶給我們什麼啟示。

我在組織這本書時的假設是，弱勢無力和依賴程度最為嚴峻的情況將會是可以辨識的。因此，許多我在書中提出的證據是援引自關於奴隸、農奴和種姓從屬的研究，而我所設定的前提是，論述與權力之間的關係會最鮮明地顯現在我所謂公開文本（public transcript）和隱藏文本（hidden transcript）落差最為嚴重之處。而在較為隱晦的情況下，我也加入了關於父權支配、殖民主義、種族主義，甚至是監獄和戰俘營等全控機構的證據。

這本書不像我在那座小型馬來村莊所做的研究那般，是嚴實、偶然、具組織性且奠基於歷史的分析。這本書兼容並蓄且概要的寫作方式違背了許多後現代主義著作的準則。不過，書中依然存在與後現代主義契合的部分，那就是我確信沒有任何社會位置或分析立場，能夠去判斷一段文本或論述的真值（truth value）。儘管我確實認為嚴實且梳理脈絡的著述是構成理論的命脈，但我也相信，當我們聚焦在結構性的相似之處，跨越文化和歷史時期的比較仍然有其價值。

因此，本書採用的分析策略始於一項前提——結構上類似的支配形式都會具有某種家族相似性（family resemblance）。在奴隸、農奴和種姓從屬的案例中，這些相似性十分明確。每個例子都代表著從某群從屬人口身上占用勞力、財貨和服務的制度化部署。在形式上，這些支配形式下的從屬群體沒有任何政治或公民權利，他們的地位在出生時便已經底定。就算實際情況並非如此，但在原則上社會流動遭到杜絕。將這類支配正當化的意識形態包括尊卑之分的形式假設，這些假設相應表現在控制階層間公開接觸的特定儀式或禮節上。儘管有一定程度的制度化，主人和奴隸、地主和農奴、高種姓印度教徒（Hindu）和賤民之間的關係都是個人統治的形式，提供上位者專橫獨斷、為所欲為的極大自由。這些關係之中總是會帶有個人恐怖的元素——個人恐怖可能會以任意毆打、性暴行、辱罵和公開羞辱等形式展現。舉例來說，某個奴隸或許足夠幸運逃過這類的惡劣對待，但她肯定知道這些事情**可能**發生在她身上，這樣的認知滲透進整段關係之中。最後，儘管如此，身處如此大規模支配結構之中的從屬者，在支配者直接控制的範圍外，仍然擁有相當廣泛的社會存在（social existence）。而原則上，正是在這類隱蔽的情境下，人們才可能發展出對支配的共同批判。

對於我所希望提出的論點來說，我剛所描述的結構相似性是分析的核心。我絕對不是想要主張奴隸、農奴、賤民、被殖民者和被征服的種族都共同擁有不可改變的特性。那種本質論的主張站不住腳。然而，我真正想要主張的是，如果能夠證明支配結構是以類似的方式運作，那麼在其他條件不變的情況下，往往會引發類似的抵抗反應和模式。因此，奴隸和農奴通常不敢針對他們的從屬地位提出異議。然而，他們有可能祕密創造並捍衛出一個社會空間，在其中得以說出他們私下對權力關係的官方文本所抱持的異議。這種社會空間的具體形式（例如語言掩飾、儀式符碼、小酒館、集市、奴隸宗教的「僻靜所」〔hush-arbor〕*）或表達其異議的特定內容（例如希望某位先知歸返、透過巫術的儀式攻擊、頌揚盜匪英雄和反抗烈士），與正在討論的行為者所特有的文化歷史一樣獨一無二。為了描述某些廣泛的模式，我刻意忽略每種從屬形式的鮮明特殊性——比如說加勒比海地區（Caribbean）和北美洲奴隸制度的差異、十七世紀和十八世紀中葉法國農奴制度的差異、俄羅斯和法國農奴制度的差異、區域差異等等。我在本書中勾勒的廣泛模式，唯有將之穩固置入以歷史為基礎和特定文化的背景中，才能建立其終極價值。

觀察本書所選擇探討的結構，就能明顯看出我特別重視尊嚴和自主的議題，但這些議題一般都被認為比物質剝削次要。奴隸制度、農奴制度、種姓制度、殖民主義和種族主義經常會導致貶低、辱罵和侵犯身體的做法和慣例，而這些作為似乎在其受害者的隱藏文本中占據了一大部分。一如我們將在後文所見，這類壓迫的形式拒絕給予從屬者一般的負面互欺（negative reciprocity）空間：以巴掌還巴掌，以辱罵還辱罵。即使是對當代勞動階級而言，在描述剝削時，藐視尊嚴和密切管控工作的部分，似乎至少與對工作和薪酬較狹隘的關注同樣顯著。

我更廣泛的目的是要建議，我們或許可以如何更成功地解讀、詮釋和理解從屬群體往往難以捉摸的政治行為。當無權者在掌權者面前經常必須採取策略性的姿態，而掌權者可能傾向過度渲染他們的聲望和優勢時，我們如何研究權力關係？如果我們以表面價值來理解這一切，便面臨了一種風險，將可能只是策略的表象誤解為事情全貌。反之，我試圖證明另一種揭露矛盾、緊張和固有可能性的權力研究有其道理。每個從屬群體都從其苦難中創造出「隱藏文本」，體現在支配者背後訴說的對權力的批判。對掌權者而言，他們也發展出一種隱藏文本，體現關於他們的統治

* 譯注：僻靜所英文又作hush harbor或bush harbor，是美國內戰前時期非裔奴隸所發展出的簡易設施，他們會在遠離奴隸主活動範圍的樹林中搭建簡陋棚屋，以便聚會和進行融合非洲傳統和基督宗教的信仰儀式。

無法公開承認的實踐和主張。比較弱勢者和掌權者的隱藏文本，以及比較**兩者的**隱藏文本和權力關係的公開文本，可以讓我們以嶄新的方式理解對支配的抵抗。

在開頭頗具文學性地引用喬治・艾略特（George Eliot）和喬治・歐威爾（George Orwell）後，我試圖說明支配的過程如何產生一套霸權的公開行為，以及一套無法在掌權者面前言說的檯面下論述。與此同時，我探討了展現支配和同意背後的霸權目的，並探問這類的行為是表演給哪些人看的。這樣的研究接著讓我們理解，為何就連嚴實爬梳歷史和文獻證據的著述，在描述權力關係時也傾向採用霸權敘述。我認為，在缺乏實際反叛的情況下，無權的群體協力鞏固霸權表象將能利己。

唯有透過比較表象和在受權力壓迫情境之外的從屬者論述，我們才能知曉這些表象的意義。因為意識形態的抵抗在不受直接監控的情況下最能蓬勃發展，本書將帶領我們檢視這類抵抗得以萌芽的社會性場域。

若說要解密權力關係，取決於能否完整獲取從屬群體多少有些祕密的論述，那麼研究古今權力的學者都將面臨僵局。不過，事實上隱藏文本通常會公開表述——儘管是以有所掩飾的形式呈現——因此我們無須絕望。根據這些原則，我提議我們如何能夠將無權者的謠言、八卦、民間故事、歌曲、姿態、笑話和戲劇詮釋為載體，透過這些和許多其他途徑，他們影射批判權力，同時躲藏在匿名或認定他們行為無害的認知背後。這些掩蓋**意識形態**違抗的模式多少可以類比在我經驗中所認知的農民和奴隸行為模式，他們會有所掩飾地努力阻撓掌權者在物質上占用他們的勞動力、生產和財產：例如盜獵、故意拖延、偷竊、裝糊塗、脫逃等作為。整體而言，這些不服從的方式可以適切地稱作無權者的底層政治（infrapolitics）。

最後，我認為隱藏文本的概念可以幫助我們了解那些往往是人們記憶以來頭一遭，隱藏文本被直接公開表述來違抗權力的罕見政治激情時刻。

致謝

完成這份書稿的過程中，我受到太多人太多種方式的幫助。結果集合了許多模範慷慨和心胸寬大的個人舉措，導致我面臨大量知識堵塞，花了些時間才得以消解。我開始視之為某種亞當・斯密（Adam Smith）「看不見的手」概念的反常鏡像。要鬆解堵塞的交通，意味著要射殺幾名駕駛，埋葬他們的車輛，再重新鋪路，宛如他們從未存在過。處決和埋葬以一切必要的得體禮節進行，受害者如果知道我自己的三個孩子（第二、三、五章）也被蒙住雙眼、帶到牆邊，沒有經過什麼儀式就被咬牙射殺，可能會感到安慰一點。我認為，成果是知識交通復振，流通得相當輕快。我明白之所以可以如此暢通，是付出了相當大的代價，排除那些能夠通往不同方向和新目的地的交叉路口。唯有判斷我們最終是否抵達值得前往的地方，才能衡量代價的高低，而這應該由讀者來判定。

旅程中放棄的誘人目的地中，有些原先能夠讓我在本書的雄心壯志，更密切地與關於權力、霸權和抵抗的當代理論著作結合在一起。比方說，這本書含蓄對話的對象包括尤爾根・哈伯瑪斯（Jürgen Habermas）的著述（尤其是他關於溝通能力〔communicative competence〕的理論）；皮耶・布赫迪厄（Pierre Bourdieu）和米歇爾・傅柯（Michel Foucault）探討權力的常理化（normalization）或自然化（naturalization）的著述；史蒂芬・路克斯（Steven Lukes）和約翰・加文塔（John Gaventa）關於各種「權力面貌」的著述；詹明信（Fredric Jameson）關於「政治無意識」的著述；以及最近期蘇珊・弗瑞蒙（Susan Stanford Friedman）關於「被壓抑的女性敘事」的著述。我是在了解這些著作的情況下提出我的論點。然而，我認為如果停下來和任何這些著述進行全面的對話，將會打斷我表述的邏輯，更嚴重的是還會讓比較不了解理論的讀者望而生畏。

這本書最初的構想要歸功於Zakariah Abdullah，他是耐心過人的老師，也是出奇慷慨的朋友，我多數關於馬來村莊生活的認知都是他教給我的。

我要感謝麻省理工學院（Massachusetts Institute of Technology）科學、科技與社會計畫（Science, Technology, and Society Program）非正式午餐研討會的成員，我是這個計畫一九八四年的埃克森會士（Exxon Fellow），他們曾針對本書背後初步的粗略構想給予回應。曾參加我的「無權和依賴」（Powerlessness and Dependency）研討會的大學生以不同的形式檢驗、運用、批評、闡述和揶揄此一構想。他們關於奴隸制度、農奴制度、集中營、監獄、無家者、養老院和女性的觀點和報告讓我學到比預期的更多。我學會不全然相信他們的讚美，並放大他們的批評，畢竟他們的成績掌握在我手中。

一九八七年的夏季期間，在澳洲國立大學（Australian National University）太平洋研究學院（Research School of Pacific Studies）的太平洋和東南亞歷史系（Pacific and Southeast Asian History Department）的知識刺激下（更別提那裡的食宿了），我開始全心鑽研本書的構想。Tony Reid不僅替我安排這次的訪問，還組織了一場研討會，會上我仍初步的論點受到一連串如此精準和高強度砲轟，促使我幾乎從頭開始。雖然我當時不會這麼說，但那次的經驗在知識上令人振奮，而我想要特別感謝Gyanendra Pandey、迪佩什・查克拉巴蒂（Dipesh Chakrabarty）、拉納吉特・古哈（Ranajit Guha）、Tony Milner、Clive Kessler、Jamie Mackie、Brian Fegan、Lea Jelinek、Ken Young，以及Norman Owen。這是我第一次親身感受「底層研究」（Subaltern Studies）團體的知識活力，他們從根本改變了南亞的歷史學。這個團體的核心是拉納吉特・古哈，他全面的原創著作至關重要。如果我能夠更以他深具洞察力的眼光所建議的方式修改我的文稿，這本書一定會更好，也更能回報他和Mechthild所給予的友誼。還有其他在坎培拉（Canberra）的朋友以某些方式對這本書有所貢獻，包括Tony Johns、Helen Reid、Harjot S. Oberoi、Susan B. C. Devalle、Claire Milner和Kenny Bradley，後者盡其所能教我像個真正的澳洲人一樣剪羊毛。

待在普林斯頓高等研究院（Institute for Advanced Study）的那一年，部分受到美國學術團體聯合會（American Council of Learned Societies）和國家人文學術基金會（National Endowment for the Humanities）的資助，宛如一方綠洲，讓我能夠廣泛閱讀，並提供我動筆寫作所需的寧靜環境。高等研究院的社會科學院（School of Social Sciences）最低限度的例行公事和院內的聰明同僚，是近乎理想的組合。有部分的同僚讓我訪問的這一年獲益良多，我應當特別提及他們：克利弗德．紀爾茲（Clifford Geertz）、阿爾伯特．赫緒曼（Albert Hirschman）、Joan Scott、Michael Walzer、Valentine Daniel、Elliot Shore、Harry Wolff、Peg Clark、Lucille Allsen、Barbara Hernstein-Smith、Sandy Levinson，以及Paul Freedman。我也必須公開感謝「不知名的非官僚」向機關人員說情，讓我的愚人節母雞能夠留在整齊乾淨的研究院庭院幾天。

我初稿的零碎片段曾向不同的學術受眾發表，其反饋至少對我而言大有助益，偶爾還令我警醒。因此，謝謝在西雅圖（Seattle）的華盛頓大學（University of Washington）、范登堡大學（Vanderbilt University）、約翰霍普金斯大學（Johns Hopkins）、明尼蘇達大學（University of Minnesota）的論述與社會比較研究中心（Center for Comparative Studies in Discourse and Society）、普林斯頓大學（Princeton University）的戴維斯中心（Davis Center）、波士頓大學（Boston University）、西沃恩南方大學（University of the South-Sewanee）、聖路易華盛頓大學（Washington University, St. Louis）、特倫頓州立大學（Trenton State University）、康乃狄克州三一學院（Trinity College-Connecticut）、康乃爾大學（Cornell University）、威斯康辛大學麥迪遜分校（University of Wisconsin-Madison）、聖勞倫斯大學（St. Lawrence University）、加利福尼亞大學爾灣分校（University of California-Irvine）、北伊利諾大學（Northern Illinois University）、加利福尼亞大學

洛杉磯分校（University of California-Los Angeles）、哥本哈根大學（University of Copenhagen）、奧斯陸大學（University of Oslo）和哥德堡大學（Goteberg University），那些聆聽我說明且偶爾一針見血的聽眾。

一些蘊藏在這本書的知識上的貢獻應受特別認可。巴林頓・摩爾（Barrington Moore）的著述在本書中就算沒有被直接引用，也一直隱約可見其蹤影，我的許多論點都可以解讀成是在和他的著作《不義》（*Injustice*）中較具啟發性的段落對話。莫瑞・艾德曼（Murray Edelman）的著述也是如此，我直到最近才完全意識到自己長期以來都在和他的論述纏鬥。就算我們的答案分歧，但我所致力研究的多數問題摩爾和艾德曼也都曾提出過。我還應該感謝格蘭特・艾文斯（Grant Evans），我在第三章曾挪用他對寮國永珍（Vientiane）的典禮引人注目的描述。丹尼爾・菲爾德（Daniel Field）的《以沙皇之名的叛亂者》（*Rebels in the Name of the Tsar*）提供了第四章末關於天真君主主義（monarchism）的論據基礎。

一如我前文所述，許多人曾針對我口頭或書面發表的論點提出許多分歧的回應，儘管幾乎可以肯定這些意見改善了我的論點，但必然減緩了我寫作的速度。有些人認為我找錯目標；有些人認為我找對目標，但研究的方法不對；有些人不明白為何這稱得上是個目標；謝天謝地，還有些人和我一起尋找，並改善我的收穫，以便符合我所聲稱的論點。我只能大致不加區別地列出他們的名字，如此一來，任何人都能夠否認與我所聲稱的立場有任何關聯。他們是（深吸一口氣）：Edward和蘇珊・弗里曼（Susan Friedman）、Jan Gross、格蘭特・艾文斯、Tony Reid、Don Emmerson、Leonard Doob、Joseph Errington、Joseph LaPalombara、Helen Siu、Susanne Wofford、Deborah Davis、Jean Agnew、Steven Smith、David Plotke、Bruce Ackerman、George Shulman、Ian Shapiro、Rogers Smith、Jonathan Rieder、Bob Lane、Ed Lindblom、Shelley Burtt、Marc Lendler、雪莉・奧特納（Sherry Ortner）、Mary Katzenstein、Jack Veugelers、Bob Harms、Ben Kerkvliet、Bill Klausner、Chuck Grench、Joan Scott、Michael Walser、Vivienne Shue、Cheah Boon Keng、Helen Lane、Peter Sahlins、Bruce Lincoln、Richard Leppert、Stuart Hall、莫里斯・布洛克（Maurice Bloch）、Teodor Shanin、Catherine Hall、Denise Riley、Ivan Kats、Louise Scott、Jeffrey Burds、Jim Ferguson、Dan Lev、Michael McCann、Susan Stokes、Ellis Goldberg、Natalie Zemon Davis、Lawrence Stone、Ezra Suleiman、Ben Anderson、Don Scott、David Cohen、Susan Eckstein、John Smail、Georg Elwert、Leslie Anderson、John Bowen、Rodolphe de Koninck、Marie-Andrée Couillard、Jonathan Pool、Judy Swanson、Fritz Gaenslen、Lloyd Moote、Grace Goodell、安傑伊・泰莫夫斯基（Andrzej Tymowski）、Ron Jepperson、Tom Pangle、Margaret Clark、Phil Eldridge、Viggo Brun、Nancy Abelmann、John Bryant、Melissa Nobles，以及Russell Middleton。

仔細審視過整份書稿的同僚人數遠遠更少，他們提供了我能夠奉行的建議，以及有時令我無所適從的深入批評。他們的幫助和批評肯定改善了這本書，我也認為他們的建議讓我變得聰明了些。最終版本很可能沒有達到他們的期望。我將為此負起全責，事實上我也別無選擇。這些好同事包括莫瑞・艾德曼、克利弗德・紀爾茲、Crawford Young、Jennifer Hochschild、Ramachandra Guha、Michael Adas、Fran Piven、亞莉・羅素・霍希爾德（Arlie Russell Hochschild）、萊拉・阿布—盧戈德（Lila Abu-Lughod）、亞里斯蒂德・佐爾伯格（Aristide Zolberg），以及Claire Jean Kim。我向他們保證，我絕對不會再次犯下尋求那麼多建議的錯誤——這既是為了我自己，也是為了他們著想。

第三章有個稍微不同的版本，以〈特權作為支配的公開論述〉（Prestige as the Public Discourse of Domination）為題，發表在《文化批評》（*Cultural Critique*）第十二期（一九八九年春季刊）關於「特權經濟」的特刊上，頁一四五至一六六，由Richard Leppert和Bruce Lincoln編輯。

耶魯大學東南亞研究聯合會（Council on Southeast Asian Studies）的幹事Kay Mansfield和其他人一樣貢獻良多，一路扶持這份書稿直到成書。我感謝她的友誼、效率、編輯技巧和努力。Ruth Muessig、Mary Whitney和Susan Olmsted協助我最後幾次忙亂的校對。

Louise和我們的孩子一直都是我學術產出的阻礙。他們找不到任何世俗的理由能夠解釋為何我要耗費如此大量的時間寫書，畢竟這得付出孤獨和放棄許多機會的代價。這本書就像我過去的著作，是在不顧他們盡其所能要讓我恢復理智的情況下寫成的。如果沒有他們，我無疑可以產出更多，天曉得搞不好還能變得更聰明。不過從各方面來說，能夠有他們相伴，這樣的代價微不足道。

第一章　官方說法背後

要在暴君面前說出自由的話語令我不寒而慄。

——尤里比底斯（Euripides）《酒神女信徒》（*The Bacchae*）的合唱團主唱者

工人和工匠儘管是他們主人的僕人，但卻能靠著聽命行事來擺脫。然而暴君看著那些在他身旁的人，苦苦哀求他施恩；他們不僅必須執行他的命令，還必須照他希望他們（思考）的方式思考，而且為了滿足他，甚至要時常預測他的想法。僅僅服從他是不夠的，他們也必須要取悅他，他們效勞他時必須折磨虐待自己，甚至自殺；而且……他們必須為了他放棄自己的喜好，違背他們的意願，擺脫他們天生的性情。他們必須謹慎觀察他的話語、聲調、眼神，甚至是點頭。他們必須無眼、無腳、無手，全心全意警戒關注，以刺探他的心意，發掘他的想法。這樣的生活快樂嗎？這還稱得上是生活嗎？

——拉波哀西（Étienne de La Boétie）的《自願奴役論》（*Discourse on Voluntary Servitude*）

> 最強烈的仇恨是源自恐懼，迫使人沉默無語，讓憤怒變成積極的報復意圖，幻想憎惡的對象毀滅就像某種隱祕的復仇儀式，受迫害者藉此祕密地發洩他們的怒氣。
>
> ——喬治・艾略特的《丹尼爾・德隆達》（*Daniel Deronda*）

如果「向權勢說出真相」這個說法聽起來仍太過理想化，甚至在現代民主國家也不例外，那麼肯定是因為鮮少有人實行。弱勢者在掌權者面前掩飾真實想法並不令人意外。這種情形無所不在。事實上，甚至普遍到導致在許多情況下，所行使的權力曲解「權力」的原意到幾乎無法辨認的地步。多數人認定的正常社交需要我們例行寒暄、笑臉迎人，儘管我們對對方可能懷抱著和外在表現不一致的看法。就這點而言，我們或許可以說，體現在儀節和禮貌上的社會習俗力量要求我們經常犧牲坦率直言，以換取和我們的熟人建立圓滑的關係。我們謹慎周到的行為可能也帶有策略性的層面：我們矯飾自我的對象可能會以某種方式傷害或幫助我們。喬治・艾略特聲稱「如果沒有一點演技，就什麼事也做不了」，或許並不誇張。

在後文中，我們所關注的比較不是出於客套的演技，而是從古至今絕大多數人被迫養成的演技。我指的是那些受到精細且系統性的社會從屬形式支配的人，所必須實行的公開表演：受雇主支配的工人、受地主支配的租戶或佃農、受領主支配的農奴、受主人支配的奴隸、受婆羅門（**Brahmin**）支配的賤民、受優勢種族支配的從屬種族成員。除了極罕見但意義重大的例外，從屬者的公開表演出於審慎、恐懼和討好的渴望，往往被形塑成迎合掌權者的期望。我將使用「公開文本」一詞來簡述從屬者和支配者之間的公開互動。[1]公開文本儘管不一定會誤導人，但不可能說明權力關係的全貌。這種文本經常會符合雙方的利益，心照不宣地共同促成失實的表述。一名法國佃農老迪耶儂（Old Tiennon）的口述歷史幾乎涵蓋了十九世紀的歷史，描述著審慎且令人誤解的服從：「他（曾解雇他父親的地主）在從勒克勒（Le Craux）前往梅耶（Meillers）途中，會稍事停留和我說話，而我強迫自己要表現出友好的樣子，儘管我內心相當鄙視他。」[2]

老迪耶儂很自豪自己不像他笨拙又不幸的父親，他已經學會「生活必備的裝糊塗技能」。[3]從美國南方傳出的奴隸敘事也一再提到欺騙的必要性：

> 我努力表現，讓自己不要被白人居民討厭，畢竟我深知他們的權力，以及他們對有色人種的敵意。……第一，我從不展示我所擁有的少數財產或金錢，而是方方面面都盡可能穿得像奴隸的樣子。第二，我從不表現得像我實際上的那麼聰明。無論是自由民或奴隸，這是所有南方的有色人種都認定，若要保全自己的舒適和安全尤其必須遵守的原則。[4]

當從屬群體的一個關鍵生存技巧是在權力壓迫的情況下管理對外呈現的印象，他們行為的表演面向也會被支配群體中觀察力較敏銳的成員注意到。農場主瑪麗・切斯納特（Mary Chesnut）

發現，每當白人在討論內戰前線最新消息時，她的奴隸都會異常沉默，她認為這是因為他們在隱藏某些事情：「他們戴著黑色的面具到處走動，沒有一絲情緒的漣漪；但遇上除了戰爭以外的所有話題，他們都是所有種族中最熱烈討論的。現在迪克（Dick）就像一尊非常莊嚴的埃及獅身人面像，高深莫測地沉默不語。」[5]

在此我要冒險提出一項粗略廣泛的歸納，我將在後文嚴格地具體描述：支配者和從屬者之間的權力落差愈大，權力行使時愈專橫，從屬者的公開文本就會愈符合刻板印象的慣常型態。換句話說，權力愈具威脅性，面具就愈厚。在此脈絡下，我們可以想像到各式各樣的情境，從地位和權力對等的朋友關係，到另一個極端的集中營，受害者的公開文本帶有對死亡的恐懼。我們接下來要關注的絕大多數系統性從屬的歷史案例，都落在這兩個極端之間。

雖然這開頭對公開文本的討論相當粗略，但提醒了我們權力關係中的幾項議題，每一項都是圍繞著公開文本並非全貌的事實。首先，公開文本不甚完善地說明了從屬者意見。老迪耶儂的策略性微笑和招呼掩蓋了憤怒和復仇的態度。至少，直接從掌權者和弱勢者之間的公開文本解讀而來的對權力關係的評價，所描繪到的可能只是出於策略的服從和同意。其次，支配者愈懷疑公開文本可能「只是」一場表演，他們就愈會對其真實性打折扣。這樣的懷疑態度很快就會演變成認定那些地位低於他們的人不老實、虛偽且撒謊成性，這種看法在許多支配群體間都十分常見。最後，公開文本可疑的意涵暗示了在權力關係中，掩飾和監控所扮演的關鍵角色。從屬者提供服從和同意的表演，同時試圖辨別和解讀具有潛在威脅性的掌權者真正的意圖和情緒。一如牙買加（Jamaican）奴隸最愛的諺語所述，「裝瘋賣傻，才能聰明洞悉。」[6]權勢人物反過來創造出優越和命令的表演，同時試圖窺探從屬者面具背後的模樣，解讀他們的真正意圖。我認為，弱者和強者關係中常見的掩飾和監控的辯證，將會幫助我們理解支配和從屬的文化模式。

支配情境下通常十分普遍的戲劇性命令會製造出一種公開文本，非常符合支配群體期望事情呈現的樣子。支配者從未完全掌控舞台，但他們的期望通常會占上風。在短期內，從屬者是為了自己的利益而創造出堪稱可信的表演，他會按照他所知的支配者期望來說台詞和擺姿勢。結果就是除非發生危機，否則公開文本大多會有系統地傾向支配者所演繹的劇本和論述。在意識形態方面，公開文本通常會透過其妥協的基調，強而有力地證實支配性價值觀和論述的霸權確實存在。正是在這樣的公領域中，權力關係的作用最為明顯，而任何只根據公開文本的分析都可能推斷出從屬群體認可他們的服從條件，願意成為從屬關係中的合夥人，甚至對此十分熱中。

懷疑論者至此很可能會問道，單單憑藉公開文本，我們如何能夠推斷這類的表演是否真誠。我們有何根據可以稱之為表演，由此質疑其真實性？當然，答案是除非我們可以在幕後，也就是在這類特別受權力壓迫的環境之外，或多或少和表演者對談，抑或除非表演者突然在舞台上公開宣告，我們先前所觀察到的表演都只是裝腔作勢，否則我們無法知道這類的表演多麼做作或刻意。[7]如果無法幸運地窺探後台的情況，或表演時沒有發生決裂，我們面對可能令人信服但事實上是虛假的表演時，就無法質疑其狀態。

若說在支配者面前的從屬者論述是公開文本，那麼我應該使用**隱藏文本**一詞，來描述「幕後」不受掌權者直接監視的環境中所表達的論述。隱藏文本因為包含那些幕後的言論、姿勢和實踐而具有衍生意涵，確認、反駁或略微改變了公開文本所呈現的表面。[8]我們不希望理所當然地預先判斷在權勢者面前和背後所說的言論之間的關係。唉，畢竟權力關係不是那麼簡單明瞭，讓我們可以判斷在受權力壓迫環境下的言論是虛假的，而幕後的言論就是真實的。我們也無法過度簡化地將前者描述為必要的範疇，而後者為自由的範疇。然而，可以肯定的是，隱藏文本有別於公開文本，是為一群不同的觀眾、在不同的權力限制下所創造的。藉由評斷隱藏文本和公開文本**之間**的差異，我們就能開始判斷支配對公開論述所造成的影響。

目前為止抽象和籠統的討論基調最好靠著具體的例子來挽救，描述那些公開和隱藏文本間可能十分劇烈的落差。第一個例子是源自美國內戰前南方的奴隸制度。出身新英格蘭（New England）的白人女家庭教師瑪麗．里弗莫爾（Mary Livermore）描述，一名通常沉默寡言、畢恭畢敬的黑人廚師艾姬（Aggy）在她的主人毆打她女兒後的反應。女兒被顯然冤枉地指控偷竊某件小東西，接著慘遭毆打，艾姬只能旁觀，無能介入。主人終於離開廚房後，艾姬轉向她視為朋友的瑪麗並說：

總有一天！總有一天！……我會聽到戰車隆隆作響！我會看見槍枝閃著火光！白人的血像河流一樣在地面流淌，屍體堆得那麼高！……主啊！讓那天快快到來吧，白人將會遭受那些毆打、瘀傷、疼痛和痛苦，他們死在街上時，禿鷹會吃掉他們的屍體。主啊！希望那些戰車快來，讓黑人同胞安心，恢復和平。主啊！願祢允許我活到那天，我將會看見白人像跑出樹林的飢餓狼群一樣被射死。[9]

不難想像如果艾姬直接對主人說出這段話，她會有何下場。顯然她足夠信任瑪麗・里弗莫爾的友誼和同情心，讓她可以在相對安全的狀況下冒險陳述她的憤怒。又或者是她再也無法壓抑她的怒氣。艾姬的隱藏文本和她安靜服從的公開文本截然不同。尤其驚人的是，這絕非剛剛萌芽的怒吼，而是精細描繪且極為鮮明的末日景象，描述的是復仇與勝利之日，也是利用白人宗教的文化素材來顛覆的世界。我們能夠設想，如此詳盡的想像是在沒有基督宗教仔細促成的奴隸信仰和實踐的情況下，從她口中自然吐露出來的嗎？就這方面而言，如果我們進一步鑽研對艾姬隱藏文本的一瞥，將會帶領我們直接走向奴隸宿舍和奴隸宗教的幕後文化。無論這樣的研究會告訴我們什麼，單單這一瞥就足以讓我們再也無法天真地詮釋艾姬先前和後續公開的服從舉動，而如果艾姬的主人在廚房門後偷聽的話，對他而言更絕對是如此。

艾姬在相對安全的友人面前揭露的隱藏文本，偶爾也會在權勢者面前公開宣告。當服從突然消失，被公然反抗取代，我們所面臨的就是那些權力關係中罕見的危險時刻。喬治．艾略特小說《亞當．比德》（*Adam Bede*）中的角色波伊瑟太太（Mrs. Poyser）終於說出她的心聲時，展現出震撼舞台的隱藏文本。波伊瑟太太和她的丈夫是年邁的唐尼索恩大地主（Squire Donnithorne）的佃戶，他們總是非常討厭他難得來訪的時刻，他往往會賦予他們繁重的新義務，輕蔑地對待他們。他「盯著她的方式，波伊瑟女士注意到，『總是令她惱火；彷彿你是隻昆蟲，而他打算用指甲輕推你。』然而，她走到他面前時，會說『任您差遣，先生』，以完美服從的模樣行屈膝禮。她可不是那種會對她的上位者做出失禮舉動的女性，如果沒有受到嚴重挑釁，她不會公然違背常規的原則。」[10]

這次地主前來提議波伊瑟先生和一名新佃農交換牧地和穀作耕地，這幾乎可以肯定是對波伊瑟夫婦不利。當他們遲遲不願同意，大地主提出未來可能延長他們的農地租約，並在談話最後表示另一位佃農手頭寬裕，除了他自己的農場，他會很樂意額外租下波伊瑟夫婦的農地——幾乎是赤裸裸的驅逐威脅。波伊瑟太太因為地主打定主意忽略她稍早的反對，「彷彿她已經離開房間」，最後又出言威脅，而大發雷霆。她「懷抱孤注一擲的決心打斷他，準備一口氣道盡她的心聲，即使他們將會因此收到大量的遷出通知，而他們唯一的避難所將是濟貧院。」[11] 波伊瑟太太首先開始比較這間房子的狀況——積水的地下室樓梯有許多青蛙，大小老鼠鑽過腐朽的木地板啃食他們的起司，也危及他們的孩子——和支付高額租金的困難，她發現地主正準備要從房門逃離，騎上他的小馬以保護自身安全時，她發動猛烈的個人控訴攻勢：

你可以逃走不聽我的話，先生，你可以暗中設法中傷我們，反正你有老哈利（Harry）替你撐腰，雖然你也就這麼一個朋友，但我就告訴你這麼一次，我們不是愚蠢的動物，任人虐待、握著綁住我們的牽繩來獲利，還不知道怎麼解開韁繩。就算我是唯一一個說出心底想法的人，這個教區和隔壁教區也還有很多人同樣這麼想，所有人都認為你的名字和硫磺火柴一樣臭。[12]

這展現了艾略特對她身處的鄉村社會的觀察力和洞察力，從她創作的波伊瑟太太和地主衝突的故事中，可以梳理出許多關於支配和抵抗的關鍵議題。比方說，波伊瑟太太在結尾的激昂處堅稱，儘管他的權力大過他們，但他們不會接受被像動物一樣對待。除此之外，還有她評論地主把她當成小蟲般看著她，並宣告他沒有朋友，整個教區都厭惡他，這些都聚焦在自尊的議題上。儘管這次對質可能起源於繁重租佃的剝削，但其論述是關於尊嚴和名聲。支配和剝削的作為通常會對人類尊嚴造成羞辱和輕蔑，接著促成憤慨的隱藏文本。或許各種支配形式之間的其中一個重大差別，在於行使權力時慣常會導致的侮辱類型。

也可以特別留意，波伊瑟太太是如何不只為自己說話，還擅自為整個教區代言。她聲稱她的這段話是所有人在地主背後的言論初次公開宣告。這件事迅速流傳開來，而且人們由衷歡快地聆聽和重述，由此判斷，整個社群也都認為波伊瑟太太說出了他們的心聲。「這個故事傳遍兩個教區，」艾略特寫道，「導致大地主的計畫因為波伊瑟夫婦拒絕『被利用』而受挫，所有農舍都在討論波伊瑟太太的爆發，頻繁複述反而讓人們更加興高采烈。」[13]鄰居感同身受的愉悅與波伊瑟太太實際表達的觀點無關——不是所有人多年來都在他們自己人之間如此談論地主嗎？儘管波伊瑟太太以通俗的優雅措辭來表達，但其內容了無新意；引人注目且讓波伊瑟太太成為某種地方英雄的原因是，她公開在地主面前說出這段話（而且有目擊者）。隱藏文本首次公開陳述，這樣的宣告違反權力關係的規矩，打破沉默和默許看似平靜的表面，因而帶有象徵性宣戰的力量。波伊瑟太太向權勢說出（社會）真相。

波伊瑟太太是在憤怒時發表這番言論，有人或許會說是自然發生的——但自然的是發表的時機和猛烈程度，而非內容。事實上，內容曾經過再三排練，正如我們所讀到的：「而雖然波伊瑟太太在過去十二個月裡背誦過許多想像中的演說，想要表達的想法甚至超過講述的內容，她幾乎已下定決心，要在他下次出現在會堂農場（Hall Farm）的大門時告訴他這些話，但她的演說一直純屬想像。」[14]我們誰沒有類似的經驗呢？只要曾被地位高於我們的掌權者或權威人士辱罵或侮辱過——尤其是在公開場合——誰不曾在想像中排練演說，希望或打算在下次機會來臨時發表？[15]這類的演說往往一直只是個人的隱藏文本，可能從不會表達出來，就算是在親近的朋友和同儕間也不例外。不過，在這個案例中，我們在探討的是共同的從屬處境。唐尼索恩大地主的佃農，事實上還有兩個教區內的許多非仕紳階級，都有充分的個人理由，以他當眾顏面掃地為樂，並間接共享波伊瑟太太的勇氣。因此，他們共同的階級位置和社會連結提供了強大的解像鏡頭，對焦在他們集體的隱藏文本上。有人或許會說，他們在社交交流的過程中，共同為波伊瑟太太寫下她的講稿，此言甚是。意思當然不是實際逐字寫下，而是指波伊瑟太太的「意見」是她根據所有地位低於地主的居民所共享的故事、嘲諷和怨言，自己重新改編而成的。而為了要替她「寫下」那段演說，無論再怎麼隱蔽，地主支配的居民都必須擁有某個安全的社會空間，讓他們得以交換和闡述他們的批評。她的演說是她個人演繹版本的從屬群體隱藏文本，而一如艾姬的案例，那段話將我們的注意力轉回起源的幕後階級文化。

被公開羞辱的個人可能會發展出復仇和對抗的個人幻想，但當羞辱改變形式，有系統地讓整個種族、階級或階層受苦，那麼這類的幻想就可能會變成集體的文化產物。就任何對權力關係的動態觀察而言，這種集體的隱藏文本無論是以何種形式呈現——幕後諧擬（parody）、暴力復仇的幻想、顛倒世界的千禧年想像——都必不可少。

波伊瑟太太爆發的代價可能非常高昂，正是她的大膽——有人會說是愚勇——讓她如此聲名狼藉。我在此故意使用「爆發」一詞，因為這正是波伊瑟太太所經歷到的：

「妳闖禍了。」波伊瑟先生說，他有些驚恐不安，但也因他妻子暴怒感受到某種勝利的歡愉。「對，我知道我闖禍了。」波伊瑟太太說，「但我說出我的心聲了，這樣我一生都會輕鬆多了。如果永遠壓抑情緒，只是像漏水的木桶一樣一點一點偷偷流露想法，那麼活著實在沒什麼意思。如果我想活到地主那把年紀，我就不該後悔說出我的想法。」[16]

喬治・艾略特透過波伊瑟太太之口說出的水壓隱喻，是表達隱藏文本背後的壓力感最常見的方式。波伊瑟太太暗示，她深謀遠慮和隱瞞的習慣再也無法遏制她過去一整年所演練的憤怒。那股怒氣無疑會找到發洩的管道；選擇有二，一是「一點一點偷偷流露想法」這種較安全但心理上較不痛快的過程，二是危險但大快人心的徹底爆發，波伊瑟太太冒險選擇了後者。事實上，關於對支配有所意識的後果，喬治・艾略特在本書中採取了某種立場。她主張，在權勢面前必須「戴上面具表演」這種可說是因為虛偽而導致的緊張狀態，將會造成無法無限期遏制的抗衡壓力。從知識論*的角度來看，我們沒有根據可以判斷波伊瑟太太暴怒的真實程度高過她先前的服從。這兩者皆可說是波伊瑟太太自我的一部分。然而，要注意艾略特所描繪的狀態，波伊瑟太太感覺自己終於說出心聲。有鑑於她和其他處境類似的人感覺自己終於對那些掌權者說出真相，在我們正在探討的行動者的想法和實踐中，「真相」的概念可能具有某種社會學的真實性。這樣的概念儘管就知識論而言站不住腳，但在真實世界可能具有現象學†的力量。

另一種主張在邏輯上幾乎是第一種的鏡像，認為那些因受支配而必須戴上面具表演的人，最終會發現他們的臉逐漸適應面具。在這樣的情況下，從屬的實踐遲早會產生自己的正當性，有點類似於帕斯卡（Pascal）‡命令那些沒有但想要擁有宗教信仰的人一天跪地禮拜五次，他認為這樣的演出最終會產生自己的信仰合理性。在接續的分析中，我希望深入闡明此一辯論，畢竟其與支配、抵抗、意識形態和霸權的議題息息相關，而這些議題正是我關注的核心。

若說弱勢者在權勢面前有明顯和令人信服的理由，試圖躲藏在面具後方，那麼掌權者也擁有自己的有力理由，在從屬者面前戴上面具。因此，對掌權者而言，公開行使權力時運用的公開文本，和只有在幕後才能安全表達的隱藏文本之間，往往也存在落差。就像從屬者的狀況，菁英的幕後文本也具有衍生意涵：包含那些姿態和言論，略微改變、反駁或確認了公開文本所呈現的

---

* 譯注：知識論（epistemology）為哲學的重要領域，研究知識的來源、本質與範圍。其中會去探討何為主觀感受和客觀知識，構成知識的標準和真理為何等問題。

† 譯注：現象學（phenomenology）為二十世紀的哲學學派，創立者為德國哲學家胡賽爾（Edmund Husserl, 1859-1938），他認為在「人意識到世界存在」這樣的敘述中，無論是人（能識）和世界（所識）都難以證實存在永恆不變的本質，真正存在的是意識流本身。現象學的主張質疑當時學界傳統上對主客觀的認定標準，打破固有框架。

‡ 譯注：布萊茲・帕斯卡（Blaise Pascal, 1623-1662）為法國神學家、哲學家、數學家和科學家。他認為人類不可能證實上帝是否存在，但主張理性之人都應該相信上帝，因為相信上帝的損失遠小於不相信上帝的損失。此一論證被稱作「帕斯卡的賭注」。

表象。

再也沒有作品比喬治・歐威爾的散文〈獵象記〉（Shooting an Elephant）更成功檢視「掌權者的表演」這個概念，此文源自一九二〇年代他在緬甸殖民地擔任副警官時的經歷。歐威爾被要求去處理一頭發情的大象，牠掙脫了拴繩，在市集大肆破壞。手握著象槍的歐威爾終於找到那頭大象時，牠正在稻田裡平靜地吃草，雖然牠確實已經殺害一名男子，但此時已不再對任何人造成威脅。合理的做法應該是觀察那頭大象一陣子，確保牠的發情期已過。但歐威爾無法按常理行事，因為此時已有超過兩千名臣民跟在他後方看著他：

> 而我突然意識到，無論如何我都必須射殺那頭大象。群眾期待我這麼做，而我不得不做；我可以感受到他們兩千人的意志力在催促我向前，無可抵抗。而正是在此時，當我手握步槍站在那裡，我第一次體會到白人在東方的統治多麼空洞徒勞。我這個荷槍的白人，站在手無寸鐵的當地群眾前——看似這齣戲的主角；但實際上我只是個可笑的傀儡，被身後那些黃膚臉孔的意志推來拉去。我在此刻察覺到，當白人變成暴君，他毀掉的是自己的自由。他變成某種裝腔作勢的空洞假人，成為閣下（sahib）*的傳統形象。因為他統治的條件就是他應當終其一生都試圖讓「當地人」欽佩，每次遭遇危機他都必須按照「當地人」對他的期望行事。他戴上面具，而他的臉也愈來愈適應面具……閣下就該有閣下的樣子；他必須演出

堅決的模樣，必須了解自己的想法並明確行動。大老遠跑來，手握步槍，兩千人跟在我後頭，接著卻軟弱地離去，什麼事也不做——不，那種事不可能發生。群眾會嘲笑我。我的一生，每個在東方的白人的一生，都是一場努力避免遭人訕笑的漫長奮鬥。[17]

歐威爾多次採用戲劇的隱喻：他提到自己是「這齣戲的主角」、空洞假人、傀儡、面具、演出，還有一群觀眾準備好在他沒有按照既定劇本演出時嘲笑他。正如他的親身經歷，比起在蠻橫主人面前的奴隸，歐威爾並沒有擁有更多自由可以做自己和打破慣例。若說從屬需要逼真地表現出謙卑和服從，那麼支配似乎需要逼真地表現出高傲和優越。然而，其中有兩個不同之處。如果奴隸違反劇本，他會面臨被毆打的風險，而歐威爾只會被嘲笑。另一個重要的差異是，支配者之所以需要裝腔作勢，並不是因為他們弱勢，而是源自於他們統治背後的概念，他們如何主張自己的正當性。君權神授的君王必須表現出神的樣子，戰士君王必須像英勇的將軍；共和國的民選領袖必須看似尊重全體國民和民意；法官必須看似尊敬法律。菁英公開做出違背權力主張基礎的行動十分危險。在尼克森（Nixon）主掌的白宮（White House）橢圓形辦公室（Oval Office）錄音

---

* 譯注：「sahib」為殖民時期的印度人對歐洲人的尊稱。

對話中的譏諷態度，對於聲稱合法且道德高尚的公開文本而言是致命的一擊。*同理，社會主義集團的政黨菁英幾乎毫不掩飾地擁有專屬商店和醫院，也重挫了執政黨聲稱代表勞動階級統治的主張。[18]

我們可以根據各種支配形式看似所需要的展演和公開劇場類型，來有效地比較不同形式的差異。此外，相同的問題甚至可能還有更容易揭露實情的提問方式，那就是詢問不同的支配形式最刻意向大眾隱瞞的活動為何。每種統治形式不只會有自己獨特的舞台背景，還會有獨特的不可告人之處。[19]

那些以統治菁英先天優越的前提或主張為基礎的支配形式，似乎十分仰賴鋪張奢華的展示、禁奢法律、華服，以及從屬者公開表現服從或致敬的行為。灌輸服從習慣和階級觀念的渴望也可以形成類似的模式，軍事組織便是一例。在極端的案例中，展示和表演主宰一切，一如中國皇帝隆慶帝的例子，他每次公開露面的動作都經過精密排演，讓他幾乎成為活生生的崇拜偶像，被安排出現在所有細節皆已事先計劃完善的儀式中。在幕後，也就是在紫禁城內，他就可以隨心所欲地和王宮貴族狂飲作樂。[20]這或許是個特定的例子，但到處都有支配的菁英試圖隔絕出某個幕後的社會性場域，在那裡他們不再需要展演，可以不拘禮節；他們也經常試圖將與從屬者的接觸儀式化，好讓他們可以將面具戴牢，也將意外情況發生的風險降到最低。米洛萬・吉拉斯（Milovan Djilas）†在早期對南斯拉夫（Yugoslavia）新政黨菁英的批評中，將有意義但祕密的幕後活動，對比公共機構空洞的例行儀式：「在私人晚餐、狩獵聚會或兩三人的對話中，決策出最為重要的國家大事。而政黨論壇集會、政府和議會會議唯一的目的只是要宣告事項，並提供一場演出。」[21]當然，嚴格來說，吉拉斯所貶低的公開例行儀式確實有其目的，共識、忠誠和決意的演出是為了要讓觀眾印象深刻。這類的公共儀式既真實又有意義；吉拉斯所控訴的是，這些儀式也是一場表演，設計來隱藏將會與之牴觸的幕後政治場域。支配群體往往有許多事需要隱瞞，通常也有必要的資源可以隱瞞他們想要隱瞞的事。和歐威爾一起在毛淡棉（Moulmein）任職的英國殖民官員必然有晚上經常光顧的俱樂部。那裡除了被忽視的緬甸員工外——他們可能會這麼說——只有他們自己人在場，不再需要在殖民臣民的觀眾前趾高氣揚。在這個隱密的場所，對閣下的公共角色而言不得體的活動、姿態、評論和穿著都十分安全。[22]菁英享有的隔絕場所不僅提供他們放鬆的地點，可以卸下他們職位的正式要求；熟悉可能會導致輕蔑，或至少會削弱他們例行安排公開露面時所打造的印象，而這類場所還能將這樣的可能性降到最低。巴爾札克（Balzac）刻畫了十九世紀中葉巴黎地方法官恐懼的事，按照現在的說法就是過度曝光：

---

* 譯注：指美國一九七〇年代的水門案，尼克森總統因涉嫌竊聽敵營民主黨黨部而爆出一連串醜聞，又謊稱自己沒有涉入其中，而失去大眾信任，最終辭職下台。

† 譯注：吉拉斯（1911-1995）為南斯拉夫共產黨的領袖、理論家和作家。

啊，你們真正的法官是多麼不幸的人哪！你知道的，他們應該離群索居，就像過去的主教那樣。世人應該只有在他們固定時間從小房間現身時才看見他們，莊重可敬又年高德劭，宛如古代的大祭司般宣告判決，在他們自己身上結合司法和祭司的力量！我們應該只有在法庭上才露面。……如今我們可能會像任何其他一般人一樣，被看見在娛樂消遣或遇上困難。……我們可能會在起居室和家中被人看見，被視為有七情六欲的凡人，我們將不再令人敬畏，反而變得可笑。[23]

未經管制地與公眾接觸可能會褻瀆法官的神聖光環，這樣的危險也許有助於解釋，為什麼他們比任何其他政府部門都保有更多傳統權威的特定服飾，甚至在世俗的共和國也不例外。

既然已經介紹了公開和隱藏文本的基本概念，我將訂定接續討論的方向，藉此大膽提出一些觀察。在權力關係研究方面，這個觀點警惕我們，幾乎所有在一般情況下觀察到的支配者和從屬者的關係，都呈現出支配者的**公開**文本和從屬者的**公開**文本兩者的碰撞。接著再來觀察唐尼索恩大地主如何把握各種機會強迫波伊瑟夫婦服從，而在波伊瑟太太情緒爆發前，她都設法維持住恭敬和樂於接受的假象。一般而言，社會科學堅決聚焦在掌權者和弱勢者之間的官方或正式關係。甚至我們將在後文看到的許多衝突研究都是如此，其所研究的衝突皆已高度制度化。我並不是要暗示這個權力關係的研究領域必定謬誤或沒有價值，只是它幾乎無法詳盡論述我們可能想要了解關於權力的面向。

最終我們會想了解不同行為者的**隱藏**文本是如何形成的，在什麼樣的情況下會或不會公開表達隱藏文本，和公開文本的關係又是如何。[24]然而，應該事先說明隱藏文本的三個特色。第一，隱藏文本是某個特定社會性場域和某群特定行為者所特有的。艾姬的詛咒幾乎可以肯定曾在奴隸之間以不同的形式排演過，可能是在他們的宿舍，或我們知道十分普遍的祕密宗教儀式中。就像多數的支配群體，歐威爾的同儕不太會冒險在公開場合言行失檢，但他們擁有毛淡棉俱樂部（Moulmein Club）這樣的安全空間可以出氣發洩。因此，每種隱藏文本事實上都是在排除某些特定他人（亦即文本隱瞞的對象）的受限「公開狀態」中闡述的。第二個隱藏文本的重要面向我目前尚未充分強調，那就是文本不僅包含言說的行動，還有各式各樣的實踐方法。因此，對許多農民來說，盜獵、偷竊、祕密逃稅，以及替地主工作時故意混水摸魚等活動，都是隱藏文本的重要部分。對支配的菁英來說，隱藏文本的實踐方法可能包括祕密的奢侈享受和特權、偷偷利用花錢請來的暴徒、賄賂和竄改地契。在每個例子中，這些做法都牴觸該群體的公開文本，而如果可能的話，都會盡可能在幕後祕密進行。

最後一點是，公開和隱藏文本之間的邊界是支配者和從屬者不斷鬥爭的區域——而非一道牢固的牆。支配群體普遍能夠定義和指定何者為公開文本、何者為幕後——雖然從未能徹底掌控——很大程度展現了他們的權力。關於這類界線持續不斷的爭鬥，可能是一般衝突和日常的階級鬥爭形式最至關重要的競技場。歐威爾注意到，緬甸人是如何設法時常暗諷藐視英國人，同時小心翼翼，絕不冒險做出更危險的公開反抗舉動：

> 反歐情緒非常激烈。沒有人膽敢發起暴動，但如果一名歐洲女子獨自走過市集，就可能有人會吐檳榔汁到她的裙子上。……當有個敏捷的緬甸人在足球場上絆倒我，而裁判（另一個緬甸人）看向別處，群眾熱烈吶喊，夾雜著可憎的笑聲。……最終，我到處都會看到青年對我嗤之以鼻的黃膚面孔，和我相隔安全距離時，常有人在我背後發出不滿的辱罵，令我萬分惱怒。年輕的佛教僧侶最為惡劣。[25]

策略性的審慎態度確保了從屬群體鮮少會直接脫口說出他們的隱藏文本。可是，利用聚眾的匿名性或模糊混亂的意外，他們就能用千種巧妙的方式去暗示他們不情願配合演出。我認為，分析掌權者和從屬者各自的隱藏文本，可以提供我們通往某種社會科學的道路，這樣的研究將揭露矛盾和可能性，也將細查大眾看似適應現存的權力、財富和地位分配所營造出的平靜表面之下是何光景。歐威爾所指出的「反歐」行動背後無疑是遠更精細的隱藏文本，是連接到緬甸文化、宗教和殖民統治經驗的整套論述。除非透過間諜，否則英國人無法得知這套論述。若要還原之，只能在毛淡棉當地人區域的幕後情境下進行，也只能仰賴對緬甸文化瞭若指掌的人士。當然，緬甸人也不知道英國人面對他們時多少有些官方的行為舉止背後的情況——除非透過僕人可能講述的故事。隱藏文本只能在殖民者的俱樂部、家中和小型聚會上還原。任何在這類處境下的分析者都擁有策略性的優勢，甚至可以勝過其中最敏銳的參與者，因為在多數情形下，支配者和從屬者的隱藏文本**從來不會直接接觸**。每位參與者都會非常熟悉他或她圈子內的公開文本和隱藏文本，但對另一個圈子的隱藏文本一無所知。因此，若有研究能夠比較從屬群體和權勢陣營的隱藏文本，並且比較兩者的隱藏文本和他們共同的公開文本，就可以將政治分析推進一步。後者的比較面向將會揭示支配對政治傳播的影響。

在歐威爾的毛淡棉工作任期結束後僅僅幾年，一場反殖民叛變讓英國人大吃一驚。領導者是一位佛教僧侶，他宣告登基，並承諾打造能夠大部分擺脫英國人和稅賦的烏托邦。這場叛變遭到無謂的極端殘酷鎮壓，倖存的「謀反人士」被送上絞刑架。至少有部分的緬甸人的隱藏文本突然可說是躍上舞台，昭告天下。他們是根據復仇的千禧年夢想，以及公正君主統治、佛教救世主和種族清算的願景來展開行動，而英國人對這些幾乎一無所知。在隨之而來的殘酷鎮壓期間可以發現，「世界上最愉快的事莫過於用刺刀刺進佛教僧侶的腸子裡」這樣的想法，過去歐威爾曾掙扎避免坦承，但無疑曾在白人專屬的俱樂部裡公開表達過，如今卻被付諸行動。許多隱藏文本依然維持在那個狀態——不為大眾所見且從未「實行」——可能絕大多數都是如此。而我們也無法輕易說出在哪些特定情形下，隱藏文本會攻上舞台。不過，如果我們想要超越表面的共識，去理解潛在的行動、至今仍被封鎖的意圖和可能的未來發展，比如權力平衡將有所轉移，或危機可能會浮上檯面，那麼我們就別無選擇，必須探索隱藏文本的領域。

注釋

1. 這裡的「公開」指的是向權力關係的另一方公開表示的舉動，而「文本」所採用的意義則近似司法的定義（筆錄），代表言論的完整紀錄。然而，這份完整紀錄也將包括非言語的行為，例如姿勢和表情。
2. Emile Guillaumin, *The Life of a Simple Man*, ed. Eugen Weber, rev. trans. Margaret Crosland, 83. 其他例子亦可參見頁38、62、64、102、140、153。
3. 同前注，頁82。
4. Lunsford Lane, *The Narrative of Lunsford Lane, Formerly of Raleigh, North Carolina* (Boston, 1848)，引文出自Gilbert Osofsky, ed., *Puttin 'on Ole Massa: The Slave Narratives of Henry Bibb, William Wells Brown, and Solomon Northrup*, 9。
5. *A Diary from Dixie*，引文出自Orlando Patterson, *Slavery and Social Death: A Comparative Study*, 208。
6. 同前注，頁338。
7. 幕後的否認或公開決裂本身也有可能是設計來誤導外界的伎倆，但我暫時排除這樣的可能性。然而，我們應該能理解，顯然不可能有完美的方法能夠明確證實，任何特定的一套社會行為背後存在某種根基的現實或真相。我也暫且不考慮表演者有可能可以暗示其表演並不真實，藉此為部分或所有觀眾削弱表演的真實性。
8. 這裡並不是要主張從屬者和同伴之間，除了他們和支配者的關係外無話可談。而只是要將「隱藏文本」一詞的定義界定為在從屬者間與掌權者的關係有關的互動。

9. *My Story of the War*，引文出自Albert J. Raboteau, *Slave Religion: The "Invisible Institution" in the Antebellum South*, 313。
10. *Adam Bede*, 388-89.
11. 同前注，頁393。
12. 同前注，頁394。
13. 同前注，頁398。
14. 同前注，頁388。
15. 我認為，我們在和地位相等者爭論或被同儕羞辱時，往往也會懷抱同樣的幻想。差別僅僅在於，在這樣的情況下，不對等的權力關係不會妨礙隱藏文本的宣告。
16. 同前注，頁395。如果有讀者不熟悉《亞當．比德》，又想要知道故事結局，地主在幾個月後碰巧逝世，威脅解除。
17. *Inside the Whale and Other Essays*, 95-96.
18. 在西方的資本主義民主國家中，類似的不平等情況幾乎不會受到如此象徵性的譴責，因為這些國家公開致力於捍衛財產權，也沒有聲稱是特別為了勞動階級的利益來治國。
19. 我們全都可以辨識出此一事實的家常版本。父母意識到，公開在他們的孩子面前吵架並不得體，尤其是為了他們的紀律和行為爭吵。如果這麼做會傷害到父母沒有明說的主張，亦即父母懂得最多，而且對於何謂恰當行為已達成共識。公開爭吵也會讓他們的孩子得到政治機會，可以利用被揭露的意見不合情勢。一般而言，父母傾向在幕後爭吵，在孩子面前表現出或多或少統一的陣線。
20. Ray Huang, *1571: A Year of No Significance.*
21. *The New Class*, 82.
22. 我懷疑本質上是基於相同的原因，導致幾乎所有階層組織內的從屬職員都傾向在眾目睽睽下工作，而菁英則在私底下處理事務，通常是在有私人祕書的接待室。
23. *A Harlot High and Low [Splendours et misères des courtisanes]*, trans. Reyner Happenstall, 505. 二十世紀文學家尚．惹內

（Jean Genet）將支配和從屬的面具設定為他許多作品的核心。尤其可參見他的劇作《黑鬼》（*The Blacks*）和《屏風》（*The Screens*）。

24. 我目前暫時刻意忽略任何行為者都擁有幾套公開和隱藏文本，根據傳達的對象而定。

25. *Inside the Whale*, 91. 大聲辱罵似乎不能算是隱藏文本。這裡的重點是「安全距離」讓辱罵者不會暴露身分：訊息是公開的，但發訊者是隱藏的。

第二章　支配、表演與幻想

柔卡絲塔（Jocasta）：那是什麼狀況？是什麼讓流亡者如此艱苦？
波利奈西斯（Polyneices）：最糟糕的是他們無法吐露心聲。
柔卡絲塔：但這是奴役，不是要訴說自身的想法。
波利奈西斯：他們還必須忍受主人的愚昧。

——尤里比底斯《腓尼基婦女》（*The Phoenician Women*）

目標

我的大目標是要建議，我們如何能夠更順利地解讀、詮釋和理解從屬群體往往難以捉摸的政治行為。這個目標相當自負，因此幾乎可以保證，除非採用一種零碎且概略的方式，否則不可能達成。這個抱負是源自於我長期試圖要理解，貧窮的馬來農民因為體制上對他們不利而抵抗稻米生產方式改變時，其中的政治運作為何。[1]考量到擁有土地的菁英和官員的權力，窮人所發動的鬥爭必然十分謹慎。他們沒有公然反叛或公開抗議，而是採取比較安全的路線，諸如匿名攻擊房地產、盜獵、人身攻擊和規避。他們幾乎無一例外，都小心避免任何不可挽回的公開反抗行動。若有任何人認為「塞達卡村」（Sedaka）政治生活的平靜表面證實了階級間的和諧，其實只是在錯誤的地方尋找政治衝突。

我推論，對於自認為大致上和塞達卡村的窮人在同一艘船上的從屬群體來說，政治生活所採用的形式可能十分相似。也就是說，他們的政治也可能會利用掩飾、欺騙和迂迴手段，同時在受權力壓迫的情況下，保持樂意配合的對外形象，甚至表現出熱烈贊同的樣子。

要提出類似的主張，我們必須先了解公開文本是如何建構和維持，以及有何用途。為什麼在權力關係中，公開表現出順從和忠誠如此重要？這類象徵性表演的對象是誰？像波伊瑟太太那樣憤怒或放肆的從屬者破壞表演時，會發生什麼事？

概略來說，公開文本是支配菁英的**自我**描述，也就是他們對外呈現的自我形象。由於支配的菁英往往擁有強迫他人表演的權力，關於公開文本的論述顯然是片面的討論。儘管公開文本不可能只是一連串的謊言和不實陳述，但在另一方面卻是極度偏頗且有失公允的敘事。公開文本是設計來讓人留下印象，肯定和自然化支配菁英的權力，並隱瞞或委婉表達關於他們統治的不可告人之事。

然而，如果這種自誇的自我描述在修辭上要對從屬者造成任何影響，就勢必要有些讓步，迎合他們假定的從屬者利益。也就是說，嚮往葛蘭西（Gramscian）＊所定義的霸權統治者，必須提出意識形態的主張，來證明他們在一定程度上是為了臣民的利益而統治。因此，這類的主張總是帶有高度宣傳性，但通常多少能在從屬者間引起共鳴。

隱藏和公開文本之間的差異，再加上公開文本的霸權抱負，讓我們可以區分出從屬群體中至少四種的政治論述。這些種類因他們遵從官方論述的程度和他們觀眾的組成而異。

最安全公開的政治論述形式是以菁英自誇的形象為基礎。這類自我形象由於帶有修辭上的讓步，提供了出奇廣闊的政治衝突舞台，可以訴諸這些讓步，並利用任何意識形態內的詮釋空間。舉例來說，就算是美國內戰前南方白人奴隸主的意識形態，也包含某種家長主義式的賣弄展示，聲稱要關心奴隸，讓他們有飯吃、有房住、有衣穿，並給予他們宗教教導。實際作為當然是另一回事。然而，奴隸可以在政治上利用這小小的修辭空間，去要求小塊的園地、更好的食物、人道的對待、參與宗教儀式的自由等等。因此，有些奴隸的利益在占優勢的意識形態中便得以表述，絲毫不顯煽動性。

＊ 譯注：指義大利左翼思想家安東尼奧·葛蘭西（Antonio Gramsci, 1891-1937）。他曾提出「文化霸權」理論，認為霸權是某個社會階級說服其他階級接受自己的道德和文化價值觀，進而支配和統治。

政治論述第二種截然不同的形式是隱藏文本本身。在這裡，也就是幕後，從屬者可以在權勢令人生畏的注視外聚集，有機會形成尖銳異議的政治文化。在宿舍相對安全的環境中，奴隸可以發表憤怒、報復、自我主張的言論，這些話在男女主人面前通常都必須往肚裡吞。

這本書的核心論點是，從屬群體政治存在第三個領域，策略性地處在前兩個領域之間。那就是掩飾和匿名的政治，在公開場域運行，但設計成具有雙重意義或掩蓋行為者的身分。謠言、八卦、民間故事、笑話、歌曲、儀式、符碼和委婉表達，亦即從屬群體民俗文化的絕大部分，都符合這段敘述。有個很好的例子，想想奴隸間流傳的兔子大哥（Brer Rabbit）*故事和更廣泛的搗蛋鬼（trickster）故事。在某個層面，這些都只是單純無害的動物故事；但在另一個層面，它們似乎是在頌揚弱者戰勝強者時的狡詐詭計和復仇精神。我認為，隱藏文本有個經部分消毒、模稜兩可且加密過的版本，總是存在於從屬群體的公開論述中。我們無法直截了當地詮釋這些文本，畢竟它們原本就刻意要含糊其辭。然而，忽略這類文本又會導致我們在理解歷史上的從屬行為時，只能仰賴那些公開反叛的罕見時刻或隱藏文本本身，後者不僅難以捉摸，還經常完全無法接觸到。我相信，菁英的分析往往是在許多限制下進行的，因此若要重現受支配人民的非霸權意見和實踐，就需要與菁英分析截然不同的分析形式。

最後，最具爆炸性的政治領域是隱藏和公開文本之間的政治封鎖線斷裂的情況。波伊瑟太太表達她的「意見」（見第一章）時，她公開了隱藏至今的文本，藉此消滅了兩者的區別。在她的例子中，地主逃之夭夭，但這類挑戰和公然違抗的時刻通常會引發一波迅速的壓制，否則如果沒有回應之，就經常會導致更多大膽的言論和行動。我們將會檢視這類的時刻，藉以洞悉特定的魅力（charisma）形式和政治突破的動力。

我們多數時候會聚焦在我所謂的從屬群體的底層政治。藉此，我的目的是要指明各式各樣不敢以自己的名義表達的低調抵抗形式。若掌握這種底層政治的本質及其掩飾、發展、與公開文本的關係，將能幫助我們釐清幾個政治分析中爭論不休的問題。

底層政治分析提供我們一個處理霸權收編（hegemonic incorporation）議題的方法。近期很難找到其他被著墨更多的主題了——無論是在關於社群權力的辯論，或在葛蘭西及其繼承者更巧妙的新馬克思主義（neo-Marxist）構想中，這都是最熱門的議題。霸權收編的確切意義取決於詮釋的方式，但無論選擇如何定義之，奴隸是否相信正義或奴役的必然性這個問題，都不可能只有個粗糙膚淺的答案。如果我們改為試著評估從屬群體如何能夠變得合群，接受上位者所宣傳、對他們自身利益的看法，那麼我們或許可以提供一個更複雜的答案。來自隱藏文本和底層政治的證據，通常可以提供我們根據經驗處理這個問題的方法，至少在原則上如此。無論如何，我們都不會淪落徒然等待公開社會抗議來揭開同意和沉默的面紗。如果僅僅聚焦在可能是奉命演出同意的

---

* 譯注：美國南方黑人的民間故事主角，他喜愛惡作劇，在故事中以智取勝、挑釁權威和社會習俗。

情況，抑或公開的反抗，這樣的政治觀點所呈現的政治生活概念遠遠太過狹隘。

同理，仔細觀察經掩飾或幕後的政治行為，有助於我們描繪出可能的異議範疇。我認為，在這個範疇內，我們通常會找到實際抵抗形式（例如主人所謂的奴隸偷懶、偷竊和逃跑）的社會和規範基礎，以及如果條件允許的話，或可支持更劇烈反叛形式的價值觀。重點在於，無論是日常的抵抗形式或偶發的叛亂，隱蔽的社會性場域是這類抵抗行動得以孕育和賦予意義的地方，如果沒有提及這些社會性場域，就無法完整理解抵抗行動。若能比本書所能企圖達到的更仔細研究，這樣的分析所勾勒出的抵抗技術和實踐，將類似於米歇爾．傅柯對支配技術的分析。[2]

隱藏文本和有所掩飾的公開異議形式，也可能有助於拓展我們對魅力型行動（charismatic acts）的理解。魅力並非某人以任何輕易的方式就能擁有的特質——比方棕色眼睛；一如我們所知，魅力是一種關係，能夠引發觀者識別出他們所欽佩的特質（事實上還可能有助於激發出這種特質）。波伊瑟太太不是一般口語所謂的魅力型人物，但她採取了魅力型行動。我將主張，若要理解那個行為和許多類似的魅力型行動，就必須充分意識到，她的舉動如何表現出共享的隱藏文本，且至今仍無人有勇氣不顧權勢公開宣告。

我的分析強調某些特定的從屬形式，這是因為我預期在這些形式中，公開文本和隱藏文本之間的分歧將最為嚴重。因此，許多我採用的證據來自各種形式的暴政，我選擇的考量是這些例子如何能夠證實這個觀點。我盡可能從各處汲取素材，參考了奴隸制度、農奴制度、賤民制度、種族支配的研究——包括殖民主義，以及我特別專精的研究領域，高度階層化的農民社會。對當代的觀察者而言，這些支配形式可能貌似幾乎是特例；奴役和農奴制度甚至可能被認為是古老事物的研究興趣。然而，強調這些例子有其益處。作為歷史事件，這些案例肯定代表人類憂鬱經歷非常大的一部分。多虧愈來愈多人關注底層的社會歷史，以及恢復原先遭到噤聲的聲音——尤其是北美奴隸的例子——我也能夠利用許多近期出版的著作。

我的策略意味著選擇彼此具有家族相似性的支配形式，藉此多少讓涵蓋範圍已經發散得十分危險的案例比較聚焦一點。這些支配形式是向受支配的一群人榨取勞力、物品和服務的制度化手段。這類的支配體現了關於尊卑的表面假設，而且往往是以精巧的意識形態形式呈現，還有一定程度的儀式和「禮節」控制著其中的公開行為。至少在原則上，這些支配體系內的社會地位在人出生時便已先賦，流動性趨近於零，從屬群體最多也只能獲得極少數的政治或公民權利。雖然這些支配形式高度制度化，但往往具有強烈的個人統治元素。[3]在此，我謹記著主人、地主和婆羅門擁有極大自由，可以對他們的奴隸、農奴和賤民做出武斷善變的行為。因此，這些支配形式被注入一種個人恐怖的元素，可能是以任意毆打、性侵犯，以及其他辱罵和羞辱行為來體現。無論這些事情是否發生在任何特定的從屬者身上，他們始終認為這些事情可能發生，這樣的認知似乎影響了整體的關係。最後，就像多數大規模的支配結構，從屬群體在幕後也擁有相當廣泛的社會存在，原則上能夠給予他們機會去發展出共同對權勢的批評。

在我的論點中，這種結構性的家族相似性是不可或缺的分析基礎。換言之，我並不打算針對奴隸、農奴、賤民、受殖民者或被征服種族的不變特徵提出「本質論」的主張。然而，我想要主張的是，如果其他條件不變，類似的支配形式往往會引發彼此也具有家族相似性的回應和抵抗形式。[4]因此，我的分析將會粗暴地忽略其他人可能會認為至關重要的差異和特定條件，以利勾勒出概略方法的輪廓。我不僅忽略了每種從屬形式間的巨大差異，我還忽視了每個特定形式案例的高度特殊性——比方北美和加勒比海地區的奴隸制度，或是法國和俄國的農奴制度。如果說這種方法有任何優點，那就必須透過個案研究，將這些廣泛的主張奠基在同時具有文化特殊性和歷史深度的脈絡中，才能顯現出其優點。

我時常會提及其他有些遠離前述架構核心的從屬形式，但它們都具有某些相似性，我認為有助於推進和闡明我的論點。監獄、再教育營、戰俘營這類「全控機構」——尤其是試圖說服人，甚至採取洗腦形式的場所——的證據，似乎有助於比較研究的目標。同理，在共產國家的公共生活中，官方儀式和幕後政治文化之間往往存在鴻溝，因此能夠告訴我們隱藏文本是如何闡述發揮的。

關於以性別為基礎的支配，以及勞動階級文化和意識形態的文獻，已經被證實在許多論點上富有洞察力。它們和我最高度仰賴的那些例子共享許多相似點，足以引發聯想。同時，兩者的差異又限制了可類比之處。在女性的案例中，從屬關係通常既個人又私密；共同生育和家庭生活意味著，從屬群體若要想像一個全然獨立的存在，需要踏出比農奴或奴隸更激進的一步。在當代背景下，人們得以選擇婚姻伴侶，女性擁有公民和政治權利，這讓類比變得愈來愈牽強。對於西方當代的勞動階級而言，勞工可以接受或辭去某個特定工作（儘管他們通常**必須**工作），也擁有一定的能動性，而且已經取得公民權利，但依舊出現許多相同的困難。這兩個例子都說明了若要提高霸權收編的可能性，某些選擇的存在多麼不可或缺，而性別的例子則凸顯了明確說明分離領域（separate spheres）*的分離程度有多麼重要。[5]

觀察本書所選擇探討的結構，就能明顯看出我特別重視尊嚴和自主的議題，但這些議題一般都被認為比物質剝削次要。奴隸制度、農奴制度和種姓制度經常會造成貶低、辱罵、侵犯身體的做法和習慣，而這些作為似乎在其受害者的隱藏文本中占據了很大一部分。一如我們將在後文所見，這類壓迫的形式拒絕給予從屬者一般的負面互欺空間：以巴掌還巴掌，以辱罵還辱罵。即使是就當代勞動階級而言，在描述剝削時，藐視尊嚴和密切管控工作的部分，似乎至少與對工作和薪酬較狹隘的關心同樣顯著。

* 譯注：「分離領域」為十九世紀西方發展工業、進入現代社會時所衍生的概念，指個別家庭的私領域和整體社會的公領域有所區分。

開場白

接下來的兩章將致力於分析公開文本，及其象徵性價值、維持、操縱和後果。然而，在展開這項艱鉅任務前，必須先闡明一些工作假設。首先是關於隱藏文本的知識論地位，以及該領域中的論述相對自由的性質。接著，我想要指出，公開和隱藏文本的差別如何吻合我們從語言實踐，以及從在權勢面前和背後言論差別的現象學中所認識到的情況。最後，我想要指出隱藏文本如何從在權勢面前時會遭受審查的衝動和主張中，獲得基準的情緒共鳴。

服從與幕後談話

較年輕的總是套著軛，但有哪隻上軛的動物沒有自己意見呢？

——喬治．艾略特，《米德鎮的春天》(*Middlemarch*)

任何階層化的模式都提供了相當可靠的指引，說明在那個社會中是誰下達命令，而是誰接受命令。位處頂端的是那些幾乎對所有人下令，而不需聽命於任何人的人；身處底層的則是那些幾乎接受所有人的命令，而無法對任何人下令的人。每個位置的人都服從更高層的人。就此觀之，服從是階層化體系的一項結果，而非其成因。因此，只要我們根據任何人曾有過看似服從的舉動，便猜想他或她的任何看法或態度，就有可能犯下嚴重的錯誤。嚴格來說，我們沒有根據可以做出任何這類的推論，而且最好視「服從」一詞為「在涉及傳統權威運作的情況下所發生的社會互動形式」。[6]服從的行為——比方說鞠躬問候，或用在上位者的尊稱來稱呼他——無疑在某種意義上，是想要表現出符合在上位者維繫之標準的外在印象。除此之外我們或許就沒有把握肯定。這類行為可能就像慣例或習慣性動作，幾乎是無意識出現的；也可能是計算其好處後的結果；也可能是成功的掩飾；也可能源自有意識想要向受人敬重的在上位者致敬的渴望。除此之外，既然多數的服從行為是對特定地位者的例行性行動，人很可能經常會想要區別面對那個個人和普遍面對該地位者的態度。舉例來說，人可能會出於某種普遍對牧師的尊敬和他們所代表的信仰而服從某位牧師，同時卻在私下輕視這位牧師。

因此，每次在推論服從行為背後的態度時，都必須以該行為以外的證據為根據。[7]而如果正在討論的服從行為是出自體制上受支配的群體，那證據就更加必不可少，畢竟公開的服從慣例可能高度例行化且膚淺。奧蘭多．帕特森（**Orlando Patterson**）在他的奴隸制度比較研究中，極力堅稱奴隸在其主人面前卑躬屈膝的行為是「他們互動的表面產物」，而且僅只如此；我們幾乎無法據此談論群體的心理或看法。[8]在任何既定的支配結構中，合理的想像是，從屬群體會受他們的上一代社會化，而採行表達敬意的慣例，以保護他們免受傷害。舉例來說，奴隸制度的一個殘酷悖論是，奴隸母親首要的願望是保護她們孩子的安全，並讓孩子留在自己身邊，因此為了維護利益，她們會訓練子女學會順從的慣常做法。出於母愛，她們試圖將孩子社會化，以取悅他們的男女主人，或至少不要激怒他們。這樣的順從多麼深化，表演背後存在多少幕後的怨恨和憤世嫉俗可能會影響之，都無法單憑表面證據來判斷。英國勞動階級的家庭中似乎也出現遵循類似原則的情況。相較於中產階級家庭強調感受、罪惡感和態度，據稱勞動階級的父母強調表面服從和順服，而遠不在乎其背後的動機。[9]此一模式大大反映出他們的父母所期待和傳承的那種對勞動生活和階級體制的順從。彷彿勞動階級的年輕人都曾受過某種生活的訓練，其中他們公開對權力事實的順從和他們私下祕密的態度之間不必然相關——甚至可能互相牴觸。

我們在檢視服從的公開文本時所面對的問題是：在權力運作幾乎持續不斷的狀況下，我們該如何判斷權力關係對行為的影響？如果要知道老師在場時對整個教室的學生影響有多大，唯有等到他或她離開教室時——或學生放假離開教室時——我們才有辦法開始評估其影響力。除了學生的言論之外，學校放假時往往會爆發出一陣談天的嘈雜聲，學生的肢體一下就變得活力充沛，若與他們先前在教室的行為相比，確實能告訴我們過往學校和老師對行為有何影響力。不過我們依然不清楚服從行為背後的動機，除非促使那些行為發生的權力衰弱，否則我們也可以在幕後和那些我們想了解動機的人祕密談話。

我們尤其應該在後者論述相對自由的領域，在掌權者聽不到的地方，尋找隱藏文本。透過我

附圖：奴隸制度下的假想論述場域，根據觀眾對象排列

嚴厲的主人／監視者	縱容的主人／監視者	沒有直接影響力的白人	奴隸和自由的黑人	同主人的奴隸	最親近的奴隸朋友	直系親屬
公開文本			隱藏文本			

們在這個領域找到的文本和在權勢面前的言論之間的落差，可以粗略評估在受權力支配的政治交流中，有哪些部分受到壓抑。因此，隱藏文本是非霸權、對位、異議、顛覆性論述的特許場域。

至此我提到**隱藏文本**和**公開文本**時，都是使用單數形式，但事實上複數形式會比較正確，並且能夠表達這類文本產生的各式各樣的場域。附圖是以奴隸制度為例——我們在後文將會修飾其粗糙和線性的部分——提供了這種文本多重性的初步概念。[10]

當一位假想的奴隸發現自己身處光譜較隱蔽那端（右側）的觀眾之中，他的論述會相對不受上級者威嚇。稍微換個說法，奴隸愈隱身在他最親近的圈子中，影響論述的權力平衡往往就不會那麼歪斜，但不總是如此。然而，這絕對不是在主張，奴隸在嚴厲的主人面前的行為必然虛偽造作，而他在家人和密友面前的舉止就必然誠摯真實。我們之所以不能跳躍到如此簡化的結論，是因為權力關係無所不在。權力關係在光譜兩端的狀態肯定不同，但永遠存在。[11]

在光譜朝向隱藏文本區塊的那端，權力關係的不同之處在於，該範疇內的權力關係是在那些往往是同儕的群體之中產生的，他們彼此都受制於更大規模的支配體系。雖然在這樣的環境下，奴隸可能比和主人面對面時更自由，但並不能由此推斷奴隸之間並不存在普遍的支配關係。從屬者間的權力關係不必然會按照民主原則進行。監獄的囚犯全都受制於機構及其官員的共同支配，但他們之間經常會發展出一套專制暴政，和監獄管理人員任何所能構想出來的一樣殘忍剝削。在這支配中的支配情境下，從屬的囚犯必須謹言慎行，在具有支配地位的囚犯面前可能要比在監獄官員面前更加小心翼翼。

就算從屬者之間的關係可說是對等且相互依存的，儘管所有人都參與了建構隱藏文本的過程，但在這種情況下所發展出來的隱藏文本可能讓人感覺同等專橫。舉例來說，想想看工人間經常盛行的風氣，他們會去懲罰任何特意討好老闆的勞工。下級者形容這類行為的用詞（狗腿子、馬屁精、高產工人*、哈巴狗）目的就是要避免之。這些用語可能還會附加上怒目注視、排擠，甚至毆打。

在從屬群體之中產生的權力關係，經常是上級者對行為的影響力的唯一制衡力量。在我研究的馬來西亞村莊中，佃農之中發展出一套強而有力的規範，任何人如果想要支付地主比目前當地佃農更高的季節租金，企圖確保或擴大他所能租用的土地面積，都會遭受譴責。十五年前某人似乎違反了規範；自那時起，那家人就遭到眾人鄙視，沒有任何受害家庭的親屬或友人願意和他們交談，或邀請他們參加宴會。還有另一個類似的例子，據說沒有任何安達盧西亞（Andalusian）的農場工人膽敢領低於最低工資的薪水工作。如果他們這麼做的話，就會遭到冷落、排斥，或被貼上「卑劣」或「討好巴結」的汙名標籤。[12]利用來強制成員遵守規範的制裁力量，基本上是取決於從屬群體的凝聚力，以及他們認為背叛會造成多大的威脅。在十九世紀的愛爾蘭（**Ireland**）鄉村地區，如果有佃農打破租金杯葛，付錢給地產商，他早上可能就會發現他的牛被施以「踝刑」：牛的跟腱被切斷，而佃農必須自己了結牠。所有這些例子都說明了在一個從屬群體中，或多或少會產生強制的壓力去監控偏差行為。[13]這類的壓力不僅是要壓制從屬者間的異議，更可以限制誘惑，避免他們彼此魯莽競爭——犧牲全體——而讓支配者得利。

一如附圖所示，公開和隱藏文本之間的辯證關係顯而易見。按照定義，隱藏文本代表的是通常因權力運作而被排除在從屬者公開文本之外的論述——亦即姿態、言論和作為。因此，創造出隱藏文本的是支配的實踐。如果支配的情況特別嚴重，就可能產生相應豐富的隱藏文本。接著，從屬群體的隱藏文本會藉由形成次文化，以及讓他們自己的社會性支配變體對抗支配菁英的社會性支配，而回頭影響公開文本。這兩者都是權力和利益的領域。

支配者的隱藏文本同樣也是權力運作的產物。其中包含了遭到支配的意識形態限制而被排除在公開文本之外的論述——亦即姿態、言論和作為。這也是權力和利益的領域。想像一張類似第五十九頁附圖的圖解，但我們改為以奴隸主的角度出發，觀眾從他的家人和密友，一直排到他在

---

* 譯注：指為了追求個人表現和獎金而努力提高生產效率，導致資方提高工作標準、壓低工資的工人。

儀式性場合與聚集的奴隸互動，就會產生一條支配者的論述場域光譜。這也是戴上面具的範疇，就像一名外交官的論述會隨著是在非正式場合和他自己的談判小組交談，或是在和具威脅性的敵對勢力的主要談判者正式談話，而劇烈改變。面具可能會變厚或變薄，可能粗糙或精巧，取決於觀眾的本質和所涉及的利益，然而就像所有的社會行動一樣，這些面具都是表演。

權力與表演

> 你在場便能令任何凡人恐懼，不敢說出你不會想聽見的話；但在陰暗的角落，我曾聽見他們說全鎮都在為這個女孩哀悼她難逃不義，若有女人曾經如此，做出光榮之舉卻受辱而亡……。這正是鎮上在祕密談論的事。
>
> ——海蒙（Haemon）對克瑞翁（Creon）說，《安蒂岡妮》（*Antigone*）*

在日常生活中，從服從、從屬和逢迎的行為中，最容易可以觀察到權力的影響。從屬群體的劇本和舞台指示通常遠比支配者的更加受限。霍希爾德稱之為向地位「致敬」，她發現：

> 地位更高代表著能夠更有力地主張報償，包括情緒報償。同時也代表擁有更多手段去執

> 行主張。僕人和女性的服從行為——鼓勵的微笑、專心的傾聽、讚賞的大笑，以及肯定、欽佩或關心的評論——逐漸變得稀鬆平常，甚至已深植在他們的性格之中，這並非地位低者一般參與的交流所固有的情況。[14]

一場有說服力的表演可能同時需要壓抑或控制會破壞演出的情緒，以及模仿演出所必要的情緒。透過反覆練習來養成的實際掌握技巧可能會讓表演變成幾乎是無意識進行，且貌似毫不費力。在其他的例子中，表演則是有意識的壓力，就像老迪耶儂遇見他父親的前地主時所說的，「我強迫自己要表現出友好的樣子」。我們經常以這種精神分裂的方式說話，彷彿我們的謀略自我掌控著我們的情緒自我，因為後者會造成破壞表演的危險。[15]我將一再強調，表演不僅由言說行動組成，還有表情和姿態的順從，以及實際服從令人反感或受辱的命令。

比起支配者的公共生活，從屬者的公共生活更常投入「奉命」演出。上司突然出現時，辦公室員工會改變姿態、舉止和表面活動，這就是個明顯的例子。上司雖然也受到約束，但通常比較不拘禮節，也不會那麼戰戰兢兢，畢竟決定相遇當下氣氛的是上司。[16]權力意味著沒有**必要**表

---

* 譯注：《安蒂岡妮》為古希臘悲劇作家索福克里斯（Sophocles, c. 496-c. 406 BC）的劇作，克瑞翁為底比斯國王，海蒙為其子。

演，或者更精準地說，掌權者能夠比較輕忽且隨意看待任何表演。在法國宮廷，權力和表演之間的關聯非常緊密，以致於只要出現一丁點更加屈從的徵兆，就會被視為地位和權力衰退的證據：「讓最受寵信之人密切關注自己吧，因為如果他沒有讓我在他的接待室長時間等待；如果他變得比較和顏悅色，如果他不那麼常皺眉，如果他在送我離開時聽我多說幾句，我就會認為他已經開始失勢了，而且我說的準沒錯。」[17]與掌權有關的傲慢可能在實質意義上包含比較多沒有防備的自我，而屈從基本上則需要警惕警覺，並配合掌權者的心情和要求做出回應。因為失敗或失誤可能的後果十分嚴重，屈從者較少會冒險顯露沒有防備的自我；他們必須隨時保持「最佳表現」。

在社會語言學家關於語言使用和權力的研究結果中，掌權者對公開論述的影響顯而易見。這些研究結果顯示出，性別、種族、種姓和階級的階層結構如何被嵌入話語的支配中。

羅賓．萊考夫（Robin Lakoff）在關於當代女性和男性語言使用差異的研究中強調，男性長期支配的歷史代表著女性愈來愈常使用男性的語言——亦即模仿較高地位者的用語——而反向的情況鮮少發生。[18]在雙方面對面時，支配男性的語調、文法和用語可能會占上風，更不用說就像其他不對等的權力關係的情況，通常都是支配者在開啟對話、控制對話走向和結束對話。從被塑造成反映和預期支配者回應的語言形式使用中，可以看出從屬的事實。因此，萊考夫發現女性遠更普遍使用語言學家所謂的「附加問句句型」——「是不是這樣？」或是在原本應為陳述句的句尾語調上揚，表明在繼續往下說之前需要肯定和認可。其他從屬的語言標記包括更大量使用過度禮貌的形式（以「能否煩請您……」代替命令）、過度正確的文法、會弱化陳述句的語言規避語（hedge）（「算是」、「有點」），以及不願公開講笑話。從屬程度到達極端時，比如在奴隸制度和種族主義中，經常可以注意到結巴的現象十分普遍，因為結巴者在其他情境都能流利講話，結巴所反映的並非語言缺陷，而是在組織正確套語的過程中感受到恐懼而猶豫不決。我認為我們可以在這些模式中看出，無權者始終會使用趨避風險的語言——試圖盡可能不冒險、有老套的慣用語可用就盡量使用，並且避免過於隨便地說出可能會冒犯人的語言。有位高種姓的人類學家在勒克瑙（Lucknow）訪問賤民階級的恰馬爾人（Chamar）時發現，「問題愈平庸，恰馬爾人回答得『愈好』。若進入較少觸及的領域，他們就會靈巧運用迴避手段——轉移話題、拖延、克制、陳腔濫調、反問和裝傻。」[19]這類表演如果要成功演出，就需要練習、精通和獨到的即興發揮，但無論如何都是面對權勢時的損害控制策略。萊考夫在探討女性的言論和穿著順從男性的例子時得出結論，「她過度在意外表和外在表現（包括過度正確和體面的言論和禮節）只不過是被迫只能活得像他人眼中倒影的結果。」[20]

宮廷文化悠久的社會會發展出許多話語階層的精細規則，在極端的例子中幾乎可以構成一種不同的語言。在這樣的社會中，從屬者過度正確的情形在語言上被制度化。撒克遜人（Saxon）和諾曼人（Norman）英語的差異就留存著這類規則的明顯跡象：撒克遜平民吃飯，而諾曼征服者用餐。在馬來西亞，有許多特殊動詞是在區別蘇丹所做的普通動作：平民洗澡，蘇丹沖淋；

平民走路，蘇丹行進（暗指一種順暢滑動的動作）；平民睡覺，蘇丹躺臥。而就像多數高度階層化的社會，代名詞也會隨著說話者的相對地位而改變。平民在對蘇丹說話時會使用「hamba」一詞，可以粗略翻譯為「您的奴僕」，並且在傳統上會以卑躬屈膝的姿態接近王位。在這類的社會中，每個讓不同地位的人齊聚一堂的場合都是為了透過語言、姿態、語調和穿著的規則，來強調和強化那些差異。

稱謂語可能因為有助於歷史分析，一直是社會語言學家重要的研究對象。過去在權力的語意中，第二人稱代名詞的禮貌和親近形式（在法文中分別是「*vous*」〔您〕和「*tu*」〔你〕）使用並不對等。[21]支配階級稱呼平民、僕人、農民時使用「你」，而被回以比較禮貌、尊貴的「您」。任何審慎使用慣用稱謂的人都無法避免之，因此似乎是在替銘刻在稱謂中的價值和地位差異背書。因為一七八九年後，法國的革命人士立即展開堅決行動，禁絕「您」的使用，我們可以理所當然認為，這種權力的語意並非大眾漠不關心的問題。直至今日，在社會主義者和共產主義者的聚會上，互不相識的歐洲人仍會以親近的稱謂相稱，來表達平等和同志情誼。如今在一般用法中，「您」是被用來**互稱**，所表達的不是地位，而是並未親近熟識。

與這種不對等的稱謂作用相同的是，統治群體在和下級者對話時會使用「小伙子」或直呼名字，而後者則會用「先生」來稱呼上級。這種用法在根據階級和種族劃分階層的制度中十分常見，無論如何都尚未在西方消失，不過絕對不如五十年前普遍。（法語中也有人仍以「*garçon*」

〔小伙子〕稱呼服務生，但較為少見，「*monsieur*」〔先生〕是當今愈來愈偏好的稱呼。）阿非利卡人（Afrikaan）*至今仍明顯保有使用不對等第二人稱代名詞和小伙子—先生模式的習慣。

如果我們僅僅將語言服從和從屬姿態視為權勢者所壓榨出來的表演，那麼我們就面臨了忽略其大部分重要性的危險。事實上，這些表現也有屏障和帷幕的作用，支配者很難或不可能穿越。有個顯著的例子是社會語言學家試圖記錄較低階級「純粹」、「真實」版本的方言時，往往徒勞無功。因為記錄者幾乎無可避免一定擁有較高地位和教育程度，某種語言上的測不準原理會發揮作用，驅除較汙名化的方言形式。唯一能夠突破權力語義學的方式，是在研究對象不知情或沒有允許的情況下，極度不道德地偷偷錄下對話內容。[22]從某個角度來看，這項事實只是權力如何歪曲溝通的例子。但從另一個角度來看，這也保留了一個隱蔽的場域，讓比較自主的論述可以在其中發展。舉例來說，我們該如何解讀在多元化的旁遮普（Punjab）文化中，較低種姓的男性可能會根據他們對話的對象，使用幾個名字中的某一個？遇上一名印度教徒時，他們會自稱拉姆．昌德（Ram Chand）；遇上錫克教徒（Sikh）會自稱拉姆．辛格（Ram Singh）；遇上基督教徒會自稱約翰．賽繆爾（John Samuel）。挫敗的英國普查訪員寫道，較低種姓在宗教方面「變化無常」，但不難察覺他們是為了迴避而採用保護色。[23]我們也已經得知，南羅德西亞（Southern

* 譯注：阿非利卡人為南非的白人移民後裔。

Rhodesia）的黑人礦工有好幾個名字，這不僅是因為多種語言造成混亂，也是因為混亂讓延遲回應命令或原因不明的缺席，有了貌似合理的藉口。[24]權勢所要求的外在表現確實大力強加在從屬群體身上。可是這並不妨礙他們活躍運用，將之當作抵抗和迴避的手段。然而，必須注意的是，這種迴避的做法要付出相當高昂的代價，將會導致形成一套**貌似**認可支配者社會意識形態的公開文本。從屬者表現出服從的樣子，他們卑躬屈膝，他們貌似和藹可親，他們似乎明白自己的身分且安分守己，因此也知道並認可在上位者的地位。

當劇本僵化，而且犯錯的後果重大，從屬群體可能會感受到他們的順從是一種操縱的方法。若說順從是策略性的，那麼肯定也具有操縱性。這種態度同樣需要分割自我，一邊的自我可能帶著冷笑但認同地觀察另一邊的自我表演。許多賤民（注意「賤民」一詞所假定的高種姓觀點）所提供的描述在這方面都相當坦白。他們注意到唯有讓支配種姓成員認定你是好人，才能取得不可或缺的物品和服務——糖、煤油、工作、穀糧、貸款——因此他們發現，「我們真的必須用上百種不同的方式遇見、安撫、哄騙印度教徒種姓，才能確保獲得一部分的東西。」[25]因此，「順從」一詞遠遠不足以形容從屬者主動操縱的慣常做法，以將情況轉為對個人有利；這是種藝術形式，讓人可以自豪於成功歪曲自己的真意。另一位賤民強調，隱瞞具有策略性的一面：「我們也必須視情況所需，對我們社會上的對手機靈地掩飾和隱藏我們真正的目標和意圖。這麼建議不是在鼓勵說謊，只是為了生存要有些策略。」[26]

無論是解放前後，美國南方的黑人都必須以大同小異的方式在危險的白人間穿行。因此，一名黑人在內戰前才會在對一群主張廢奴的白人觀眾演講時說明，「在黑人群中生活和死亡的人對他們的真實性格所知較少。他們面對白人時是一個樣子，面對自己的種族時又是另一個樣子。無論受奴役或自由身，欺騙前者是他們的特性，全美國皆然。」[27]在這段一位黑人佃農在戰間期的描述中，成功表演的成就感和迫使他必須表演的龐大權力現實全都表露無遺：

> 我曾經和白人親切地開玩笑。我有時必須裝傻——我知道不要做得太過火，以免讓他們知道我知道些什麼，因為他們很快就會對此生氣。我多次必須低聲下氣、閉緊嘴巴才能和他們處得好，這些我全都做了——他們不知道這一切是怎麼回事，但這只是明明白白的事實……我可以去向他們求助許多次，都能如願以償……如果你聽他們的話、見到他們時好好表現、不要質疑他們對你的批評，他們會給你個好名字。如果你開始哭訴你應得的權利和你受到的虐待，他們就會殺了你。[28]

內特．肖（Nate Shaw）生動地提醒我們，透過技巧性的實踐，權力的劇場可以變成從屬者一項實際的政治資源。因此我認為，如果我們想像其中的演員永遠面帶虛假的微笑，如被鐵鍊鎖在一起的囚犯般不情願地行動，我們就會得到錯誤的印象。如果這麼做，就是認定這些表演完全是由上位者所決定的，而忽略了演員具有能動性，可以挪用表演來達成他自己的目的。從上級者的角度來看或許像是強制要求必要的演出，但從下級者的角度來看，很容易就會像是服從和奉承的巧妙操縱，藉此實現自己的目的。奴隸巧妙地強化他們的主人認定他們懶惰且生產力低落的刻板印象，就因此很有可能可以降低主人期望他們達成的工作量。他們透過在慶典和節日上機靈地讚美，就可能獲得更多的糧食配給量和衣服津貼。這種演出經常是集體進行，從屬者串通創造出一齣戲劇，既能迎合他們的上級對情況的看法，但也能維護他們自己的利益。[29]事實上，從這個角度觀之，支配者抱持的刻板印象對從屬者來說是資源也是壓迫，正如理查．霍嘉特（Richard Hoggart）對英國勞動階級運用服從手段的觀察所闡述的：「那種明顯『愚弄』另一階級的行為，通常也會準備得太過萬全隨時要去敬稱『先生』，但把……這一切都當作是場輕蔑的遊戲，他們能夠仰賴中產階級對當眾大鬧的厭惡，藉此輕鬆行騙。」[30]如此一來，運用從屬的儀式可能同時具有操縱和隱瞞兩種目的。從這個角度來看，經常被稱作湯姆叔叔（Uncle Tom）＊的行為可能不過是給精通從屬戲劇藝術之人的標籤罷了。盜獵者在仕紳面前通常會表現服從、面帶微笑，藉此避免懷疑；和逃犯遇到巡邏中的警察會正常走路的情況十分相似。這項成就相當了不起，但我們不能忘記，在達成成就的這個舞台上，角色大多皆由上級者編寫而成，而且其表演無論多麼糟糕，都必須鞏固支配者所認可的表象。

當然，這類的表演鮮少完全成功。支配的菁英很可能不知道表面背後藏著什麼，但他們也很少純粹對所見所聞信以為真。有段來自佛教印度的古老文本試圖教導大師關於表面所隱藏的事物：

> 尊者啊，我們的奴隸……會用他們的肢體做一套，用他們的言語說一套，心裡再想另一套。
>
> 見到大師時，他們會起身，替他拿手上的東西，棄此說彼；其他人則會讓座，用扇子為他搧風，清洗他的雙腳，去做一切需要完成的事。可是他不在場時，他們連油是否溢出都不檢查，就算大師損失數百數千，他們連看也不看。（這就是他們肢體表現的差異。）……那些在大師面前喚著「我們的大師、我們的天尊」讚美他的人，一旦大師離開，就會說出一切說不出口的話，暢所欲言。（這就是他們言語表現的差異。）[31]

白人奴隸主總是會小心謹防被他的奴隸矇騙；十八世紀的日本地主會納悶，「有誰如農民那般謊話連篇？」[32]我認為，在此值得注意的並不是支配者應該假定狡猾的從屬者會試圖規避他們。相信這點並不意味著疑神疑鬼，而只是對現實有所認知。然而，支配者會將這類行為歸咎

---

* 譯注：指對白人卑躬屈膝的黑人。

於從屬群體本身的天生特性，而非專橫權力所造成的影響。在十九、二十世紀之交的偽種族科學中，從屬特性變成文化、性別或族群的特徵。叔本華（Schopenhauer）在描述他所謂女性言論的負面和膚淺特質時說明，「這正是前文略微提及的缺乏理性和省思能力所導致，再加上她們身為弱者，受天性所驅依靠狡詐，而非力量：因此她們天生不忠，還有無可救藥的說謊癖。」[33]奧托．魏寧格（Otto Weininger）也提出幾乎相同的觀點，不久後更撰寫了一份被廣泛閱讀、名為《性與性格》（*Sex and Character*）的研究：「女人內心說謊的衝動遠遠更加強烈，因為她和男人不同，她的記憶斷裂，而她的生活支離破碎、反覆不一，受當下的感受和感知動搖，而不會控制那些情緒。」[34]每個作者在此都顯露出一些證據，顯示他們理解女性的結構性位置可能導致他們所觀察到的女性言論特性；但他們最終都以性別來解釋差異。在魏寧格的例子中，他的論點還延伸涵蓋到另一個從屬群體——猶太人——的「言論特性」。這兩個群體都被他指控濫用語言，應該「藉由他們論述虛假操弄的語調來辨別之」。[35]這個論點的邏輯錯得離譜。為了適應權力不平等的言說模式被描述成從屬群體與生俱來的特性，這樣的舉動因此有一大好處，能夠在談論到邏輯、真理、誠實和理性時強調其成員先天劣等，藉此合理化他們持續被較優越的群體支配的情況。

控制與幻想——隱藏文本的根基

一旦擱置，復仇就轉變成幻想，變成個人宗教，變成神話，一天天逐漸遠離其中的那群角色，而那些角色在復仇的神話裡卻始終如一。

——米蘭・昆德拉（Milan Kundera）《玩笑》（*The Joke*）

目前我們已經足夠清楚知道，精明的從屬者通常會在言論和姿態上迎合他所受到的期望——即使遵從期望會掩蓋大不相同的幕後意見，他也仍會這麼做。而可能仍不夠清楚的是，在任何既定的支配體系中，這不只是掩飾情緒，並以正確的言說行動和姿態來替代的問題。這反而經常是關於控制暴怒、辱罵、生氣的自然衝動，以及這類情緒所激起的暴力行為。無論任何支配體系，都會形成自己侮辱和傷害人類尊嚴的慣例——占用勞動力、當眾羞辱、鞭打、強暴、打巴掌、惡意的瞥視、輕蔑、慣性誹謗等等。許多奴隸的敘述都同意，其中最惡劣的可能不是個人的痛苦，而是小孩或伴侶被虐待，自己卻別無選擇只能無助旁觀的情況。這種無法保護自己或家人（亦即擔任母親、父親、丈夫或妻子的角色）不受支配虐待的無力感，同時攻擊了一個人的身體，以及他的人格或尊嚴。奴役人類最殘酷的結果，是會讓主張個人尊嚴轉變成致命的風險。因此，在面對支配時順從有時是關於為了自己和所愛之人的利益，壓抑暴力的怒氣——而且令人難以釋懷。

我們可以藉由簡略地對照黑格爾（Hegel）的決鬥者分析，來描繪在此發生的存在主義（existential）兩難。一人因為斷定他的名譽和地位（通常也包括他家族的名譽和地位）遭到嚴重羞辱，而向另一人提出決鬥挑戰。他要求道歉或撤回言論，如果失敗，唯有透過致命的決鬥才能恢復他的名譽。決鬥挑戰象徵著接受這羞辱就等同於失去地位，而沒有地位的人生不值得活下去（這是戰士貴族的理想準則，但鮮少嚴格遵從）。就象徵意義而言，誰贏得這場決鬥無關緊要；能夠恢復榮譽的是挑戰本身。如果挑戰者輸掉決鬥，他也會因為展現出他願意賭上性命來保護他的榮譽、他的名聲，而看似矛盾地成功達成他的目的。決鬥的邏輯本身讓決鬥狀態成為理想的表象；任何鼓吹要不惜犧牲生命來主張地位和榮譽的準則，都可能在緊要關頭獲得許多不大熱情的擁護者。

對於歷史上多數的受奴役者而言，無論是賤民、奴隸、農奴、戰俘、遭鄙視的少數，生存的技巧就是忍氣吞聲、壓抑怒氣、克服肢體暴力的衝動，但無論如何都難以始終精通。我認為，正是這種在支配關係中系統性的**對等行動挫敗**，可以幫助我們理解隱藏文本的許多內容。隱藏文本在最基礎的層面意味著，在幻想中——偶爾是在祕密實踐中——將因為支配存在而被禁止的怒氣和對等攻擊表現出來。[36]如果沒有權力關係強加的約束力，從屬者便會亟欲以拳還拳，以辱罵還辱罵，以鞭打還鞭打，以羞辱還羞辱。彷彿在公開文本中遭拒絕的「聲音」——借用阿爾伯特·赫緒曼的說法——在幕後得以高聲表達。在較安全的環境中，在公開場合必然的挫折、緊張和控制被不受拘束的報復取代，相互對等的敘述終於達到平衡——至少在象徵上如此。[37]

在後文的分析中，我會想要超越隱藏文本的基礎、個人和心理學觀點，去探討其文化決定因素、其詳細發展及其表達形式。然而，目前至關重要的是意識到隱藏文本具有重要的實現願望成分。[38]

理查．賴特（Richard Wright）在《黑孩子》（*Black Boy*）一書中描述他在密西西比州（Mississippi）的青少年時期，大部分的篇幅都是關於他試圖在白人面前控制他的憤怒，接著在黑人陪伴的安全環境下發洩那股怒氣。[39]他每天都有意識地努力壓抑他的怒氣——但不總能成功：

> 我每天在店裡看著不人道的對待，仇恨不斷滋長，但仍試圖不讓我的情緒表露在臉上。老闆看著我時，我會避免和他四目相接。[40]
>
> 我擔心如果我和白人起衝突，我的情緒會失控，脫口說出會宣判我死刑的話。[41]

工作休息時間和朋友在一起時，談話經常轉向反擊和復仇的幻想。幻想十分露骨，而且經常是以其他地方發生的事件謠言來呈現。比方說：

> 是啊，如果這附近有場種族暴動，我就要把所有白人毒死。

我媽媽說，她工作地點的那個白種老婦人提到要打她耳光，而媽說：「格林小姐，如果妳打我耳光，我會殺了妳，就算下地獄受罰我也甘願。」
他們說北方有個白人打了一名有色男子，而那男子也打了那白人，把他打昏了，沒有人對這件事有任何反應。[42]

賴特解釋道，某種「潛在的暴力觀」圍繞著幕後所有關於白人的談話，而這類的談話是聚集在十字路口的黑人孩子間「兄弟情誼的試金石」。

關於控制怒氣的實際需要與其在幻想中的抒發之間有所關聯的更多證據，或許載錄在一九四〇年代寫成、一份關於黑人種族支配的心理學後果的研究發現中，這研究十分出色但錯誤百出：亞伯蘭・卡迪納（Abram Kardiner）和萊昂內爾・奧維西（Lionel Ovesey）的《壓迫的痕跡》（*The Mark of Oppression*）。[43]根據他們的理解，對一位擁有無上權力的他者的任何回應都是某種理想化與仇恨的結合。無論是否具有操縱意圖──理想化的行為表達是逢迎討好。理想化也可能以仿效來呈現──使用提亮膚色的護膚霜、直髮器，以及其他讓自己遠離壓迫者對黑人的刻板印象的嘗試。後者的策略必然徒勞無功，只有非常少數的例外。然而，與我們探討的目標相關的是，逢迎和仿效（在一定程度上）都很容易在公開文本中找到出口，尤其因為這兩者都再度肯定了支配群體的優越性。可是，仇恨的相同表現──我們或可稱之為無禮和排拒──當然無法在公開文本中公然表達。這類表現若非必須聰明巧妙地滲入公開文本中，以避免遭到報復，否則就要在幕後表達。隱藏文本就這樣貯藏了許多公開表達將十分危險的主張。

卡迪納和奧維西在他們的個人簡介中都強調，黑人主要的心理問題是控制侵略性及其後果。他們所發現的侵略性並非被無意識地壓抑，而是有意識地壓制。他們在描述其中一位研究對象G．R時，表示他對自己的怒氣有意識，也能夠表達出來，但只有在安全的狀況下才會這麼做。「這意味著他處在持續自制的過程中。他始終必須提高警覺，不敢衝動行動或說話。」[44]兩位作者描述這個議題的措辭幾乎適用於任何從屬群體，他們總結道：

> 憤怒有個顯而易見的特徵，它是種讓有機體準備好做出動作表現的情緒。憎恨是減弱的憤怒，也是面對激起恐懼和憤怒的那些人時所出現的情緒。那些不斷承受挫敗的人所面臨的難題是，該如何控制這種情緒，避免引發動作表現。後者的主要動機是要避免展開動作上的報復性攻擊。[45]

從屬者因為知道公開攻擊幾乎無可避免會導致嚴厲的報復，往往會努力控制攻擊的衝動，但努力不總是會成功。那些堅持大膽反抗的人在黑人的民間傳說中贏得一席之地——被稱為「壞透的黑鬼」（baaaad Nigger）——同時受人欽佩和敬畏。欽佩是因為他們將隱藏文本付諸實行，敬畏則是因為他們經常以犧牲性命為代價。一如我們將在後文所見，自古以來，從屬群體中——黑人也包含在內——較常見的民間英雄都是身為搗蛋鬼的人物，他們成功智取敵人又毫髮無傷地逃脫。

有些間接證據可以證明為了控制怒氣付出的努力，這些證據源自奴隸制度的研究，指出控制在何種情況下可能會短暫失效。傑拉德．姆林（Gerald Mullin）在關於十八世紀維吉尼亞州（Virginia）奴隸制度的研究中發現一再出現的證據，證明在那種主人宣布放假或提供酒精飲料的場合，迷醉的奴隸據說會變得「具有攻擊性和敵意、無禮、粗魯、大膽且固執」。[46] 彷彿酒精稍微鬆解了平常對攻擊性言論的抑制，因此讓一部分的隱藏文本找到登上舞台的途徑。

無論何時，只要有罕見的事件能夠透過正當管道，讓黑人社群間接且公開嘗到黑人在身體上戰勝白人的滋味，都會成為民間記憶中的劃時代事件。一九一〇年傑克．強森（Jack Johnson）對抗吉姆．傑弗瑞斯（Jim Jeffries，號稱「白人的希望」）的拳擊賽，以及喬．路易斯（Joe Louis）後來的拳擊生涯，受即時賽況廣播推波助瀾，對黑人社群來說都是不可抹滅的翻轉和復仇時刻。「當強森連續猛擊一個白人（傑弗瑞斯）的雙膝，他成為黑人的象徵，為終生受到的侮辱向所有白人出氣報仇。」[47] 唯恐這類事件被單純視為安全閥，讓黑人得以和他們每天身處的白人支配世界和解，一九一〇年那場拳擊賽後，在所有南方州和多數北方州皆曾發生種族鬥毆。儘管類似的起因各不相同，但在歡騰的激情中，黑人顯然在姿態、言論和態度上都一時變得更加大膽，而白人社群大多視之為挑釁、對公開文本的破壞。迷醉的形式可遠遠不只一種。

受支配群體間的幻想生活也可能是以幸災樂禍的形式呈現——亦即對他人的不幸引以為樂。這代表著一種負面互欺的願望，在上位者失勢、末位者居首時一解宿怨。因此，這在任何千禧年宗教中都是重要元素。看似符合此一願望的自然事件——比如強森和傑弗瑞斯的拳擊賽——通常都會成為象徵性關注的焦點。在二十世紀黑人社群的例子中，鐵達尼號（Titanic）沉船就是這樣的事件。對許多黑人來說，大量有權有勢、身穿華服的富裕白人，在一艘據說永不沉沒的輪船上溺斃（票價最低的統艙內有更多人死亡的事實遭到忽略）似乎是天理報應。這起事件可說是在黑人心中「引發想像」，幾乎真的如預言般實現了他們的隱藏文本。關於鐵達尼號船難損失的「官方」歌曲被諷刺地演唱（「那大船沉沒時真令人難——過……」）。黑人社群也創作和傳唱其他歌曲。其中一首的片段用來暗示他們對情況翻轉的歡騰之情：

> 所有百萬富翁都看向黑仔（Shine，一名黑人鍋爐工）*說：「聽著，黑仔啊黑仔，救救我這可憐人吧。」
>
> 又說：「我們會讓你比任何黑仔都更有錢花。」
>
> 黑仔說：「你們討厭我膚色，你們討厭我同胞。」

---

* 譯注：「Shine」為稱呼黑人的歧視用語，原意指「擦鞋的」，起源是二十世紀初黑人經常替有錢的白人擦皮鞋。

又說：「快跳下海去，餵鯊魚一頓飽。」
於是船上所有人都明白他們注定得死。
但黑仔會游泳，黑仔會漂浮，黑仔還會像汽艇般扭屁股。
哎，黑仔下水激起一大片水花，
人人都想知道那婊子養的黑人能耐到哪。
哎，惡魔從地獄往上看，露齒笑著說：
「那是個黑皮膚、**游著泳的混帳東西**。我想他不久就要到我這來了。」[48]

在更宏觀的層面上，我們還能看見從屬群體努力詛咒他們的侵略者。例如前文所引用的艾姬在奴隸解放前祈求降臨在她白人主人身上的災禍，這類精細的詛咒體現出比起個人針對特定壓迫者的明確復仇夢想，抑或為黑人職業拳擊手的勝利而歡欣鼓舞，遠更複雜的象徵性訊息。詛咒是公開的祈禱——即使僅限於對幕後的觀眾公開——體現了錯綜複雜、精心修飾的願景或復仇。從魔法的角度來看，詛咒如果經過恰當的準備和朗誦，將會讓其所表達的願望實現。在奴隸解放後許久的一九二〇年代，黑人小說家兼人類學家柔拉·涅爾·賀絲頓（Zora Neale Hurston）在美國南方腹地（Deep South）蒐集了這類精細的詛咒。雖然因為其篇幅過長而無法完整引述，但摘錄已足以傳達其克制的怒氣：

老天啊，我向祢祈求，我請求降臨在我的敵人身上的災難會發生，南風會烘焦他們的身體，令他們乾枯，而且不會溫和吹向他們，北風會凍結他們的血液，令他們的肌肉麻木。

……

我祈求他們永遠無法擺脫死亡和疾病，他們的作物不會增長，他們的乳牛、綿羊、豬隻和所有家畜全都餓死和渴死。

……

我祈求他們的朋友背叛他們，導致他們失去權勢和金銀財富，他們的敵人將痛毆他們直到求饒，但仍不得解脫。

……

老天啊，我請求祢實現這些事，是因為他們讓我生不如死，摧毀我的美名；傷透我的心，導致我打從出生那天就開始詛咒。就這樣吧。[49]

若以詛咒的整體性觀之，我們很難想像有更全面的咒罵可以具備這麼多具象化的細節。復仇心態從詛咒本身便顯而易見，詛咒始於也終於對上蒼訴說壓迫，詛咒因而只是報應。

要了解隱藏文本較為豐富的幻想，就不能單獨理解之，而是要將之視為對公開文本中的支配的反應。這些幻想的創造性和原創性，存在於它們藉以翻轉某種支配狀態並使之失效的巧妙手段。[50]沒有人比杜博依斯（W. E. B. Du Bois）更完整意識到這一點，他曾撰寫關於種族支配所導致的美國黑人的雙重意識（double-consciousness）：「這種雙重生活具有雙重思維、雙重責任和雙重社會階級，必定會造成雙重話語和雙重理想，並吸引心智走向假裝或反叛、偽善或激進主義。」[51]杜博依斯有時會認為個別的黑人呈現出兩種意識的其中一種。那些習慣「反叛」或「激進主義」者「已經準備好要詛咒上帝並付出性命」，而那些習慣「假裝」和「偽善」者已經遺忘「生活不只關乎食物，身體不只關乎衣飾」。我認為，我們可以更有效地這麼想，前者是隱藏文本，後者是公開文本，而兩者會體現在同一人身上；前者是狂怒和憤怒的場域，而這些憤怒是源自於儘管遭受羞辱，仍必須維持恭敬順從的公開外表。若說杜博依斯認為北方比較偏向激進主義，而南方比較偏向偽善，那可能是因為北方的黑人或多或少擁有較多自由可以說出他們的心聲。

論據至此，懷疑論者可能會納悶，權力關係的官方或公開文本是否具有任何用途。誰會認真看待公開文本？我們已經明白，從屬群體普遍十分謹慎，要讓自己符合某種風俗，才不會破壞大多由上位者決定的權力關係儀節。然而，儘管如此，他們依然有一定的能力，可以為了自己的目的去策略性操縱表象，或是表現出屈從的樣子，藉以築起一道高牆，隔出不直接受權力關係影響的世界，在那裡可能盛行著極度分歧的看法。至於支配的菁英，他們不可能完全被表面的服從表現欺騙。他們會預期實際情況不僅只於所見（所聞），而部分或全部的表演都是出於惡意。即使他們自己手握韁繩，但仍感覺自己正在被「操弄」。那麼，如果這一切都是一場龐大的騙局，其中沒有真正的受騙者，那又何必費心假裝？下一章將會處理這個問題。

注釋

1. James C. Scott, *Weapons of the Weak: Everyday Forms of Peasant Resistance*.
2. *Discipline and Punish: The Birth of the Prison*, trans. Alan Sheridan.
3. 因此，我的分析比較無關乎非個人的支配形式，例如「科學技術」、官僚規則或供需市場力量等的支配。傅柯的著述很多都與他認為的社會控制的典型現代形式有關。儘管我相信許多看似非個人的控制形式是透過個人支配居中促成的，而傅柯認為個人支配太過反覆無常，實際經驗也確實如此，但我仍採用他的觀點——根據非個人、技術和科學規則的權威主張具有某些截然不同的性質。
4. 關於女性主義理論的結構主義或位置性基礎，也有類似論點，可參見Lind Alcoff, "Cultural Feminism versus Post-structuralism: The Identity Crisis in Feminist Theory"。
5. 關於貝都因（Bedouin）女性間分離領域案例的卓越深入分析，可參見Lila Abu-Lughod, *Veiled Sentiments: Honor and Poetry in a Bedouin Society*。
6. Howard Newby, "The Deferential Dialectic," 142。關於這段簡短的討論，我非常感謝Newby深具啟發性的分析。
7. 例外的情況或許是有時可以從服從行為本身，合理完整地讀出影射的另一種態度——例如以蘊含輕蔑的語調或冷笑地說出「是的，先生」。然而，就算是這樣的情況，我們也希望能夠證實這類的表達。
8. *Slavery and Social Death*, 11.

9. Basil Bernstein, *Class, Codes and Control*, vol. I.

10. 這張圖刻意省略許多重要資訊。一如所繪，此圖完全是靜態的，沒有考慮到文本隨著時間演進的發展和互動。它無能具體說明地點、情境和觀眾；一名奴隸在日常買賣時和一名白人店主交談，與他在夜裡偶遇騎馬的白人，情況並不相同。最後，這張圖採取了單一個人的有利位置，而非或可說是話語社群（community of discourse）的角度。然而，此圖確實可以用來引導關於權力和論述的討論——這樣的討論可能有許多例證：農奴制度、種姓、僱傭勞動、官僚體系、學校。

11. 沒有任何實際的社會性場域可以被認定為論述完全「真實」和「自由」的領域，或許除非是私自的想像，但這部分我們當然無法觸及。無論是向任何人揭露想法，權力關係都會立即開始發揮影響力，而精神分析儘管目標是要讓對象在包容鼓勵的氛圍下，吐露被壓抑的真心話，但仍是高度不對等的權力關係。

12. 參見Juan Martinez-Alier, *Labourers and Landowners in Southern Spain*, 126。

13. 在這類支配中的支配相當顯著的情況下，我們就可能可以論及隱藏文本中的隱藏文本。從屬者可能會太害怕群體內部支配力量的運作，一言一行都不敢違背群體的要求。我們也要注意到，整體的支配模式是從屬者中的掌權者擁有權力的先決條件，而這類高壓情況發生時，他們極有可能會在整體支配模式中，逐漸取得某種既得利益。

14. Arlie Russell Hochschild, *The Managed Heart: The Commercialization of Human Feeling*, 90-91. 這份關於航空公司空服員深具洞察力的傑出研究，指出他們的部分薪水是來自霍希爾德所謂的「情緒勞動」，這有助於我深入思考幾個重要議題。

15. 成功的表演必須努力壓抑怨氣，但卻無法戰勝日益增長的憤怒，這是珍・瑞絲（Jean Rhys）優秀的早期小說的主題。《離開麥肯齊先生之後》（*After Leaving Mr. McKenzie*）的主角茱莉亞（Julia）知道她必須如何取悅男人，才能按照她所想要的方式生活，但她往往無法維持她的欺騙表演太久。一如瑞絲所述：「她偶爾會陷入憂鬱，此時她就會失去維持表象所需的自我控制能力。」見頁27。

16. 蒂博（Thibaut）在一部社會心理學研究著作中同意：「從兩人群體中的個人角度來看，擁有優越權力有些好處。」「這往往會減輕他的壓力，他不必密切關注他伙伴的舉動，也不必對自己的行為小心翼翼。」參見John W. Thibaut and Harold Kelley, *The Social Psychology of Groups*, 125。

17. 由La Bruyère所述，引文出自Norbert Elias, *Power and Civility*, vol. 2 of *The Civilizing Process*, trans. Edmund Jephcott (originally published in Basel in 1939), 271。

18. *Language and Women's Place*, 10.

19. R. S. Khare, *The Untouchable as Himself: Ideology, Identity, and Pragmatism among the Lucknow Chamars*, 13.

20. *Language and Women's Place*, 27.

21. 我在此處的討論大多是引用R. Brown and A. Oilman, "The Pronouns of Powers and Solidarity," in *Language and Social Context*, ed. Pier Paolo Giglioli, 252-82，以及Peter Trudgill, *Sociolinguistics: An Introduction to Language and Society*的第五章。

22. John R. Rickford, "Carrying the New Wave into Syntax: The Case of Black English BIN," in *Variation in the Form and Use of Language*, ed. Robert W. Fasold, 98-119.

23. Mark Jürgensmeyer, *Religion as Social Vision: The Movement against Untouchability in 20th Century Punjab*, 92.

24. Robin Cohen, "Resistance and Hidden Forms of Consciousness among African Workers," 8-22.

25. Khare, *The Untouchable as Himself*, 97. 卡雷（Khare）等人提醒我們，從屬者一般而言會比較密切觀察掌權者，反之則不然，因為這種觀察是保護安全和生存至關重要的技巧。奴隸或賤民的「一天」有賴正確解讀主人的情緒；主人的「一天」遠更不受他的從屬者的心情影響。關於更多類似的證據，可參見Judith Rollins, *Between Women: Domestics and their Employers*，以及Joan Cocks, *The Oppositional Imagination: Adventures in the Sexual Domain*。

26. Khare, *The Untouchable as Himself*, 130.

27. 引文出自Lawrence Levine, *Black Culture and Black Consciousness*, 101。

28. Theodore Rosengarten, *All God's Dangers: The Life of Nate Shaw*, 545. 內特・肖（Nate Shaw）在經濟大蕭條時期確實加

入了阿拉巴馬州佃農工會（Alabama Sharecroppers Union），還曾用他的手槍保衛家畜被警長扣押的一位鄰居兼工會成員。他入監服刑超過十年，他唯一的願望就是活著出獄，因此必須不斷服從和自制。在監獄的暴力世界中，無害的舉止同樣可能是最有效的成功攻擊方式。一如傑克・亨利・亞伯特（Jack Henry Abbot）所述：「你學會『微笑』來讓他就位，用友善的態度解除他的武裝。於是當你內心對任何人情緒激動時，你都學會隱藏起來，微笑或假裝懦弱。」出自*In the Belly of the Beast*, 89。

29. 類似的例子可參見Erving Goffman, *Relations in Public: Microstudies of the Public Order*, 339。

30. *The Uses of Literacy: Aspects of Working Class Life* (London: Chano and Windus, 1954), 65.

31. Dev Raj Chanana, *Slavery in Ancient India*, 57，引文出自Patterson, *Slavery and Social Death*, 207-08。

32. Tetsuo Najita and Irwin Scheiner, *Japanese Thought in the Tokugawa Period, 1600-1868: Methods and Metaphors*, 40.

33. *Selected Essays of Arthur Schopenhauer*, trans. Ernest Belfort Bax, 341. 引文出自Sander L. Gilman, *Jewish Self-Hatred: Anti-Semitism and the Hidden Language of the Jews*, 243，粗體為作者所加。

34. *Sex and Character*, 146，引文出自Gilman, *Jewish Self-Hatred*, 245。

35. Gilman, *Jewish Self-Hatred*, 243-44.

36. 有人可能會推測性地想像一種實用的比較分析，一邊是無法直接表達的憎恨和憤怒的文化產物，另一邊是無法直接表達的愛意的文化產物。一個極端是顛倒世界的末日幻想，另一極端則是關於與心愛之人完全神祕結合的詩歌。如果我們要根據哈伯瑪斯的「理想言說情境」（ideal speech situation）分析來繼續探討，隱藏文本將代表著從屬者因為支配而無法公開訴說的整體對等對話回應。哈伯瑪斯按照定義將所有「策略性」行動和受支配的論述排除在理想言說情境之外，因此也排除在理性共識的探索之外。在這個脈絡中，支配導致的結果是論述破碎化，因此原先凝聚且完整的論述有許多部分都隱蔽起來，成為從屬者和支配者的隱藏文本。相關例子參見Thomas McCarthy, *The Critical Theory of Jürqen Habermas*, 273-352。

37. 霍希爾德在相對良性的空服員界，也援引了十分相似的隱藏文本的平衡觀點：「但在工作的公領域，接受不對等的交換、被顧客失禮或生氣地對待往往都是個人工作的一部分，其間持續將想回擊客人的怒氣收進幻想之中。當顧客為王，不平等的交換便成為常態，而且客人和客戶從一開始就取得不同的感受和表現權利。這筆帳據稱要透過薪資來打平。」在這個例子中，幻想大多涉及為侮辱復仇的想像行為，也就是「如果我不必審慎對待，我會想怎麼做」那類的想法。空服員於是「想像」自己和口出惡言的乘客對罵、把飲料灑在他們的大腿上、將大量瀉藥加進他們的咖啡等等。這絕對是美夢成真。參見*The Managed Heart*, 85-86。

38. 用這個方式來理解隱藏文本可能貌似等同於稱之為尼采（Nietzsche）所謂的「怨恨」（ressentiment）之地。「怨恨」是源自一再壓抑無法表現出來的憎恨、妒忌和復仇感受。至少從這個角度來看，這個用詞相當合適。但對尼采而言，「怨恨」的心理動態是取決於這些情緒真的不可能發洩——無法外化——於是最終逐漸埋進意識思維層之下。而在我們的例子中，隱藏文本的社會性場域提供了機會，讓這些情緒以集體和文化的形式表現，並能付諸實行。一如舍勒（Scheler）指出，一旦一名「遭受虐待的僕人可以在接待室出出氣，他就能不受制於內在的怨恨之毒」。參見Max Scheler, *Ressentiment*, trans. William W. Holdheim, ed. Lewis A. Coser。亦可參見Friedrich Nietzsche, *On The Genealogy of Morals*, trans. Walter Kaufman and F. J. Hollingsdale，特別是第一篇專文的第八、十、十一、十三段，以及第二篇專文的第十四至十六段。Judith Rollins, *Between Women*這部關於當代家庭幫傭的傑出社會學研究著作，提醒了我尼采概念的相關性。

39. *Black Boy: A Record of Childhood and Youth.*

40. 同前注，頁159。

41. 同前注，頁175。

42. 同前注，頁67-69。

43. 副標題為「美國黑人性格之探究」（*Explorations in the Personality of the American Negro*）。這本書屬於卡迪納所開創的「眾趨性格」（modal personality）文化研究學派的傳統。

44. 同前注，頁104。

45. 同前注，頁304。卡迪納和奧維西耗費大篇幅在確保公正地描繪出他們研究對象的幻想生活模樣。羅夏克墨跡測驗（Rorschach Test）和主題統覺測驗（Thematic Apperception Test）這兩種標準投射測驗（projective test）的結果都提交給專題小組進行盲評。在幾乎沒有限制的想像世界中，其評價是「他們情緒上的奮鬥大多都是以類似攻擊的方式在進行組織。他們的內心因為想要猛烈攻擊、傷害和破壞的衝動而混亂不已。」禮節經常反映出在支配的公開文本中所必要的控制和慎重發言。我們在幻想中會發現，許多在其他情況下被壓抑的暴力和報復在此得到釋放。參見同前注，頁322。

46. *Flight and Rebellion: Slave Resistance in 18th Century Virginia*, 100. Wright, *Black Boy*, 162引用一名喝醉的黑人男子說出以下對句：「這些白人穿金戴銀／屁眼臭味與我無異。」關於女性間飲酒和自我主張的例子，參見Mary Field Belenky et al•, *Womens' Ways of Knowing: The Development of Self, Voice, and Mind*, esp. 25。

47. Al-Tony Gilmore, *Bad Nigger!: The National Impact of Jack Johnson*, 5. 地方和國家當局都知道播映這部影片可能造成的影響，於是通過法令阻止其在地方戲院上映。參見同前注，頁76-82。

48. D. C. Dance, ed., *Shuckin' and Jivin': Folklore from Contemporary Black Americans*, 215-16. 這首歌的這段和其他段落都出現多次的翻轉。在甲板下炎熱機艙的黑人鍋爐工黑仔成功游泳回家，迎向嶄新的性征服勝利，而在上甲板的白人乘客則和輪船一起沉入寒冷的海底。

49. 引文出自Alice Walker, "Nuclear Exorcism," 20。愛麗絲・沃克（Alice Walker）在一場反核武集會的演說開頭引用這段詛咒，試圖解釋為何許多黑人對簽署核凍結請願書不大感興趣。他們「復仇的希望」導致他們要不平靜以對，要不就幸災樂禍地看待白人統治的世界所引發的核武毀滅。她暗示，我們沒有權利去期望那些社群經驗幾乎都是受害者的民眾擁有公民精神。

50. 有種標準且受到許多評論的傳統女性幻想牽涉到依賴狀態的翻轉，她們會想像支配男性——在這個例子中是愛戀的對象——失明或殘廢，因而無力照顧自己。懷抱這類幻想的女性會同時想像傷害和不離不棄的照顧，同時展現出權力和感情。

51. "On the Faith of the Fathers," *The Souls of Black Folk*, 221-22.

第三章　公開文本作為得體的表演

下級者的謙恭是維持社會秩序所必需。

——塞維涅夫人（Madame De Sévigné）

他身為主人是無法自由的。

——盧梭（J-J. Rousseau）

公開文本的價值與代價

支配關係同時也是抵抗關係。一旦確立，支配本身的勢力不會永久持續。支配因為牽涉到違反受支配者的意願，利用權力去榨取勞動、生產、服務、稅金，會造成相當嚴重的摩擦，而且唯有透過不斷努力鞏固、維護和調整才能延續。維護支配地位的工作有很大一部分是透過展示和實行權力，將支配象徵化。每次外顯可見的利用權力——每道命令、每個服從行為、每次列表和分級、每種儀式秩序、每次公開懲罰、每次使用尊稱或貶低的稱謂——都是支配的象徵性舉措，有助於彰顯和強化階層秩序。要長久維持任何模式的支配總是困難重重，可能有人會問，若考慮到會出現抵抗支配的情況，那麼需要付出多少心力才能鞏固支配——需要多少毆打、監禁、處決、祕密協議、賄賂、警告、讓步，以及尤其需要多少次公開展示顯赫地位、懲戒性懲罰、慈善、崇高正直等等，才足以維持支配？

我希望能在這章中先粗略快速地識別出公開文本所代表的政治工作。肯定、隱瞞、委婉化、汙名化，以及最後的全體一致表象，似乎是此處分析的幾種支配的演出方法核心。詳述全體一致的概念後，我接著主張，支配的菁英試圖在公開文本中將社會行動比喻和描繪成一場官方遊行，因此透過忽視來否定從屬者自主社會行動的可能性。實際自主發起集會的下級者往往會被描述成暴民或烏合之眾。最後，我將回頭處理第二章結尾所提出的問題：這些表演實際的觀眾是誰？

有些事件本來就是規劃來以論述肯定特定的支配模式。俄國紅場（Red Square）的勞動節遊行（May Day parade）是階層體系和權力的大規模展示，從閱兵台上的級別高低排序，到行進隊伍的秩序，再到蘇聯（USSR）軍事力量的展示，都創造出一種強大和團結的形象，目的是同時讓黨員、公民和外國對手感到敬畏。然而，多數的論述肯定不僅僅是為了展示。一個農奴或奴隸的工作組在農田裡被騎馬的監工監督，這既是對權力關係的論述肯定，當然本身也是物質生產的過程。[1] 遠更頻繁發生的小規模「儀典」作為支配和從屬的日常體現，可能更具說服力。當農民在地主或官員面前脫帽，當奴隸主召集他的奴隸來見證一頓鞭打，當用餐的座位是按照地位或身分來安排，當一家之父取走大盤上的最後一塊肉，便已表達出階級和權力關係。因為每次肯定都會顯現出一座階層金字塔，而菁英位處頂端，自然會在這類的肯定上投注最多的政治資源。

羅伯特．歐文（Robert Owen）在他位於英國新拉納克（New Lanark）的紡織工廠引進的「無聲監控器」（silent monitor）是個顯著的例子，試圖讓權力和評價關係一直都可為肉眼所見。[2] 歐文認為無聲監控器是工廠「檢查下屬行為最有效率的方法」，那是一小塊四面的木塊，每面都塗上不同的顏色——黑色、藍色、黃色和白色——並且附有鉤子，好讓某一面可以面向外頭。每位員工——大概只有廠長兼經理除外——都配有一只無聲監控器，在工作場所顯眼地展示出來。外露的顏色代表他的主管對他前一天表現的評價——黑色代表不佳，藍色代表一般，黃色代表良好，白色代表優異。可以對監督者的評價提出上訴，但這種情況很少發生。如此一來，歐文或任何其他人穿過工廠時，都可以立即具體看見每位工人昨日表現的指標，而透過同樣的標誌，每位工人實際上都在他或她的脖子上掛著管理階層的評價。為了賦予這個制度歷史的深度，每個顏色都有編號，而每天的評價都記錄在歐文所謂的「操行冊」中，只要員工仍在他的工廠工作就會持續記錄。歐文認知到這個方案和聖彼得（St. Peter）的傳說名冊——書中完美無誤地記錄人的品行——之間的相似之處：「在操行冊中記下編號的做法——**永不抹去**——可能可以比擬為據說負責記錄的天使在替可憐人性的好壞行為做記號。」[3]在這個地球上的計畫中，上帝的位置被工廠廠長取代，而罪孽的作用則被根據某人對生產和利潤的貢獻所做出的評價取代。歐文的制度賦予支配者對他們從屬者工作成果的評價一種正規且公開的形式；公開文本變得肉眼可見且無所不在。這條偉大評價鏈的階層結構，就消滅其他關係和評價標準的能力而言，幾乎符合歐威爾主義（Orwellian）*。

想像一下歐文方案的翻轉版本可能造成的象徵性影響。也就是說，想像一座工廠，裡頭每個主管脖子上都掛著下屬每日強制評鑑他們行為的指標，這個準則往上延伸到連歐文本人也適用。當然，若要完整翻轉，我們也必須想像制裁權力的翻轉，因為歐文操行冊裡一連串的壞記號不只是公開羞辱，更無疑會導致降職、減薪、或甚至解雇。

一如其他的權力儀式，歐文公開展示支配和評價的做法不僅描繪出一套自己身處頂端的階層制度，也將任何對生產關係的非傳統看法擠下公開舞台。然而，有某些展示、某些儀式比其他的更精巧，且受到更嚴密的控制。任何崇高神聖的機構似乎都尤其如此，他們聲稱獲得認可和有權支配的主張，大多都是以其與過去歷史延續和忠誠的連結為基礎。因此，王室加冕典禮、國慶日慶祝活動、戰爭烈士的紀念典禮似乎都經過精心設計，以避免意外發生。或許針對我們稱之為禮節或禮貌、較小規模的日常儀式，也可以冒險提出同樣的歸納。禮節的規範畢竟代表著某種社交的語法，由品味和禮儀的捍衛者強加實行，讓這種語法的使用者可以安全遊走在一大群陌生人之間——尤其是有權有勢的陌生人。不過就算是在這樣的情況下，如皮耶·布赫迪厄所述，表演也充斥著權力：「禮貌的讓步總是包含政治的讓步……是個人應繳的象徵性稅金。」[4]當沒有遵守禮貌規範的舉動被視為不服從行為，便是其中所涉及的政治讓步最顯而易見的時刻。我們很容易就會將權力的展示和儀式視為某種使用強制力的廉價替代方案，或視之為試圖利用早已被削弱的原始權力或正當性來源。[5]有效的展示藉由傳達掌握實權和行使權力意願的印象，可以節約使用實際的暴力。[6]舉例來說，想像一個高度階層化的農業社會，地主**剛剛**取得強制力，可以可靠地發現和懲罰任何違抗他們（例如透過盜獵、租金杯葛、請願、叛亂等方式）的佃農或勞工。只要他們保有顯眼的儀式表象、揮舞他們的武器、頌揚過去的壓制事件、維持嚴厲果決的氛圍——而且只要他們壓制的實體象徵仍存在，比如監獄、警察和公開威脅等形式——他們就可能發揮令人生畏的影響力，遠遠超過當代菁英實際擁有的權力。只須小小表現出地主的力量，就足以讓權力的瘴氣瀰漫好一陣子。在沒有任何顯現地主弱點實例的情況下，他們的權力可能許久都不會受到挑戰。

成功傳達權力和權威會帶來許多結果，因為這有助於形成某種自我實現的預言。如果從屬者

---

* 譯注：歐威爾主義的名稱源自於作者在前文曾提及的英國作家喬治·歐威爾，指現代政權破壞自由社會的極權手段，包括思想控制、操縱歷史、監控人民等。

相信他們的上級者十分強大，這樣的印象會幫助他自己也如此認知，並且反過來強化他實際的權力。表象確實有其重要性。阿道夫・希特勒（Adolf Hitler）提供了我們這項見解最令人恐懼的版本：「人不能單靠力量統治。的確，力量很關鍵，但同樣重要的是要擁有某種心理素質，馴獸師要成為他野獸的主人也需要這種素質。必須說服他們，我們才是勝利者。」[7]我希望能夠在後文說明，為什麼我們應該質疑許多支配的菁英能否用這種方式「自然化」他們的權力。然而，到目前為止值得注意的是，這類展示的觀眾不只有從屬者；菁英也是他們自己表演的消費者。

我們會猜想，支配群體的成員是在社會化過程中學會權威和自信地表演的本領。對世襲的統治群體而言，訓練往往一出生就開始了：貴族學習如何表現得像貴族，婆羅門要表現得像婆羅門，男人要表現得像男人。對於那些地位不是透過繼承取得的人而言，則需要在職訓練，來讓他們扮演的老闆、教授、軍官、殖民官員等角色具有說服力。展現優越的表演表面上是為了讓從屬者留下印象而演出，但同時也讓統治者挺直腰桿。一如歐威爾在〈獵象記〉的其他段落所觀察到的，在當地人面前表現出殖民官員的樣子可以成為有力的鼓勵：

> 群眾看著我時，我不像一般定義的那樣害怕，**不像我獨自一人時那樣害怕**。白人絕對不能在「當地人」面前受驚；因此，他大致上都不會受驚。我腦中唯一的想法是，如果出了什麼意外，那兩千名緬甸人就會看見我被追逐、趕上、踩踏，變成一具齜牙咧嘴的屍體，就像

> 山坡上的那個印度人。而如果這件事發生的話，很有可能有些人會哈哈大笑。那可絕對不行。[8]

歐威爾在幕後的所作所為——可能是他的隱藏文本——是一回事，但他在當地人面前的舉止必須體現殖民支配藉以公開正當化的概念。在這個例子中，這意味著公開使用他優越的火力，來保護緬甸居民，而且行動時的態度要暗示這種優勢是殖民官員天賦的一部分。他深知此一規則，以致於他似乎和害怕死亡一樣，害怕可能發生的嘲笑。

身在從屬者面前的舞台上，會對支配者的行為和言論造成有力的影響。他們有座共同的劇場要維護，而且經常會變成他們自我定義的一部分。最重要的是，他們時常感覺自己是在一群極度挑剔的觀眾面前表演，這些觀眾懷抱熱切的期望，等待著演員演技不復以往的任何徵兆。美國內戰前南方種植園生活的敏銳觀察者曾注意到，奴隸主的言論和舉止會在黑人僕人進房間的那一刻改變。[9]印尼東部的荷蘭人發現，托拉雅人（Torajan）中有蓄奴和沒有蓄奴的氏族行為舉止的差異頗大：「拉給族（To Lage）和安達艾族（To Anda'e）總是必須留意要對他們的奴隸保持崇高的聲望，藉此養成了高度的自制，因此他們在外國人眼中留下比佩巴托族（To Pebato）更文明的印象，佩族人對這種壓力一無所知，比較會表現出真實的自我，比較自由放縱。」[10]雖然統治群體所維持的外表可能令人印象深刻，但這樣的表象既是要引人敬畏，也是要掩蓋某些事物。

隱瞞

警察局長：他知道我戴假髮？
主教：（對法官和將軍竊笑）他是唯一一個不知道所有人都知道的人。

——惹內《陽台》（*The Balcony*）

在惹內的小說《屏風》中，背景設定在阿爾及利亞（Algeria），當一位歐洲監工的阿拉伯女傭發現他會把腹部和臀部墊厚，來讓自己的外表更有氣勢，他所監督的阿拉伯農場工人便殺害了他。一旦他恢復原來的身材比例，他們就不會再怕他了。儘管這則寓言看似荒謬，但確實捕捉到某個關於權力表演方法的重要真相。

透過控制公開舞台，支配者可以創造出某種表象，理想上接近他們希望從屬者看見的狀態。他們所策劃的欺詐——或宣傳——或許會讓他們的身材更有分量，但也會隱藏任何可能會減損他們顯赫程度和權威的事物。因此，比方說在盧安達（Rwanda）畜牧的圖西族（Tutsi）是務農的胡圖族（Mutu）的封建領主，他們會對外假裝自己完全靠牲畜產出的液體——奶製品和血——維生，從不吃肉。[11]他們相信，這個說法會讓他們在胡圖族眼中顯得更令人敬畏、更有紀律。事實上，圖西族確實喜歡肉，有機會時就會偷偷吃肉。只要他們的胡圖族僕人當場逮到他們正在吃肉，據說他們就會要求僕人發誓保密。如果胡圖族人在他們自己的宿舍，不曾以嘲諷他們圖西族領主飲食習慣的虛偽為樂，那我們才會大吃一驚。另一方面，重要的是在當時，胡圖族人不會冒險公開宣告圖西族人會吃肉，公開文本會繼續維持下去，彷彿圖西族只靠液體維生。

在高種姓印度教徒和賤民之間的公開關係中，也可以看出類似的模式。官方上，雙方的來往是受到相對潔淨和汙穢觀的精細儀禮所支配。只要維持這種公開的現實，許多婆羅門似乎在私下就毫無拘束地違反規範。因此，某位賤民皮條客以設法讓他的高種姓顧客和他一起用餐、穿他的衣服為樂，而只要這些行為是發生在幕後的隱蔽場域，他們就會顯得相對泰然自若。[12]如同圖西族的例子，這些違背官方現實的事蹟在從屬者間廣為人知似乎無關緊要。真正要緊的似乎是這類行為不會被公然宣告或展示，否則可能會公開威脅到官方說法。[13]只有在自相矛盾的情況被昭告天下時，他們才必須公開為此負責。

在極端的例子中，某些事實儘管人盡皆知，但可能從不會在公開的情境下被提起——比如在戈巴契夫（Gorbachev）開放政策（glasnost）前的蘇聯強迫勞動營。此時就出現了要將幾乎無人不知的事實從公開論述中抹除的問題。在這類情況下，可能會發展出來的幾乎是種雙重文化：充斥著機靈的委婉表達、沉默和陳腔濫調的官方文化，以及非官方的文化，後者擁有自己的歷史、自己的文學和詩、自己的辛辣俚語、自己的音樂和詩歌、自己的幽默，還有自己對短缺、貪腐和不平等的認知，這些事儘管也同樣廣為人知，但不會被引入公開論述之中。

偶爾有人會主張，官方的權力關係與其說是普遍支配狀態具象徵性、對外公開的一部分，反而更像是隱藏自己失去權力、保全面子的策略。蘇珊・羅傑斯（Susan Rogers）將這種邏輯應用到一般農民社群和特定法國洛林地區（Lorraine）中的性別關係。[14]文化傳統和法律賦予男性權威和威望，他們幾乎占據所有官方職位，然而鄉村地區的女性權力「較為有效」，但同時也是隱蔽且非正式的權力。她主張，只要男性權威沒有受到公然挑戰，而且他們仍因管理事物而獲得「讚揚」，男性就會接受這項事實。然而，如果因此總結出實際的檯面下現實讓男性的權力只是表面虛飾且無實質意義，那就是忽略了象徵性讓步也是「政治讓步」的事實。這類的女性權力只能在禮儀的帷幕後行使，這些禮儀再度肯定了男性以掌權者身分的官方統治，這有助於男性持續掌控公開文本——儘管她們不是發自內心想這麼做。[15]要以另一陣營的名義行使權力總是有其風險，正式擁有頭銜的群體可能會試圖重新要回權力的實質和形式。[16]

委婉表達與汙名

若說我們至此檢視的公開文本面向若非是要讓人們看待支配菁英時更加敬畏，就是要讓某些社會事實完全離開公眾的視線，那麼另一個面向則是要在表面美化無法否認的權力面貌。因為找不到更好的措辭，我將使用布赫迪厄的用語「委婉化」（euphemization）來描述這個過程。[17]

無論何時，只要聽到語言中的委婉表達，幾乎就可以肯定這代表著誤觸了棘手話題。[18]委婉表達是用來遮掩某些遭受負面評價，或如果更直接宣告會造成尷尬窘境的事物。因此，我們有許多用詞——至少在英美文化中是如此——是設計來委婉化排尿和排便的地方：john、restroom、comfort station、water closet、lavatory、loo等。* 在公開文本強制使用委婉表達的作用類似於掩蓋支配的許多骯髒事實，並賦予這些事實無害或消毒過的面貌。委婉的措辭尤其會用來掩蓋脅迫手段。單單列出一些我目前想到的委婉表達，再加上比較直接且不塗脂抹粉的替代用語，就能充分說明其政治用途：

綏靖（pacification）即武裝攻擊和占領

鎮靜（calming）即以約束衣限制行動

極刑（capital punishment）即政府處決

再教育營（reeducation camps）即監禁政治反對者的監獄

交易黑檀木（trade in ebony wood）即十八世紀的奴隸販運[19]

---

* 譯注：類似中文的洗手間、盥洗室、化妝室等用詞。

每組的第一個用詞是支配者強制公開論述採用的措辭，賦予某項會在道德上觸怒許多人的活動或事實一種良性的面貌。於是，更露骨的原始語言描述不被人認同，經常還被排除在官方論述的範疇之外。

只要是讓官方委婉措辭壓倒其他刺耳版本言辭的場合，就等同於從屬者公開容許支配者壟斷公眾認知。當然，他們在此事上可能幾乎別無選擇，但只要沒有人公開質疑壟斷狀態，支配者就永遠無須「為自己辯解」，無須對任何事「負責」。比方說，在資本主義經濟中，失業司空見慣。雇主解雇工人時，他們可能會委婉化他們的行為，說出類似「我們不得不請他們走路」的話。在這短短一句話中，他們設法否認自己身為雇主的能動性，暗示他們對此事別無選擇，並且傳達出那些工人是被仁慈釋放的印象，就像被牽繩緊拖的狗。如今丟掉飯碗的工人可能會使用更露骨的動詞：「他們把我開除了」、「他們炒我魷魚」、「他們把我解雇了」，還很有可能把「那些混蛋……」當成他們句子的主詞。語言形式大多取決於衝突中誰是損失的那一方。當我們聽到「刪減人力」、「裁減工人」、「裁員」和「請人走路」等措辭，就能相當肯定是誰在說話。可是，只要繼續讓這種委婉的描述存在，人們在公開場合就會持續如此敘事。

描述的行為深具政治性，這點幾乎不足為奇。依然有疑問的是支配者的描述壟斷公開文本的程度有多少。在我研究的馬來村莊中，貧窮的村民如果為他們富裕鄰居的農田採收，就能在薪資以外收到額外的穀糧。之所以會有額外的報酬，很大程度與當時採收人力短缺有關，但富人將這份贈與**公開**描述成天課（*zakat*）。由於「天課」是一種伊斯蘭教的什一稅（tithe）或捐贈形式，強化了贈與者自稱虔信慷慨的聲譽，如此描述對富農有利。在富裕的村民背後，採收工人將這額外的報酬視為他們薪資的一部分，僅僅視之為他們應得的工作補償。然而，村裡的權力平衡歪斜到對採收工不利的程度，因此他們會避免公開對富人採用的自利定義提出異議。透過不去追究、不反駁其用法，並公開表現得宛如他們接受這樣的描述，貧窮的村民也對村莊菁英壟斷公開論述有所貢獻——有人可能會說是蓄意而為。

我所採用的委婉表達的廣泛定義——支配的掌權者為了自己的利益修改描述和外在表現——並不限於語言。在姿態、建築、儀式行動、公開典禮，以及任何其他掌權者可能會隨心所欲描繪他們支配地位的行動，都可以發現委婉表達。整體而言，這些表達呈現出支配菁英自誇的自我描述。

這個例子就像其他例子一樣，如此描述自我必須付出一定的政治代價，畢竟這類的掩飾可能會變成從屬者的政治資源。統治群體可能會被要求實踐他們自己對其從屬者理想化的自我呈現，我們將在後文更詳細探討這一點。[20]如果他們將支付薪資定義為善心的慈善之舉，他們無能「捐贈」時，就會被公開譴責為鐵石心腸。如果沙皇被描繪成強大且仁慈對待他的農奴，在饑荒時期他可能就會被要求要免除他農奴的稅賦。如果一個「人民的民主國家」聲稱是為了促進勞動階級的利益而存在，政府就無法輕易解釋為何要破壞罷工並監禁無產階級工人。無可否認，有時單單宣告某件偽善的情事就可能危及性命。然而，我想表達的重點在於，支配在某些情況下所戴上的面具其實也是陷阱。

最後，有權力把高麗菜叫成玫瑰，並在公領域長期維持如此稱呼，也就暗示了有權力做相反的事，亦即汙名化疑似在懷疑官方現實的活動或個人。這類的汙名化大多都有固定的模式。叛亂分子或革命分子被貼上土匪、罪犯、流氓的標籤，試圖轉移注意力，讓人無視他們的政治主張。遭到反對的宗教行為同樣可能會被稱為異端、撒旦崇拜或巫術。小商人可能會被叫成小資產階級病菌。傅柯曾耗費許多心力說明，隨著現代國家崛起，這個過程如何變得愈來愈醫療化且非個人化。「偏差」、「不良行為」和「精神疾病」等用詞似乎去除了標籤的許多個人汙名，但同時卻可能成功以科學之名將抵抗行動邊緣化。

全體一致

公開文本的第四個功能是創造出統治群體間全體一致和從屬者同意的表象。在任何高度階層化的農業社會中，前者的主張通常都具有一定的真實性。比如封建領主、仕紳、奴隸主和婆羅門等群體都參與了共同的文化融合，透過聯姻、社會網絡和官職來強化，至少會擴展到行省層級，甚至是全國層級。這樣的社會整合可能會反映在方言、儀式習俗、料理和娛樂上。相較之下，通俗文化在方言、宗教習俗、穿著、消費模式和家族網絡方面就比較扎根地方。[21]然而，如果撇除這些事實，多數的統治群體都貌似費盡苦心，才能營造出團結和抱持共同信念的公眾形象。他們盡可能減少分歧意見、非正式討論、沒有提防的評論，只要情況允許就會躲到公眾的視線之外進行——教師辦公室、菁英晚宴、殖民地的歐洲俱樂部、官員俱樂部、男性俱樂部，以及無數比較不正式但受到保護的地點。[22]

隱藏不和的好處相當顯而易見。如果支配者彼此間存在任何嚴重的不和，他們的力量就會相應地減弱，而從屬者就可能可以利用他們的分歧，重新協商從屬的條件。因此，有效的團結表象會增強菁英的表面權力，從而可能會影響到從屬者如何計算不服從或違抗的風險。十九世紀初，沙皇亞歷山大一世（Alexander I）曾費心確保以某些措施滿足管理貴族成員紀律的需要，但又不會暗示沙皇是站在農奴那方，與他們的主人對立。他下令發布祕密公告給各地總督，指示他們展開暗中調查，藉此發現那些過度殘忍且不人道的貴族。沙皇知道，如果他的家長式姿態被公諸於世，從中獲得的任何象徵性收益，都會被菁英之間明顯的分裂狀態所引發的違抗挑釁所大大抵消。[23]

這並不能推論出支配方和從屬方之間的公開活動全都只是某種象徵階層體系的權力場面。大量的溝通並不能實質影響權力關係——在當代社會尤其如此。儘管如此，的確幾乎在任何形式的支配下，那些掌權者都付出格外勤奮的努力，讓涉及他們權力主張的爭端不為公眾所見。如果全體一致的印象擴展超越他們自己的階層，連從屬者也包含其中，他們的掌控就能更進一步強化。我們可以將這類的展示視為霸權意識形態的視覺和聽覺成分——讓委婉化變得看似合理的儀式。如果一名大地主的分糧（sharecropping）* 佃農因為租金上漲而躁動不安，他會寧願個別和他們會談，也可能有所讓步，但不願公開對峙。「避免公開展示任何不服從行為」的重要性不僅僅源自於分而治之的策略；公開的不服從代表著與委婉化權力的平和表面劇烈牴觸。[24]

在這個脈絡下，傳統的冒犯君主罪（lèse-majesté）確實變成一件嚴重的事。事實上，只要抵抗沒有被公開明確承認，支配模式可以容納程度頗高的實際抵抗。然而，一旦抵抗公開，如果要恢復象徵性的現狀就必須公開回應。

公開道歉之所以被賦予重要地位，是因為可以象徵性地恢復權力關係。厄文・高夫曼（Erving Goffman）在他對於社會微秩序（microorder）的仔細分析中，曾研究過公開道歉的目的。[25] 公開違反支配規範的從屬者以公開道歉的方式宣告自己和這項罪行斷絕關係，並重新肯定支配方的統治。換言之，他公開接受了他上位者認定這是犯罪的判斷，因此也暗示性地接受了隨之而來的譴責或懲罰。因為道歉修復的是表面服從的公開文本，其重點幾乎與撤回和否認時是否誠懇無關。稅賦可能純粹是象徵作用，但對那些被課稅的人而言十分沉重。關於美國內戰前南方奴隸制度的敘述強調，時人非常關注奴隸請求原諒的儀式，請求主人為他的不服從行為懲罰他。通常唯有在其他聚集的奴隸面前，向他的主人「低聲下氣」後，才能減輕受害者的懲罰。[26]

二十世紀時，最廣泛利用公開道歉和認罪的——通常還伴隨著處決——可能是一九三〇年代末的史達林（Stalin）整肅行動和作秀公審。全體一致的信條受到高度重視，光是政黨擊潰異議還不夠；受害者必須公開表示他們接受黨的判決。那些不願意公開認罪、藉此在宣判前修復象徵性結構的人就會直接失蹤。[27]

從從屬者的角度來看，道歉當然可能更常代表著相對經濟的手段，藉此逃過違反支配秩序最嚴重的後果。道歉可能只是因情勢所逼而憤世嫉俗採取的策略。然而，再次強調，重點和堅持執行的原因在於展現順從。在幾乎任何支配的過程中，比起懲罰本身，悔悟、道歉、請求原諒，以及大多數情況下進行的象徵性補償都是更重要的元素。一名罪犯若表達出對犯行的悔意通常都會獲得減刑，來交換他對修復象徵性秩序的微薄貢獻。「不乖」的小孩如果說了對不起，並承諾不會再犯，當然也是類似的情況。其中所有的這些演員所提供的是一場「下級者論述肯定的表演」，因為有助於強化在象徵性秩序中最不利的成員也願意接受之的印象，而格外有價值。

要理解為什麼大量的象徵性稅金對支配的道德經濟如此重要，我們只須想想抵制象徵性稅金的象徵性後果便能明白。如果法庭擠滿了好鬥叛逆的罪犯，如果奴隸固執地拒絕卑躬屈膝，如果孩童悶悶不樂地遭受懲罰，絲毫沒有展現出懊悔，他們的行為等同於是在表示支配不過是暴行罷

* 譯注：指將農作物收成的一定比例當作土地租金繳交給地主的制度。

了——不過是成功運用權力對付從屬者，而儘管從屬者無力推翻之，但其自尊心高到足以象徵性地挑戰之。支配的菁英確實會比較希望人人都樂意支持他們的規範；但如果辦不到的話，他們只要可以就會設法獲取至少是真心服從的假象。

遊行 vs. 聚眾：授權與未授權集會

再也沒有比支配者規劃來慶祝和戲劇化描述他們的統治的正式典禮，更能傳達出他們所想要呈現的公開文本的場合了。遊行、就職典禮、列隊行進、加冕典禮和葬禮提供了統治群體一些場合，能夠以大多由他們自己選擇的方式讓自己成為奇觀。檢視這種典禮的結構就像是通往「官方思維」的特許道路。

以傅柯的方法，粗略觀察一九八五年十二月、相當近期的寮國共產黨（即巴特寮〔Pathet Lao〕）「解放」寮國（Laos）的十週年紀念慶祝活動，可以讓我們了解一些關於菁英自我戲劇化的情況。[28]這場遊行本身類似於莫斯科紅場克里姆林宮（Kremlin）前的勞動節典禮，但是規模大幅縮減且比較寒酸的永珍版本。在慶祝活動前幾週，他們採取了一些確保表演順利進行的舉措；實施宵禁，懸掛橫幅，重新粉刷建築物，替重要佛教聖壇塔鑾（That Luang）附近的遊行場地重新鋪設水泥地，並且逮捕城裡那些沒有合法居住資格或做非法生意的人。政府發出公告給一群溫和、「被指定」的幹部和雇員，要求他們在當天早上四點集合。就像在紅場的遊行，那裡也有閱兵台，以重要程度順序嚴格安排顯要人物的排序——正中央是寮國總書記凱山（Kaysone），他的兩側是來訪的越南和柬埔寨國家元首黎筍（Le Duan）和韓桑林（Heng Samrin），接著是蘇發努馮親王（Prince Souphanouvong）等人，按照寮國領導階層的階級慎重排序，以及來自其他社會主義國家的使節。

和紅場遊行相像的是，行進經過的先是軍隊，按軍種排序，接著是警察、身穿制服的寮國工人（注意，他們不是農民，而是虛構的寮國無產階級）、少數的女性民兵、騎著摩托車的警察和軍人——所有前述的人都剛好戴著白色手套。接著經過的是義務戰車、軍事武器，和一列寮國極小規模空軍中少數適航的米格戰鬥機（MiG）低空飛過。退役軍人、戴著紅圍巾的童軍、寮國女性舞者、婦女會（Women's Association）的單位和各個部會的花車壓後。隨著關於光榮黨史、社會主義建設、未來的任務和國際社會主義團結的義務演說沉悶緩慢地進行，同樣是義務出席的群眾就愈來愈沉重地倚靠在義務標語牌的手舉桿上。我們似乎可以合理假設，這整個活動是試圖要在湄公河（Mekong）岸複製黨高層印象中的河內（Hanoi）、莫斯科（Moscow），甚至是北京類似的「正統禮儀派」儀式。

這場團結和力量令人驚嘆（至少對寮國人而言如此）的展示最值得注意的一點，可能是除了那些在閱兵台上和行進通過的人以外，幾乎沒有人前來觀賞。這場秀全是演員，沒有觀眾。

更準確地說，演員就是觀眾；這是寮國黨國為自己所組織的一場儀式。我認為，其目的是要暗示參與者，他們是更大的共產國家兄弟會中堂堂正正的一分子，這意味著他們擁有克制力、紀律、目標和力量。這場典禮是為了要將他們與馬克思（Marx）和列寧（Lenin）、馬列主義（Marxist-Leninist）國家連結在一起，這種方式幾乎就像任何地方的彌撒慶祝活動將其司儀神父與基督、使徒和羅馬連結在一起。這些連結似乎對永珍的平民人口意義不大，幾天前才有數千名居民在同一地點非官方集會，參與一年中最受歡迎的佛教慶典。這群自主聚集的群眾在進入廟宇庭院前還遭到搜身。

這類的例行活動雖然絕非空洞的儀式，但如果其表現形式僅只如此，那就不太值得我們注意了。然而，遊行的比喻似乎滲透進寮國官方領域的其他面向，例如農業生產的結構。在名副其實的馬克思主義（Marxist）國家中，耕作單位必須要是集體農場，否則就是國家資助的合作社。這在寮國造成一定程度的障礙，當地的水稻耕作是在規模頗小的家戶農場上進行，而高地耕作大多都是經常遷移的刀耕火種類型。當較低階層的寮國官僚公開譴責寮國農業和農民十分落後，農民就肩負著壓力，必須展現出朝向農業集體化的進步。為了回應施壓，他們創造出供官方消費之用的農業合作社，與波坦金（Potemkin）為凱薩琳大帝（Catherine the Great）創造出迷人的村莊和農民大同小異。實際的耕作社會組織似乎在本質上並未改變，但合作社是以巧妙的手段創建，仿造的帳簿、公務員和合作社活動更強化其真實性。我們不清楚的是這巧妙手段觸及的範圍有多大。我們可以合理認定，較低階層的官員和村民為此共謀，以利取悅他們苛求且可能十分危險的長官。然而，比較難判斷的是，他們的長官容忍有名無實的合作社到何等程度——要不是為了取悅他們的外國資助者，就是因為最多也只能實現空殼合作社，抑或兩者皆然——或者真的相信那些合作社是實際運作的單位。

如此一來，我們至少掌握到兩種支配的公開儀式和寮國的現實大相逕庭。遊行是最明顯的例子。可是這類遊行的本質是集權紀律和掌控的生動場面。按照定義，其邏輯假設中心的統一智力指揮著「身體」的所有動作，或可能更適切的說法是，有個列寧主義（Leninist）先鋒黨為勞動階級擔任軍師。領導者高高在上旁觀，而他們的從屬者按照地位級別由高至低排列，共同朝著他們的方向、配合同樣的音樂行進，在上級者的檢閱下走過。整體而言，這個場景明顯有力地傳達出在單一堅定權威下的團結和紀律，呈現出幾乎是由其列寧主義遊行典禮官的意志如魔法般變出的社會。這一切都是以多數國家儀式典型的高度嚴肅性來執行。[29]任何動亂、分歧、無紀律和日常不拘禮節的任何跡象都被摒除在公開舞台之外。

在意識形態上，至少對寮國的統治菁英而言，遊行可能頗具說服力。因為一種意識形態會包含關於事情應該如何的願景，遊行是將中央委員會（Central Committee）與其志在指揮的社會之間所期望的關係有效理想化。遊行以象徵性的展示填補了當代寮國頑強對抗的社會政治現實與其新無產階級意識形態的承諾之間的鴻溝，就像空殼合作社填補了實際耕作土地的方式和教科書上所寫應該如何耕作的方式之間的隔閡。

我描述的這類遊行和行進隊伍是經授權的從屬者集會的終極形式。就像強力磁鐵將鐵屑吸成一列，從屬者經過安排，為了他們的上級者所決定的目的而被聚集在一起。多數個人支配形式的政治象徵都隱含一種假設，假定從屬者只會在上位者授權的情況下才會聚集。一如我們將在後文所見，任何**未授權**的集會因此都被視為潛在的威脅。就連英國革命（English Revolution）期間新模範軍（New Model Army）的資助者也盡力區分自主行動的「人民」和受命令指揮的「人民」：「人民大體上不過是頭怪獸，一大群粗野笨拙的無用之人，但他們聚集在此，成為一個傑出的生命體。……因為一支軍隊包含了整個政府和政府的各個部分，包括司法等等，具有最崇高的美德。」[30]

如果我們思考一下封建制度、奴隸制度、農奴制度和種姓制度的官方描述，以及人類學家描述的領導中無所不在的恩庇侍從結構，它們全都意圖要以總是垂直連接的雙人（兩人）相互性網絡為基礎。因此，封建制度被描繪成個人領主及其諸侯間商品和服務的交易，奴隸制度被呈現為主人和奴隸間的個人關係，必然包含一方的所有權和家長式作風，以及另一方的勞動和服務，而種姓制度則是不同種姓的同伴間的一系列契約，用以交換儀式和物質的商品和服務。這些對階層制度高度偏頗——符合官方文本——的注解，其重點就是違背典型事實，假設從屬者之間沒有水平連結，因此如果要聚集他們，就必定得透過領主、恩庇主或奴隸主，這些上位者**代表的是結**

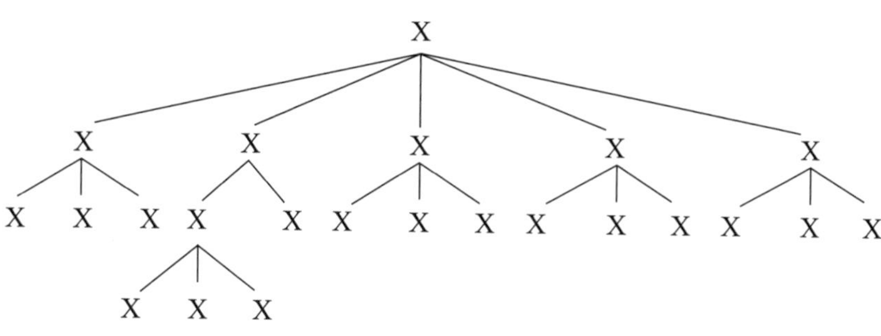

合他們的唯一連結。如果沒有階層制度和權威將他們結合成一個單位，他們就只是沒有社會存在的原子。正如馬克思在《路易波拿巴的霧月十八日》（*The Eighteenth Brumaire*）一書中對法國農民的看法，從屬者不過就像一只麻布袋裡的馬鈴薯。因此，每種支配形式的公開文本所想像的社會秩序都純粹是階層式的，類似於恩庇侍從關係的典型圖示（見附圖）。事實上，除了從屬的共同地位外，統治群體低調承認了許多從屬者間的水平連結——比如村落傳統、族裔、教派、方言和其他文化實踐。然而，這些連結在官方描述中沒有一席之地，畢竟官方描述只承認由上級者的意志所發起的從屬者社會行動。官方儀式正是官方描述所預見的那類公開集體行動，諸如遊行或行進隊伍、接受指導或見證懲罰的集會、經授權的慶典和較平庸的工作集會。[31]

因為官方描述沒有想像或承認任何未授權的從屬者**公開**集會，導致任何這類的活動都無法受到許可。尤有甚者，這類活動往往還被視為對支配的潛在威脅。除了他們的從屬地位外，還能有什麼理由可能讓他聚集？任何這類的集會除非遭到解散，否則都會導致不服從的情況，這樣的假設往往是正確的，畢竟集會本身就被視為一種違抗形式。我們只須想像，有位封建領主注意到他的許多農奴在未受召集的情況下朝他的莊園前進，大量乞丐（定義上的無主之人）移動穿越鄉村地區，或甚至是一大群廠工聚集在工廠經理辦公室附近，就能意識到違抗的可能性。在這類情況下，我在此處使用的中性用詞「集會」和「聚集」可能會被那些隱約感受到威脅的人替換成會引發爭端的用詞，例如「暴民」。我們大可更廣義地定義「集會」，來含括幾乎任何會被預設為從屬者以從屬者身分未授權整合的行為。從這個角度觀之，呈交給統治者或領主的請願書——通常是為了替冤屈爭取補償——無論措辭多麼恭敬，都隱含著下位者自主集體行動的徵兆，因此令人擔憂。統治者似乎推論，農民應該在明確受到上級者邀請時才能陳述冤屈，就像三級會議（Estates General）上的陳情書（cahiers de doléances）*。在德川時期的日本，向統治者呈遞請願書，為農民的冤屈爭取補償，暗示著從屬者間的自主組織，這個行為本身就是重罪；那些為這類英勇行動付出性命的村落頭目的葬身處，都成為農民的朝聖和民間敬拜之地。向沙皇請願也是俄羅斯農奴的既定傳統。然而，內政部（Ministry of Internal Affairs）官員最擔憂的不是請願本身，而是請願提供了煽動性集會的場合。「整群民眾未經授權就離開（莊園），去呈交指控某位仕紳地主（*pomeschik*）的請願書，」部長警告，「這種行為已經構成動亂和反叛（*volnenie*）的開端。」[32]

盡可能避免從屬者未經授權集會的方式之一是禁止之。北美洲和西印度群島（West Indies）

的種植園管理者非常嚴密地規範，他們的奴隸要在何種情況下才能集會。在美國，「若沒有白人監視者在場，五人以上的奴隸集會一般是禁止的。」[33]這條規範無疑經常被違反，但儘管如此仍表示在沒有白人監管的情況下，五人以上的奴隸聚集初步就被定義為對公共秩序的威脅。授權的集會也頗有疑慮，而且需要規範。一七八二年，美國薩凡納（Savannah）一群黑人教堂會眾的成員和教士因為在天黑後集會而遭到鞭打，唯有他們同意在日出和日落間禮拜才得以獲釋。其他黑人神職人員儘管其佈道毫無煽動性，但也只有在白人神職人員的監視下才能講道，這名白人教士會回報任何違背奴隸主認知的基督教教義的偏差。假日則因為缺乏工作秩序，且大量奴隸聚集，所以總是受到監視。因此，有位種植園制度的監視者指出：「假日是懶散之日，奴隸會令人擔憂地聚眾，為了跳舞、盡情吃喝或享樂。」[34]正是因為星期天、葬禮、假日舞會和嘉年華聚集這麼多奴隸，所以得要努力控制他們。在西印度群島，這意味著要限制奴隸可以參與的星期天禮拜式數量，此外還有其他規範。[35]因此，最安全的奴隸集會是在白天受監管的小型工作組；最危險的是大型、未授權、與工作無關的夜間集會。

---

* 譯注：三級會議為十四至十八世紀法國國王召集各級代表所召開的會議，三級分別為教士、貴族和平民，而各級可以在此時呈遞陳情書。一七八九年最後一次的三級會議上，逐漸壯大的資產階級代表平民階層遞交陳情書，而後引發法國大革命。

為了避免我們認定對於從屬者集會的憂慮僅限於這些合法強制剝奪自由的制度，我們可以想想十九世紀時，政府官員和雇主對於勞動階級也曾經歷大同小異的憂慮。事情發生的地點也許大相逕庭，但在十九世紀初的巴黎，「原子化」和監控的邏輯與蓄奴的美國南方十分相似：

解釋（工人的言論自由和革命之間的關係）相當簡單。如果工人獲准群聚，他們就會互相對比不公的情況、策劃、密謀並煽動革命陰謀。因此會出現像法國在一八三八年那樣的法律，禁止工作同儕公開討論事情，並在城市裡建立起一套暗中監控系統，以利回報哪裡有小群的勞工聚集——在哪間咖啡廳，在何時集會。[36]

勞動階級的咖啡廳就像奴隸的「僻靜所」，儘管經常被警員滲透，但成為隱藏文本的特許社會性場域。一八四八年時，勞動階級感受到令人振奮的解放之感，有很大一部分是因為他們剛剛獲得毫不畏懼公開訴說自己想法的能力。

支配者在他們的下級者自主集會中看見的潛在威脅，並非一種意識形態引起的妄想症。他們完全有理由相信這類集會事實上是從屬者在煽動大膽行動。舉例來說，原始宗教運動（Ad Dharm）*在旁遮普宣揚賤民團結，他們最初在幾個地區組織群眾集會時——對更高種姓者和賤民本身而言——效果十分強烈。對高種姓的觀察者來說，這是戲劇化且具挑釁意味的證據，證明賤民會在沒有社會地位更高者的許可或指導下集會。[37] 從已知的描述中，可以明顯看出這類群眾集會的影響力在很大程度上既具象化又帶有象徵性。[38] 相較於集會時的發言，更重要的是展現出僅僅是賤民以賤民的身分聚集，就會對所有相關者造成驚人的影響力。如果賤民可以展現出如此的整合、紀律和集體力量，是什麼阻止他們將這些技能轉而用在對抗支配的集體鬥爭？權力和目的的強大符號學意義在此仍對從屬群體有所影響。珍．可馬洛夫（Jean Comaroff）在她對南非（South Africa）茨瓦納人（Tswana people）間的錫安基督教會（Zion Christian Church）的敏銳研究中強調，每年盛大的逾越節（Passover）集會對信徒具有極高的象徵重要性。這個教會活動是南非最大規模的黑人宗教活動，光是這個活動能夠聚集來自全國各地的好幾千人，就足以展示群眾力量，同時對政府造成潛在威脅，但也給予其黑人信徒支持的力量。[39]

從屬者的大型自主集會在通常是一盤散沙的下級者間宣揚自由解放，因此對支配造成威脅。在較後面的章節中，我們將會檢視從屬者集會和隱藏文本之間的關係。在此指出聚眾行動本身可能會賦予從屬者勇氣便已足夠。首先，集體力量具有可見的影響力，從屬者的大型集會同時將這點傳達給自己人和對立陣營。其次，這類集會讓每位參與者有辦法匿名或掩飾，於是降低了

* 譯注：原始宗教運動於一九二〇年代印度旁遮普地區興起，主張最低種姓者並非印度教等高種姓宗教的信徒，而是獨立的宗教社群，也是印度最古老原始的宗教。

因為任何群體的言行而被個別辨認出身分的風險。[40]最後，如果某些言行是在公開表達共同的隱藏文本，群眾會因為終於在權勢面前表明自己的想法而群情激憤，更強化了當下的戲劇性。人數眾多本身有其力量，而其意義遠比如今早已被唾棄、習慣視聚眾為純粹的歇斯底里和大眾心理變態的社會學觀念更加重大。[41]

表演的觀眾是誰？

我的工作會看見他們（待售的奴隸）在買主到來前的那些處境，而我經常在他們的雙頰還因淚水而濡濕時就叫他們跳舞。

——前奴隸威廉・威爾斯・布朗（William Wells Brown）

讓我們回來討論遊行，或說主要從統治菁英角度出發的階層制度和權威的戲劇化舉措。菁英可能提供展現權威的可信表演，而從屬者則是提供展現恭順的可信表演。就前者而言，要提供具說服力的表演幾乎不成問題，因為菁英很可能會贊同支持其特權的價值觀。然而對後者來說，我們就無法假定失權者在表明他們地位較低的儀式中會是充滿熱忱的演員。事實上，他們參與演出時，完全可以同時抱持憤世嫉俗的懷疑心態。恐懼、權宜和馬克思適切地稱為「經濟關係隱含的強制力」的東西——亦即謀生的需求——只要這三點結合起來，便已足以招募到必要的演員來完成還過得去的表演。

如果說從屬儀式並無法讓人信服支配者已獲得從屬者同意他們的從屬條件，我認為這些儀式也在其他方面具有說服力。比方說，從屬儀式是一種展示手段，表明無論他們喜不喜歡，某套特定的支配制度穩定、有效且已為大多數人接受。能夠確實從下級者身上強索儀式性的恭順，幾乎可以代表除了順從外，沒有其他務實的選擇。如果結合懲戒性處罰偶發的違抗行為，有效的順從展示可能會達成某種將權力關係**戲劇化**的效果，但不能與積極同意的意識形態霸權混為一談。人或許會咒罵這樣的支配——在這個情況下最好是在幕後咒罵——但儘管如此仍必須讓自己適應其嚴酷的現實。用這種方式強化權力關係的效果，在行為上可能幾乎無法和出於自願同意的行為區分開來。

就這點而言，奴隸和主人的公開文本之間的差別變得至關重要。奴隸畢竟或多或少知道自己卑躬屈膝背後所代表的態度和價值觀為何，而或許沒那麼肯定，但也知道他圈子內其他奴隸的表演背後代表的意義。他無法同樣肯定知道的是，他的主人或一般的奴隸主掌權、自信、團結和堅定的程度。奴隸每天在讓自己的行為適應權力現實的過程中的盤算，有部分是根據他們估計他們的主人團結和堅定的程度。只要從屬群體無法確實且完全參透掌權者的隱藏文本，他們就不得不根據公開文本中向他們呈現的權力文本來推論。如此一來，支配者就完全有理由去監控公開文本，藉此去譴責任何分歧或軟弱的跡象，以免這類跡象讓那些準備好要更強硬抵抗支配，或冒險公然違抗的人以為情勢已變得對他們有利。那些支配菁英中忽略標準劇本的叛徒——公開違反種姓潔淨規範的婆羅門、同情談論廢奴的種植園主——所造成的危險遠比他們寥寥可數的人數所暗示的更大。他們公開表達異議，即使相當瑣碎，仍破壞了統一陣線讓權力貌似合理的自然化表象。[42]

如果支配的公開文本的目的大多不是要取得從屬者的同意，而是要讓他們敬畏害怕，進而持久且權宜地順從，那麼對支配者本身造成的影響為何？很可能是如此：只要公開文本代表著試圖要說服或灌輸任何人，那麼支配者正是其關注的對象。公開文本是不是一種統治群體內部的自我催眠，藉此提振他們的勇氣、強化他們的凝聚力、展示他們的力量，並重新說服自己相信他們的崇高道德目的？這種可能性並不那麼牽強附會。這正是歐威爾指出英勇閣下的形象（透過對淪為笑柄的恐懼折射出來）給予他面對大象的勇氣時（見第一章）所要談論的事。如果自我暗示對個人奏效，這就很可能是群體儀式的目的之一。

有人主張統治菁英在意識形態方面的努力是為了要說服從屬者他們的從屬行為是合理正確的，但任何這類的論點都會面臨大量證據顯示他們往往無法達成此一目標。舉例來說，對封建制度的霸權意識形態而言，天主教是符合邏輯的選擇。然而，顯而易見的是，歐洲農民的民間天主教信仰完全不是為統治利益服務，他們實踐和詮釋天主教的方式經常捍衛農民的財產權，質疑嚴重的貧富差距，甚至提供某種千禧年式的意識形態，帶有革命的意義。民間天主教並非一種「全體的麻醉」，而是一種刺激——再加上較基層的神職人員擁護之，這種刺激為無數對抗領主權威的叛亂提供了意識形態基礎。因為這點和其他原因，亞伯克隆比（Abercrombie）和他的同僚極具說服力地主張，天主教的意識形態影響更多是有助於凝聚封建統治階級，確立其目的，並創造一種家族道德來共同持有財產。[43]這個關於宗教意識形態的觀點非常符合馬克斯・韋伯（Max Weber）對一般教義宗教的分析：

> 這種普世現象（特權階級相信他們的好運氣是應得的）是源自於某種心理模式。一個幸福之人將自己的處境和不幸之人比較時，他就不會單純滿足於自己幸福的事實，而會渴望更多，也就是渴望**他幸福的權利**，意識到他的好運氣是他自己掙得的，和不幸者相反，不幸者的不幸必定同樣也是他自己造成的。……如果說特權階級基於任何原因需要宗教，那就是這種正當性的**心理**保證。[44]

若說韋伯的評價是對菁英宗教教義的詮釋可能合理，那麼或許也可以適用於同樣意圖解釋地位和條件根本性不平等的世俗信條。[45]

支配意識形態的重要性及其對菁英的表現形式，確實有助於解釋甚至不是供非菁英所用的政治儀典是怎麼一回事。如果我們檢視現代法國早期君主政體的重要儀式，就可以明顯看出，到了路易十四（Louis XIV）的時期，大量的儀典已經完全不在公眾前展演。法國君主不再公開進入城鎮，藉此接受忠誠的宣誓，並重申城鎮被賦予的特權；不再在巴黎的街道、大教堂或高等法院舉行典禮。國王無法令他的臣民震懾敬畏，因為他們從沒見過他；而他的公眾只有凡爾賽宮（Versailles）本身的廷臣和侍從。類似的情況還有十七世紀的西班牙宮廷，以及十九世紀的俄羅斯宮廷。[46]

更精細的意識形態霸權理論將會是下一章關注的焦點；在此我只想要表明，支配方的自我戲劇化實際上對主角自身可能比對數量遠遠更多的小配角發揮了更多的修辭力量。

注釋

1. 以更當代的背景為例，一場選舉——假設不完全是作秀選舉——可能既會提供選民選擇領袖的場合，與此同時也象徵性地肯定民主形式的正當性，體現人民主權。當出現反對運動呼籲抵制其認定為詐欺或無意義的選舉，其目的想必正是要削弱選舉作為象徵性肯定的價值。
2. 這段敘述是引自歐文的自傳 *The Life of Robert Owen*，頁110至112。
3. 同前注，頁112，粗體為作者所加。
4. *Outline of a Theory of Practice*, trans. Richard Nice, 85.

5. 相關例子可參見歷史學者艾略特（J. H. Elliott）對早期西班牙君主政體斯巴達式禮俗的描述。艾略特發現，只要「國王的至高地位被視為理所當然，政治意象就可以刻意低調簡樸，無須精心製作帶有寓意的禮服來為統治者梳妝打扮。」「這種低調的形式可能代表著終極的政治嫻熟度」（頁151）。參見"Power and Propaganda in the Spain of Philip IV" in *The Rites of Power: Symbolism, Ritual, and Politics since the Middle Ages*, ed. Sean Wilentz, 145-73。

6. 我有個類似的個人經驗可能有助於說明我的想法。如果綿羊被養在圍繞著強力電圍籬的牧草地上，牠們起初會粗心撞上圍籬，遭受痛苦的電擊。一旦適應圍籬後，羊群吃草時就會敬而遠之。有幾次修補圍籬後，我忘記重新打開電力開關，一忘就是好幾天，其間綿羊也繼續遠離圍籬。儘管無形的電力已經切斷，但牠們仍保有對圍籬的相同聯想。我們並不清楚，如果沒有電流，圍籬的效力還能維持多久；這大概要取決於記憶力的強度，以及綿羊依舊粗心撞上圍籬的頻率。我認為，羊群的例子自此便難以繼續類比。對於綿羊，我們可能只能假定牠們會一直渴望前去圍籬外的牧草地——因為牠們會把圍籬內的草吃得精光，一般來說圍籬的另一側都會比較綠油油。而對於租戶或佃農，我們或可假定他們會持續透過盜獵、偷竊、偷偷撿拾落穗和收割來測試，也具有集體憤怒和復仇的文化能力。純粹想要越界的人性欲望，只是因為被禁止就更想去做，也可能密切相關。然而，重點就是權力象徵的力量一旦被體驗過，就算之後已經失去大部分或所有的有效力量，也能持續發揮影響力。

7. 引文出自Gene Sharpe, *The Politics of Nonviolent Action*, part I of *Power and Struggle*, 43。

8. *Inside the Whale*, 96-97.

9. Mullin, *Flight and Rebellion*, 63.

10. N. Adriani and Albert C. Kruyt, *De Barée sprekende torajas van Midden-Celebes*, 2: 96；引文出自Patterson, *Slavery and Social Death*, 85。

11. 參見Abner Cohen, *Two-Dimensional Man: An Essay on the Anthropology of Power and Symbolism in Complex Society*, chap. 7；亦可參見Luc de Heusch, "Mythe et société féodale: Le culte de Kubandwa dans le Rwanda traditionel," 133-46。

12. James M. Freeman, *Untouchable: An Indian Life History*, 52-53.

13. 關於這一點，可參考斯拉梅特（Ina E. Slamet）針對爪哇（Java）的權力關係深具啟發性的分析，她寫道：「然而，這種爪哇生活方式宛如戲劇般的面向遠不僅限於社會的較低階層；這種面向通常是和菁英成員在一起時會比較坦率地表現出來，他們在他們的臣民或下級者面前必須堅持扮演好理想的角色，將他們生活和目標較不理想的現實隱藏在鄉村或類鄉村的外表和表演之下。」*Cultural Strategies for Survival: The Plight of the Javanese*, 34.

14. "Female Forms of Power and the Myth of Male Dominance: A Model of Female/Male Interaction in Peasant Society," 727-56. 關於這個立場更詳盡的理論說明，可參見Shirley Ardener, ed., *Perceiving Women*, 1-27。

15. 這完全不是在否認女性可能可以利用官方男性支配的象徵，將之當作能夠有效掌控事物的策略性資源。「神話」就算是帷幕，也仍是頗具價值的武器，此一事實解釋了為何這類象徵具有長久的效力。

16. 所有形式的支配都有某些要隱藏、避免被從屬者公開凝視的部分。可是某些形式要隱藏的部分更多。在推測上，我們可能會想像，統治群體的公開形象愈威嚴，嚴密隔絕和捍衛可以讓這類「姿態放鬆」的幕後場域就愈發重要。那些繼承統治權利（如種姓、遺產、種族、性別）或根據靈性理由主張擁有統治權利的人可能會比較符合此一刻板印象。那些權威主張是以某種可檢驗技能的優異表現為根據的人——生產經理、戰地將軍、體育教練——就比較不需要精心策劃來展現權力，或從屬者刻意表現出相互的尊重。在後者的例子中，菁英的公開和隱藏文本之間落差並沒有那麼大，因此公開曝光也就不那麼危險。相關例子可參見Randall Collins, *Conflict Sociology: Toward an Explanatory Science*, 118-19, 157。

17. *Outline of a Theory of Practice*, 191. 有份研究出色地分析了掌權群體委婉表達的社會功能，參見Murray Edelman, "The Political Language of the 'Helping Professions,' " 295-310。

18. 關於這點，我從羅賓．萊考夫在*Language and Women's Place*, 20 ff的討論中獲益良多。

19. Pierre H. Boulle, "In Defense of Slavery: Eighteenth-Century Opposition to Abolition and the Origins of a Racist Ideology in France," in *History from Below: Studies in Popular Protest and Popular Ideology in Honour of George Rudé*, ed. Frederick Krantz, 230.

20. 當然，在這個意義上，個人也可能會被要求要不採取行動，否則就閉嘴。格雷安・葛林（Graham Greene）的小說《喜劇演員》（*The Comedians*）正是聚焦在這個議題。其中的非英雄主角還稱不上是江湖術士，他被迫要抉擇按照他吹噓的內容勇敢行動，或是在他所愛的女子面前終於承認他是個騙子。參見Graham Greene, *The Comedians*。

21. 我看過這個論點最具說服力、以經驗為根據的論證是在McKim Marriott, "Little Communities in an Indigenous Civilization," in *Village India: Studies in the Little Community*, ed. McKim Marriott，以及G. William Skinner, *Marketing and Social Structure in Rural China*。

22. 通常他們會努力表現出統一陣線——儘管不總是成功——但有些顯著的例外，那就是民主的衝突管理形式。然而，就算是這些例外，一般也只有特定的意見分歧形式會向全體選民播送，密談室則是用來處理會和公眾論調衝突的事務。

23. 參見Peter Kolchin, *Unfree Labor: American Slavery and Russian Serfdom*, 143。沙皇的問題是統治者經常面對的問題：統治菁英成員的行為可能會導致下級者的叛亂，該如何約束他們的行為，同時又不揭露統治階層既不團結又沒有共同目標的事實，進而實際煽動叛亂。

24. 此一通則有個例外，有時菁英可能會因為感覺自己有資源在攤牌中獲勝，藉此重新將從屬條件調整成對他們有利，而希望挑起與從屬者的對峙。

25. *Relations in Public*, 113 ff.

26. 相關例子可參見Rhys Isaac, "Communication and Control: Authority Metaphors and Power Contests on Colonel Landon Carter's Virginia Plantation, 1752-1778," in *Rites of Power*, ed. Sean Wilentz, 275-302。在小說家梅爾維爾（Melville）的精彩故事〈貝尼托・瑟雷諾〉（Benito Cereno）中，西班牙船長假裝是一名奴隸船員的主人，將道歉定為拆除手銬腳鐐的條件：「只消一句『對不起』，就能解開你的鎖鍊。」參見Herman Melville, "Benito Cereno," in *Billy Budd and Other Stories*, 183。

27. 米蘭・昆德拉在《玩笑》一書中寫到一九五〇年代中期的捷克斯洛伐克（Czechoslovakia）也對自我告發有類似的堅持。「我拒絕在數百場的集會中，在數百次懲戒性程序中，甚至不久就要在數百場法庭審判中，扮演那個被告的角色去控訴自己，並藉由激烈的自我控訴（表示他完全認同控告者）哀求寬恕。」出自頁168。

28. 我非常感謝香港大學的格蘭特・艾文斯記錄描述了他參與的這項活動，並且敏銳觀察了後文提及的寮國農業合作社。

29. 不是所有遊行都是上位者組織的國家儀式，但所有遊行都暗示著一套階層秩序。可以對照寮國的例子和勒華拉杜里（Le Roy Ladurie）筆下的十六世紀末法國羅芒（Romans）的狂歡節遊行。這場遊行呈現出經歷史上協商而成、精確的地位層級變化，最前方是國王的代表，最後方是最卑微的平民。在此例中，工匠和商人拒絕照常參與。法國法學家讓・博丹（Jean Bodin）概括指出了這類地方典禮中潛在的衝突可能性：「所有地位和職業的每列隊伍都帶有爭取排序優先衝突的風險和人民起義的可能性。」「我們可別……將這類典禮做得過火了。」引文出自Emmanuel Le Roy Ladurie, *Carnival in Romans*, trans. Mary Feeney, 201。

30. Christopher Hill, "The Poor and the People in Seventeenth-Century England," in *History from Below*, ed. Frederick Krantz, 84.

31. 熟悉傅柯《監視與懲罰》（*Discipline and Punish*）一書的讀者會注意到，他對軍事遊行、密集隊形訓練和監獄的分析，與我對寮國遊行的分析有些相似。如果沒有傅柯獨具的慧眼，我幾乎無法形成我的觀點。一如傅柯指出，「至於規訓，它有自己的儀式。這無關勝利，而是閱兵、『遊行』，也就是一種誇耀的檢驗形式。其中受檢驗的對象會如『物品』般呈現在權力的觀察者眼前，而其權力唯有透過凝視才得以證明。」（頁188）一個原子化、被歸入某個單位的對象，其地位是由中央權威來決定，此一概念出自傅柯。我的分析和傅柯不同的是，我遠更關心個人支配的結構，諸如農奴和奴隸制度，而他所關注的是現代國家非個人、「科學」的規訓形式。更重要的是，我感興趣的是，實際的抵抗形式如何阻撓這些將支配理想化的手段。關於此一關聯，可參見第四至八章。

32. Kolchin, *Unfree Labor*, 299.

33. Raboteau, *Slave Religion*, 53.

34. 同前注，頁66。關於基督教禮拜的規範，參見頁139至144。

35. Michael Craton, *Testing the Chains*, 258.

36. Richard Sennett and Jonathan Cobb, *The Fall of Public Man*, 214.

37. 莎拉・艾文斯（Sara Evans）在描述一九六〇年代新左派（New Left）中女性主義政治學的成長時，簡短但重要地說明了從屬者決定集體在內部討論他們的從屬地位時會構成的挑釁。許多女性在一場學生爭取民主社會組織（Students for a Democratic Society）的會議上，離開主要小組去討論組織中的性別歧視問題，並明確表示不歡迎男性加入她們，其效果極具爆炸性。學生爭取民主社會組織中的男性和女性成員都了解到，他們迎來了關鍵時刻。參見*Personal Politics: The Roots of Women's Liberation in the Civil Rights Movement and the New Left*, 156-62。

38. Jürgensmeyer, *Religion as Social Vision*, chap. 10.

39. Jean Comaroff, *Body of Power, Spirit of Resistance: The Culture and History of a South African People*, 238-39. 另一個可以證明未授權群眾集會的政治影響力的例子是波蘭（Poland）每年到琴斯霍托瓦聖母（Virgin of Czestochowa）修道院的朝聖之旅，其重要性在團結工聯（Solidarity）被禁後提升。

40. 這完全不等同於聲稱群眾裡的個人因為再也無須為自己的行為負起個人的道德責任，而將道德推理（moral reasoning）拋諸腦後。

41. Gustav LeBon, *La psychologie des foules*. 這個修正主義學派以喬治・魯德（George Rude）為首。參見他的著作*The Crowd in History: A Survey of Popular Disturbances in France and England, 1730-1848*，以及更早期的*The Crowd in the French Revolution*。有批評主張魯德因為掩蓋了生氣和憤怒的重要性，而將群眾過度「資產階級化」，參見R. C. Cobb, *The Police and the People: French Popular Protest, 1789-1820*。

42. 這正是為什麼比起從屬者的背叛（比如高產工人、模範囚犯），菁英的相同現象對權力關係的影響遠遠更大。從標準上來看，菁英叛徒不能用和從屬者叛徒相同的措辭來解釋。比起解釋為何奴隸想要成為擁有各種特權的監視者，要解釋為何主人會公開支持解放奴隸或廢奴困難多了。

43. Nicholas Abercrombie, Stephen Hill, and Bryan S. Turner, *The Dominant Ideology Thesis*, chap. 3.

44. *The Sociology of Religion*, 107.

45. 亞伯克隆比將此一論點進一步延伸到早期和當代的資本主義。他主張，幾乎沒有證據可以證明勞動階級在意識形態上被收編，而有很多證據顯示，資產階級的意識形態尤其是股力量，讓擁抱之可以最直接獲益的階級——也就是資產階級——增進凝聚力和自信。參見*The Dominant Ideology Thesis*第四和五章。

46. 關於法國的例子，參見Ralph E. Geisey, "Models of Rulership in French Royal Ceremonial," in *Rites of Power*, ed. Wilentz, 41-61；關於西班牙的例子，參見Elliott, "Power and Propaganda," 同前注，頁145-73；關於俄羅斯的例子，參見Richard Wortmann, "Moscow and Petersburg: The Problem of the Political Center in Tsarist Russia, 1881-1914," 同前注，頁244-71。

第四章　虛假意識或過分讚譽？

> 一方面，「權貴」和「窮人」之間的古老鬥爭所組織而成的社會經濟空間，呈現出富人和警察持續勝利的場域，但也展現出虛偽的主宰（那裡沒有人說實話，除非是悄悄話和農民間的交談：「現在我們知道了，但不能大聲說出來」）。在這個空間裡，強者總是獲勝，話語總是欺騙。
>
> ——米歇爾．德．瑟鐸（Michel De Certeau）《日常生活實踐》（*L'invention du Quotidien*）

一如我們所見，掌權者可以藉由維持適合他們支配形式的表象，獲得極其重要的利益。對從屬者來說，他們通常都有充分的理由去協助維持那些表象，或至少不要公開牴觸之。我認為，總體而言，這兩項社會事實對於權力關係的分析至關重要。在後文中，我將檢視公開和隱藏文本的概念如何能夠幫助我們更批判性地看待繞著兩個棘手名詞——「虛假意識」和「霸權」——打轉的各種辯論。適應的策略性行為加上多數權力關係中隱含的對話，確保了公開行動會提供接連不斷的證據，似乎可以支持對意識形態霸權的某種詮釋。這種詮釋或許是對的，但我會證明，根據一般提出的證據並無法支撐之，而在我所探討的例子中，還有其他合理的理由應該去質疑這種詮釋。最後，我會簡短地分析支配形式如何產生特定的肯定儀式、特定的公開衝突形式，以及特定的褻瀆和違抗模式。自始至終，我的目標都是要透過避免「自然化」現存的權力關係，並關注可能潛藏在表面之下的事物，來闡明對支配的分析。

對沉默的詮釋

這三十多年來許多關於權力和意識形態的辯論，都聚焦在如何詮釋在沒有明顯運用強制手段（例如暴力、威脅）的狀況下權力較小者（例如一般公民、勞動階級、農民）的遵從行為，來解釋他們順從的原因。換言之，為何人在看似有其他選擇的情況下仍舊屈服？在北美，關於沉默的理由的論點可以在以地方研究為基礎、所謂社區權力的文獻中找到，這些研究顯示，儘管存在顯著的不平等和相對開放的政治制度，政治參與的程度卻相對較低。[1] 在歐陸和英國，相關論據是建立在更廣大的社會領域上，採用大多是新馬克思主義的名詞，並運用葛蘭西的霸權概念。[2] 在此，這些論據試圖解釋儘管在資本主義制度下持續挑起諸多不平等，議會民主體制也可能提供政治救濟管道，但西方勞動階級在政治上仍相對沉默。換言之，為何從屬階級在沒有因為直接運用強制力或害怕強制力而被迫屈服的狀況下，還看似接受或至少同意一個明顯違背其利益的經濟制度？我應該補充一點，這所有的辯論都始於幾項假設，而每項假設都可以被合理質疑。他們全都假設，從屬群體事實上相對沉默、相對弱勢，而且沒有遭受直接的脅迫。為了立論，我們將接受這三項假設。

除了社區權力辯論中多元主義（pluralist）立場的例外，幾乎所有其他立場都提及某種支配或霸權的意識形態，來解釋這種異常情況。這種意識形態確切為何、它是如何產生和普及的，以及帶來何種後果，這些問題都受到熱議。然而，多數的辯論者都同意，儘管支配的意識形態沒有完全排除從屬群體的利益，但其運作方式會隱藏或歪曲一些社會關係的面向，因為如果直接意識到這些面向，就會損害支配菁英的利益。[3]因為任何理論如果號稱可以說明社會現實的歪曲，當然就必須主張某種對社會現實為何較精確的認知，就此而言，這必然是虛假意識理論。高度簡化地說，我認為我們可以將虛假意識分為濃厚和淡薄兩個版本。濃厚版本主張，支配的意識形態施展魔力的方法是說服從屬群體積極相信那些解釋和正當化他們自己從屬地位的價值觀。可以證明這種矇騙手段的濃厚理論錯誤的證據比比皆是，足以讓我相信這在一般情況下站不住腳[4]——尤其是對農奴、奴隸和賤民制度這類的支配體系，在這些案例中，就連在修辭層次也幾乎沒有出現關於同意和公民權的內容。另一方面，淡薄版本的虛假意識理論僅僅主張，支配的意識形態實現服從的方法是說服從屬群體他們生在其中的社會秩序是自然且必然的。濃厚理論主張同意；而淡薄理論只認定是放棄掙扎。淡薄理論若以最精巧的方式提出，便會顯得極其合理，有些人更主張這明顯是正確的理論。儘管如此，我認為這個理論從根本上就是錯誤的，並且希望能夠盡可能以令人信服的方式詳細說明原因，以免我批評的是個假想敵。

在社區權力的文獻中，基本上是多元主義者和反多元主義在參與辯論。對多元主義者來說，如果在相對開放的政治制度中沒有重大抗議或激進反對，就必須認定這代表著滿意現況，或至少不滿意的程度沒有高到有必要付出政治動員的時間和精力。反多元主義者則回應，政治領域沒有多元主義者認為的那麼開放，從屬群體的脆弱讓菁英得以掌控政治議題，並有效地阻礙他們參與政治。反多元主義立場的難題在於，他們創造出某種政治的海森堡（Heisenberg）測不準原理，而他們的對手立刻就指出這一點。也就是說，如果反多元主義者無法揭露隱藏的不滿——也就是假定菁英有效排除的那些不滿——那麼我們該如何知道表面的默許是真心誠意，還是受到壓抑？因此，實行「反多元主義工作」的菁英早就抹去他們壓制的議題的任何痕跡。

為了試圖支持反多元主義立場，並說明議題事實上是如何被排除的，約翰．加文塔提出權力關係的第三層次。[5]第一層次是眾所熟知的公開運用強制力和影響力。第二層次是脅迫，也就是加文塔所謂的「預期反應準則」。第二層次之所以有效，一般是基於從屬和挫敗的經驗，相對弱勢者因為預期他們將面臨制裁而必然失敗，選擇不去挑戰菁英。在這個情況下，價值觀或不滿之情大概都沒有改變，而是因為估計希望渺茫而打消了挑戰的念頭。[6]權力關係的第三層次比較難以捉摸，等同於既濃厚又淡薄的虛假意識理論。加文塔主張，在權力的前兩個面向中提供給支配菁英的權力「可能會促使（他們）擁有更多權力可以投入資源，透過控制諸如媒體或其他社會化機構，去發展支配的形象、正當化舉措或對（他們的）權力的信仰。」[7]他主張，結果很可能會產生出一種挫敗和不參與的文化，就像他在他研究的阿帕拉契（Appalachian）採煤谷地區的發現。我們不清楚的是，加文塔所指出的「矇騙手段」有多大一部分是被假定能夠實際改變價值觀和偏好（例如他所謂「正當化舉措」隱含的意義），以及強化對支配菁英權力的信仰的手段在任何互動中所發揮的效果如何。我們也無法明確看出，為何這類的意識形態投資超出了從屬群體從直接經驗得出的推論，卻還能會讓他們信服。無論如何，加文塔同時支持虛假意識的濃厚理論和自然化的淡薄理論。

如果要了解為什麼西方的勞動階級儘管擁有動員的政治權利，卻看似與資本主義和不平等的財產關係和解，就會發現針對意識形態霸權也有濃厚和淡薄版本的說明。濃厚版本強調了所謂「意識形態國家機器」的運作，例如學校、教會、媒體、甚至是議會民主制度的機構，並聲稱這些機構幾乎壟斷了象徵的生產工具，就像工廠廠主可能壟斷了物質的生產工具。它們的意識形態工作確保了從屬群體積極同意複製他們從屬地位的社會安排。[8]簡言之，濃厚版本面臨兩種令人畏懼的批評。首先，有些相當具說服力的證據顯示，在封建制度、早期和近期資本主義制度下的從屬階級，在意識形態方面並沒有被收編到這種理論聲稱的程度。[9]其次，破壞性更強大的一點是，並沒有證據可以支持我們去假設，接受主宰意識形態主要的理想化版本可以避免衝突——甚至是暴力衝突——更有些證據顯示，接受這種意識形態事實上還可能挑起衝突。[10]

淡薄版本的霸權理論針對統治菁英的意識形態控制所提出的主張遠遠沒那麼誇大。然而，根據這個版本的說法，意識形態支配所真正做到的是為從屬群體定義何為現實、何為不現實，並且迫使將某些渴望和不滿歸類為不可能發生和痴心妄想的範疇。透過說服下層階級他們的地位、他們的生活機會、他們的苦難都是無法改變且無可避免的，這種有限的霸權可以在不必然改變人們價值觀的情況下，產出行為上同意的結果。如果相信無論做什麼都不可能改善他們的處境，而且一直都會是如此，甚至可以想像得到，隨口的批評和無望的渴望最終都會消失無蹤。理查·霍嘉特有一段關於英國勞動階級文化的描述深具同情心和洞察力，捕捉到這種淡薄的矇騙理論的精髓：

> 當眾人感覺他們幾乎沒有辦法改變自己處境的主要要素，但不必然感受到絕望或失望或怨恨，而只是視之為生活的現實，他們就接受了看待那種處境的態度，讓他們擁有尚可忍受的生活，不會感覺不斷被更龐大的處境壓迫。這種態度將處境的主要要素視為自然定律、既定的現況、打造生活不可或缺的材料。這樣的態度就算是最簡單直接的描述也是種宿命論或純粹的接受，通常尚未達到悲劇的程度，帶有太多類似應徵入伍者別無選擇的感受。[11]

就某個層面而言，無可否認這段描述完全令人信服。沒有人會去質疑自古以來，從屬群體的實際處境似乎都是無法改變的「既定事實」，現實上也確實如此。[12]當代的勞動階級擁有政治權利，也了解試圖發展成革命的運動，更別說是實際的革命了，如果這樣的主張可以合理適用在他們身上，那麼對歷史上的奴隸、農奴、農民和賤民來說，應該就是遠更無法抵抗地真實。舉個實例，想像一下十八世紀印度鄉村地區一名賤民的處境。在他或她的群體的集體歷史經驗中，種姓自古既存；他的種姓總是最被輕視和剝削的一群人，而且——在他的一生中——從沒有人逃離他的種姓。在這種情況下，種姓制度和其中某人的地位開始具有自然定律的力量，也就不足為奇了。當時也沒有比較的標準可以用來發現種姓制度的不足之處，沒有替代的經驗或認知可以讓人跳脫宿命論的想法。[13]

這種看似具說服力、淡薄版本的虛假意識論點，與一定程度地厭惡或甚至仇恨所體驗到的支配並沒有互相牴觸。這個主張並非人熱愛自己宿命的處境，只是無論他喜不喜歡，他的處境都不會改變。在我所閱讀到的資料中，這種意識形態支配的最小限度概念幾乎已經成為正統，會在探討這類議題的文獻中一再讀到。一如皮耶．布赫迪厄所述：「每套確立的秩序往往都會（以大不相同的程度和手段）**將自己的專斷性自然化**。」[14]其他表述方式只是在細節上有所差異。因此，安東尼．紀登斯（Anthony Giddens）曾提及「現況的自然化」，資本主義的經濟結構在其中逐漸被視為理所當然。[15]保羅．威利斯（Paul Willis）附和了兩人的看法，主張「意識形態最重要的一般功能之一，就是將各種不確定的、脆弱的文化分析和結果變成一種普遍的自然主義（naturalism）。」[16]然而，經常會有人試圖取用這個較可為之辯護的霸權概念，並且可說是重新擴充之，變回濃厚版本的虛假意識理論。促成這種變化的方法是堅決主張——偶爾只須聲稱——被認為必然的事物因此變得公平合理。必然性變成了美德。一如布赫迪厄諷刺地表述，從屬群體成功「拒絕了無論如何都會拒絕給予他們的事物，並且愛上了必然。」[17]

巴林頓．摩爾將這同樣的方程式提升為類似某種普遍的心理現象，主張「對人類來說無可避免或看似無可避免的事物，從某種角度來看必定也是公正合理的。」[18]這種立場背後的邏輯可以說和部分關於美國黑人人格結構的較早期研究背後的邏輯有些相似。[19]這類似於「臉逐漸適應面具」的情況，一開始是身在種族歧視社會的黑人必須扮演某種角色，或根據支配者——亦即白人——的世界所強加的標準，時時刻刻監控他或她自己的行為。按照其邏輯，個人幾乎不可能持續扮演某個角色，同時認定自己是那個角色以外的樣子。據推測，因為個人無法控制有權力的他者會強迫他扮演何種角色，無論要經歷何種人格整合，都必須讓自我符合被強加的角色。[20]

對霸權與虛假意識的批評

我們可以對霸權和虛假意識的論點提出許多異議。若單獨來看，許多批評都傷害力極大；若加總起來，我相信足以斃命。然而，我們主要感興趣的是去了解支配的過程如何產生出似乎證實霸權概念的社會證據。為此，也因為篇幅較長的批評可以在其他地方找到，這段批評會相當簡短，甚至概略。[21]

霸權概念最大的問題可能是其隱含的假設，假定從屬群體的意識形態收編勢必能夠減少社會衝突。然而，我們知道任何主張擁有霸權的意識形態實際上必須透過向從屬群體解釋，**為何**特定的社會秩序也符合他們的最佳利益，來給予他們承諾。一旦給出這樣的承諾，便開啟了通往社會衝突的道路。這些承諾是如何被理解的？是否曾經履行？是否立意良善？誰該來履行之？在此不詳細說明，但相當清楚的是，某些最引人注目的暴力衝突事件是從屬的普羅大眾試圖尋找原則上能夠適應一般社會秩序的目標時，和支配的菁英之間所發生的衝突。[22] 法國大革命前，陳情書中全國各地表達的無數抗議幾乎沒有任何渴望廢除農奴制度或君主政體的跡象。幾乎所有的訴求都展望一個革新的封建制度，並矯正許多「弊病」。然而，儘管訴求相對溫和，也無法避免農民和下層階級（sansculottes）的暴力行動——甚至還可說是推波助瀾——而這些行動為實際的革命提供了社會基礎。同理，就我們所知，從一九一七年在歐洲俄羅斯（European Russia）各地自發組成的工廠委員會所提出的訴求來看，無疑可以確定這些工人尋求的是「改善工作條件，而非改變之」，也絕非要將生產工具社會主義化。[23] 然而，他們為了實現改革目標，諸如八小時工作制、杜絕計件工作、最低薪資、管理階層的禮貌態度、煮食和廁所設備，所展開的革命行動都是布爾什維克（Bolshevik）革命背後的驅動力。此外還有更多相關的例子。[24] 其重點在於，位處史稱革命行動的基層的從屬階級往往會在他們對統治意識形態的理解中尋找目標。「擁有虛假意識」的臣民似乎具備足夠的能力採取革命行動。

就算我們為了論述暫且同意意識形態霸權一旦實現便將促使從屬階級沉默，那麼這類霸權是否經常盛行就變成高度可疑的問題。霸權論點的問題在於難以去解釋社會改變為何能夠源自底層——至少部分葛蘭西的繼承者所提出的強硬版本都是如此。如果菁英掌控了生產的物質基礎，讓他們能夠強索實際的順從，同時也掌控象徵的生產工具，因此確保能夠正當化他們的權力和控制，那麼便實現了某種長存不變的平衡，唯有外來衝擊才能擾亂之。一如威利斯的觀察，「結構主義（structuralist）的再生產理論將支配意識形態（文化也被劃歸其中）描述得無懈可擊。一切配合得太過巧妙。意識形態總是先於任何真正的批評，並先發制人。在這個如撞球般流暢滑順的過程中沒有任何裂痕。」[25] 甚至是在霸權理論理應適用、相對穩定的工業化民主制度中，其最強而有力的構想也完全沒有考慮到實際發生的社會衝突和抗議。

若說社會衝突對應用到當代社會的霸權理論來說是種困擾，那麼霸權理論應用到歷史上的農民社會、奴隸制度和農奴制度時，社會衝突就會是棘手的巨大牴觸。只需要考慮法國大革命前三百年的農業歐洲，霸權或自然化理論的擁護者就會面臨大量破例的事實。這個時期值得注目的一點無疑是農民感受到歷史可能性並起而行動的頻率，但以悲劇收場，沒有被客觀地正當化。從十四世紀末瓦特．泰勒叛亂（Wat Tyler's Rebellion）、德國大規模的農民戰爭（Peasants' War），一直到法國大革命，數以千計的叛亂和暴力抗爭都是某種農民在面對如今回顧看似希望渺茫的情勢時熱切抱負的明證。一如馬克．布洛克（Marc Bloch）所述：「一個社會制度的特徵不只有內部結構，還有其所引發的反應。……歷史學家的任務只是要觀察和解釋現象之間的關聯，對他們來說，農民起義對領主政權，就像比方說罷工對大規模資本主義制度一樣自然。」[26]就北美洲的奴隸制度而言，反叛者的機會甚至更加渺茫，確實令人驚訝的是反叛竟然仍會發生，而且在每次實際的起義中，都有大量密謀從未實現。考量到奴隸分散在各個人手相對短缺的農場上，他們只占人口的不到四分之一，並且受到積極的監控，觀察者沒有必要為了說明叛亂數量稀少的原因，而去假設奴隸相信「必然的事物」是合理正當的。[27]

如果說有任何社會現象需要解釋，那就是霸權和虛假意識理論意圖解釋的相反情況。為何當比較明智的歷史看法會認為從屬群體的處境無可避免，這些從屬群體仍經常相信並表現得彷彿他們的處境可能改變？需要解釋的不是權力和奴役的不良影響。我們需要的反而是去理解從屬群體誤判形勢，似乎過度放大了他們自己的權力、解放的可能性，並且低估了部署壓制他們的力量。若說被菁英支配的公開文本傾向將支配自然化，那麼似乎有某些抵消的作用力經常成功將支配去自然化。

帶著這樣的歷史觀點，我們可以開始質疑霸權和自然化論據的邏輯。在我看來，試圖將淡薄的自然化理論變成濃厚的霸權理論顯然毫無根據可言。就算承認農奴、奴隸或賤民等從屬群體在歷史上經常對於建立在不同原則上的社會秩序一無所知，支配的必然性也不一定會讓他們認為支配是合理或正當的。讓我們改為假設，支配的必然性之於奴隸幾乎等同於天氣的必然性之於農民。正義和正當性的概念基本上和必然發生的事物——比如天氣——毫無關聯。因此，傳統的農民實際上甚至會試圖將天氣去自然化，他們的做法是將天氣擬人化，發展出旨在影響或控制其走向的豐富儀式。[28]我們可能假設為必然的事物再度被帶入可能受人為控制的範疇。這類的努力看似失敗時，傳統農民往往就會像科學的現代農民一樣詛咒天氣。至少他們不會將必然性和正義混為一談。

淡薄版本的自然化理論因為僅僅主張對必然性的接受而遠更具說服力。儘管如此，這個理論錯在假設無論現況再怎麼遭人怨恨，只要沒有實際認知到存在可替代的社會安排，就會自動讓現況自然化。想想在歷史上從屬群體中無數人曾施展過的兩種想像的小技巧。首先，儘管農奴、奴隸和賤民可能難以想像農奴制度、奴隸制度和種姓制度以外的社會安排，但他們肯定能夠想像完全翻轉現存的地位和報酬分配。幾乎在所有權力、財富和地位不平等現象相當顯著的主要文化傳統中，都可以找到顛倒世界的千禧年主題，在這個世界中，最後的會變成最先的，而最先淪為最後。[29]儘管形式各異，但多數的民間烏托邦理想都包含這首越南民謠背後的核心概念：

國王的兒子成為國王。
寶塔清潔工的兒子只知道如何用榕樹葉掃地。
當人民起義，
被擊敗的國王之子就會去寶塔掃地。[30]

這些從屬群體幻想生活中的集體隱藏文本並不只是抽象的練習。一如我們將在後文所見，這類的隱藏文本被嵌入無數的儀式習俗之中（例如天主教國家的嘉年華、印度的奎師那慶典〔Feast of Krishna〕、古羅馬的農神節〔Saturnalia〕、佛教東南亞的潑水節），並且為許多起義提供了意識形態基礎。

大眾想像的第二個歷史成就是否定現存的社會秩序。儘管從來沒有踏出階層社會之外，從屬群體可以——也確實曾這麼做——想像對他們來說如此沉重的差別不存在的情景。從一三八一年英國農民起義流傳至今的著名短詩「昔日亞當耕田、夏娃織布，仕紳貴族人在何處？」（When Adam delved and Eve span, who was then the gentleman）就是在想像沒有貴族或仕紳的世界。十五世紀時，塔博爾派（Taborites）*同時期望能實現激進平等和勞動價值論（labor theory of

* 譯注：塔博爾派為中世紀中歐波希米亞（Bohemia）的一個宗教運動派別，反對天主教會的腐敗和特權階級，主張廢除租稅和農奴義務。

value）：「無論隸屬教會或在俗——王子、伯爵和騎士應該只擁有和一般民眾同等的財產，那麼所有人都將不虞匱乏。當王子和領主為了他們的生計勞動，這天才會到來。」[31]以免有人將這類提倡平等的信仰侷限於猶太—基督宗教（Judeo-Christian）傳統在面對墮落時的完美社會神話，要注意就算不是全部，在多數的高度階層化社會中，都可以找到類似的宗教和世俗系統的平等信仰。我們其實可以將多數傳統的烏托邦信仰，理解為大致有系統地否定從屬群體經驗到的既存剝削和身分貶抑模式。如果農民因為官員收取稅賦、領主收取作物和勞動稅、教士收取什一稅和歉收而困擾，他們的烏托邦願景就可能會展望一種沒有稅賦、稅金和什一稅的生活，可能也沒有官員、領主和教士，並且擁有豐饒、自給自足的自然環境。這類的烏托邦思想往往會以有所掩飾或寓言的形式呈現，部分是因為公開宣告之可能會被視為具有革命意圖。無庸置疑的是，在現代以前，千禧年信仰和期望經常在大規模叛亂實際發生時，提供其背後一套最重要的動員理念。

因此，根據歷史證據，幾乎不存在任何基礎可以去相信濃厚或淡薄的霸權理論。抵抗行動的大量障礙完全無法歸咎於從屬群體沒有能力去**想像**與現實相反的社會秩序。他們確實會想像翻轉和否定支配，而最重要的是，他們曾在絕望中根據這些價值，並在那些情勢允許的罕見時刻中採取行動。由於他們身處社會的最底層，可想而知他們這個階級會對烏托邦預言，以及想像和他們所經驗到的痛苦現實截然不同的社會秩序感興趣。具體而言，十七世紀的大幅圖紙描繪一位領主供應一道講究的餐食給一位坐著的農民時，目的是要讓農民開心，而非取悅社會地位高於他們的階級。[32]而從屬群體想像與現實相反的社會秩序後，菁英意圖說服他們改變處境的努力將會徒勞無功，並為此推動論述，但他們似乎沒有因此而氣餒。我絕非想要暗示農民和奴隸的歷史是一次又一次不切實際的冒險所組成的歷史，抑或忽略叛亂被鎮壓後必然產生令人恐懼的效果。儘管如此，因為奴隸和農民起義發生得足夠頻繁，也幾乎總是失敗，我們可以提出具說服力的論點，主張無論盛行的是何種對現實的錯誤認知，似乎都比事實所保證的更充滿希望。從屬群體具有明顯的傾向，偏好將謠言和模糊的消息詮釋為他們即將獲得解放的預兆，我將會在第六章更仔細探討這一點。

極薄的霸權理論

那麼，霸權理論的成分在這個脈絡中還剩下多少？我認為微乎其微。然而，我確實想要提及在受限且最嚴格的形勢下，從屬群體可能會逐漸接受正當化他們從屬地位的安排，甚至將之合理化。[33]

我認為，在非自願從屬例子中的意識形態霸權，只可能在符合兩個相當嚴格的條件之一時才會發生。第一個條件是高機率有許多從屬者最終會占據權位。預期自己最終可以行使自己當下忍受的支配權力，是合理化支配模式的強烈誘因。這種預期會促進耐心和仿效，而尤其給人某種復仇的指望，即使必定是對不同於原來怨恨目標的對象復仇，也無損其效。如果這個假設是正確的，將有助於解釋為何這麼多以年齡分級的支配體系似乎如此耐久。被年長者剝削的年輕者最終將有機會成為年長者；那些人在機構中為他人做著有辱人格的工作——只要他們可以合理預期能夠向上移動——最終也將有人為他們這麼做；傳統的中國媳婦如果有兒子的話（！），就可以期待有天成為專橫跋扈的婆婆。[34]

如果從屬者幾乎徹底原子化，並遭受密切監視，也可能可以合理化繁重且非自願的從屬。這意味著徹底廢除任何具有相對論述自由的社會性場域。換言之，從屬者間可以產生隱藏文本的社會環境遭到消滅。因為所有社會關係都是階層式的，而且監控滴水不漏，這個想像的社會相當類似於在公開文本或邊沁（Bentham）的全景敞視監獄（Panopticon）*中所宣傳的官方說法。在這種終極的極權幻想中，沒有任何生活可以超脫支配關係，毫無疑問，這並不符合任何真實社會的整體情況，甚至毫無相似之處可言。傅柯曾指出：「孤獨是完全順服的首要條件。」[35]可能只有在一些刑罰機構、思想改造營和精神病房，我們才能一瞥其內涵。

原子化和監控的技術曾成功運用在韓戰（Korean War）期間北韓和中國的戰俘營中。就我們探討的重點而言，這些戰俘營值得注意的一點是，俘虜者為了產出他們要求的供認和政治宣傳廣播，耗費了大量的心力。[36]戰俘被逼到身體極度虛脫，被剝奪任何與外界的聯繫，在持續的審問期間一次就被隔離和孤立長達數週之久。審問者交替施恩和威脅，告訴戰俘他沒有收到任何信件，因為他家鄉的親屬不關心他的死活。最重要的是，俘虜者竭力嚴密控制戰俘的一舉一動和每次交流，並且透過孤立舉措或告密者消滅他們之間任何可能的團結或聯繫。事實上，苛刻的環境確實帶來不少人招供的成果，而很多戰俘宣稱自己突然非常喜歡殘忍對待他們的審問者。這裡所發生的事情似乎是，無法和相同處境的其他人確認自己的感受和憤怒——也就無法創造出幕後的隱藏文本和不同的社會現實——讓俘虜者得以行使暫時的霸權。

我想要強調能夠引發這種順從情形的環境確切有多麼苛刻。俘虜者允許戰俘彼此聯繫時便無法達成目標；他們必須致力於破壞任何自主的從屬群體接觸。就算如此，戰俘仍經常有機會在權威當局的眼皮底下祕密交流。他們利用俘虜者不會察覺到的細微語言差異，時常成功在其他戰俘面前公開宣讀的道歉或供認聲明中插入暗示，表示他們的表現是被迫的違心之論。需要高度監控和原子化的事實，符合我們從社會心理學所認識到的服從違背個人道德判斷的權威的行為。在史丹利．米爾格蘭（Stanley Milgram）的著名實驗中，自願參與者以為自己電擊了那些答錯答案的實驗對象，有幾項小小的變動顯著降低了服從的比率。[37]首先，如果實驗者（權威人物）離開房間，受試者就會不服從命令，接著對實驗者謊稱他或她執行了電擊。在另一個不同的實驗情境

---

* 譯注：這種監獄的結構是環形建築，中心有座瞭望塔，塔中的警衛可以看見所有的囚犯，但囚犯因為逆光無法確知警衛是否在監視他們，因而產生不安的情緒，並選擇遵守秩序。

中，安排了一兩名拒絕執行愈來愈強的電擊的同儕，和受試者一同參與。就在這麼一丁點的社會支持下，絕大多數的受試者都反抗了實驗者的權威。於是，在這個脈絡中，在受試者沒有受到嚴密監視，並且只要他們從身在同一艘船的同儕獲得反抗的微量社會支持時，自願服從就會消失無蹤。[38]

那麼，在特定條件下，就可以合理想像就算是繁重且非自願的從屬也可以被塑造成看似公正且正當。然而，那些條件嚴格到完全不適用於任何我們在此關注的大規模支配形式。奴隸、農奴、農民和賤民幾乎沒有實際的可能性可以向上流動或擺脫他們的身分地位。與此同時，他們總是在奴隸宿舍、村莊、家中，在宗教和儀式生活中，擁有另一種生活。要完全摧毀從屬群體的自主社會生活既不可能，也不可取，而這種社會生活是隱藏文本不可或缺的基礎。歷史上大規模的支配形式不僅導致怨恨、占用和羞辱，在某種程度上讓從屬者有話題可聊；還無法防止獨立的社會空間產生，讓從屬者可以在相對安全的環境下談話。

霸權表象的社會產物

如果上述對霸權理論的批評大多是有效的，我們就不得不去尋找除了從屬群體內化支配意識形態以外，有何其他原因會導致服從和沉默。無疑有許多因素可以解釋，為何儘管菁英沒辦法在意識形態上收編最弱勢者，但支配形式依然可以存續。在此僅略舉幾個因素，從屬群體可能被地理環境和文化背景分隔開來；他們或許會判斷可能遭遇嚴重的報復，而認為公開抵抗是魯莽行為；他們每天為了生計奮鬥，又必須承受監控，幾乎可以杜絕公開反對；或者他們可能因為過去的失敗而變得憤世嫉俗。

然而，我們仍須解釋的是，為何儘管如此，霸權和意識形態收編理論對社會科學家和歷史學者依然保有極大的知識吸引力。我們必須記得，在這個脈絡中，意識形態收編理論對主流的社會科學和葛蘭西的新馬克思主義追隨者同樣都深具吸引力。在帕森斯（**Parsonian**）社會學的結構功能論（**structural-functional**）世界中，從屬群體生來就接受社會秩序背後的規範原則，如果沒有這套社會秩序，任何社會都無法存續。在新馬克思主義的批評中，也假設從屬群體已經將支配方的規範內化，但如今這些規範被認為是誤解了他們的客觀利益。在這兩個例子中，意識形態收編都會帶來社會穩定；對前者來說，穩定是值得讚賞的，而對後者來說，穩定讓以階級為基礎的剝削得以延續。[39]

意識形態收編的概念竟然可以在歷史紀錄上引發如此共鳴，最明顯的原因就是，一如我們已經了解到的，支配方會生產出一套官方文本，提供有力證據證明樂意、甚至熱忱的共謀。在一般情況下，從屬者若避免任何**明確**展示違抗的行為，就能擁有既得利益。當然，他們反抗也會獲得實際利益——將苛捐雜稅、勞動和他們所承受的恥辱最小化。要成功協調這兩個看似相左的目標，所訴諸的抵抗形式往往要徹底避免公開對抗所抵抗的權威結構。因此，農民為了安全和成功，自古以來就偏好掩飾其抵抗。如果是土地控制權的問題，他們會偏好非法占居，勝過明目張膽地侵入土地；如果是租稅問題，他們會偏好逃稅，勝過減稅暴動；如果是土地產物所有權的問題，他們會偏好盜獵或偷竊，勝過直接占用。唯有較溫和的手段失敗時，生計受到威脅時，或者有跡象顯示他們可以在相對安全的情況下罷工時，農民才會冒險踏上公開集體違抗的道路。正是如此，支配者和從屬者關係的官方文本才會充斥著各種常規，諸如服從、委婉表達，以及無異議的地位和正當性主張。在公開舞台上，農奴或奴隸會貌似共謀創造出同意和全體一致的表象；從底層展現的論述肯定將會導致意識形態霸權看似穩固。在權力關係的官方文本的範疇中，權力似乎被自然化，這是因為菁英利用他們的影響力製造出此一表象，也因為官方文本通常都會讓避免質疑這些表象的從屬者立即獲益。

「官方文本」作為一個社會事實，對從屬群體的歷史和當代研究造成極大的困難。在沒有實際叛亂的情況下，大部分的公共事件都奉獻給了官方文本，因此大部分的檔案文件亦然。在那些從屬群體確實現身露面的時刻，他們的出現、動機和行為都會透過支配菁英的詮釋才傳達出來。當從屬群體幾乎完全不識字，這個問題就會雪上加霜。然而，困難不僅只有標準的紀錄問題，也就是菁英以反映他們階級和地位的方式來記錄菁英活動。從屬群體造成了更難解的困難，他們會竭盡所能隱藏他們的活動和意見，不這麼做他們就會很容易受到傷害。我們對於美國奴隸偷竊他們主人的家畜、穀物和存糧的比例所知相對不多。如果奴隸偷成了，也盡可能不讓主人知道，儘管他肯定能夠知道有東西不見了。當然，對於奴隸之間怎麼講述這種從主人身上重新挪用獲益的行為，我們所知道的甚至更少。我們所知道的內容往往絕大部分是來自得以逃脫這種從屬形式的前奴隸——比方說，來自成功逃到美國北方或加拿大的逃亡者的敘事，以及奴隸解放後所蒐集到的描述。奴隸和其他從屬群體在進行意識形態和物質抵抗時，目標正是要避免被發現；他們目標的完成度高到這類活動不會出現在檔案文件中。在這方面，從屬群體共謀為消毒過的官方文本做出貢獻，因為這正是他們掩蓋自己的詭計的一個方法。孤注一擲的行動、反叛和違抗可以提供我們窺視隱藏文本的一扇窗，但如果沒有發生危機，我們往往會看到從屬群體表現出他們的最佳行為。如此一來，要在「正常」情況下察覺奴隸間的抵抗作為，就宛如要在雲室中偵測次原子粒子通過。只有抵抗的痕跡——例如大量玉米遺失——才會外顯。

舉例來說，想想克里斯多福．希爾（Christopher Hill）描述他試圖為英格蘭內戰（English Civil War）中與平等派（Levellers）相關的激進思想建立社會和宗教方面的前情提要時，所遭遇到的困難。[40]當然，平等派的社會理念非常明顯不是在一六四〇年當場發明的，但要追溯其根源又是另一回事。與羅拉德派（Lollards）相關的宗教觀點是明顯可以著手的一點。然而，因為羅拉德派這類異端宗教觀點的擁護者被認為會危害既存秩序，實際上也的確如此，那要檢視羅拉德派就變得極為複雜。一如希爾的觀察，「想當然耳，那些抱持（這些觀點）的人會急於抹去任何痕跡。」[41]按照當時的情勢，羅拉德派是亡命的地下教派，沒有手段可以去強制他們的信徒信奉一套正統教義。在非法傳道的報導中，在偶發的反教權事件中，在後來浸信會（Baptists）和貴格會（Quakers）附和的某些對聖經激進民主的看法中，可以一窺這個教派的模樣。我們確實知道他們鼓吹拒絕「脫帽禮」和在稱呼時使用榮銜，他們最早在十五世紀就認為應直接對上帝告解，也認為應廢止對所有比教士更貧窮的人徵收什一稅，而就像家庭主義者（Familists）、喧囂派（Ranters）和平等派，他們也會在小酒館或戶外傳道。他們在監控程度最低的地區——幾乎沒有鄉紳或教士的田園、沼澤和森林地區——最為興盛。他們面臨挑戰時，就像在他們之後出現的家庭主義者，可能會否認自己抱持任何異端的看法。希爾寫道：「這種膽怯的態度和他們厭惡所有既存教會有關，無論是新教或天主教教會。他們拒絕殉道無疑幫助他們的信仰存續，但讓歷史學者更難以自信地辨認異端團體。」[42]在這個時期，羅拉德派或家庭主義者最不願做的就是公開表明立場。事實上，在這個例子中意義重大的是，對於羅拉德派的研究興趣是源自於一六四〇年時象徵著英格蘭內戰開始、公開爆發的激進異端思想。他們的地下歷史之所以變成具有歷史重要性的事件，是因為其所體現的思想在內戰的政治動員和權力真空下，終於得以公開表達。如果沒有這類有利的時刻，讓人重新回顧先前的隱藏文本，我們可以想像得到，許多從屬群體的幕後歷史將永久消失或遭到掩蓋。

關於從屬群體運用來隱藏抵抗作為的掩飾手段，可以提出另一個類似的歷史論點。在我進行田野調查的區域，馬來稻農非常討厭支付官方的伊斯蘭什一稅。[43]收稅的方式不平等又腐敗，收入都送到行省首都，甚至沒有任何一位村裡的窮人從宗教當局那裡收回過任何慈善救濟。馬來農民默默但大規模行動，成功幾乎廢除了什一稅制度，因此他們實際只支付官方規定的百分之十五。當地不曾發生減稅暴動、示威和抗議，只是以許多方式耐心且有效地蠶食進攻：謊報耕地的總面積，純粹沒有去申報土地，不繳交全額稅款，並運送因濕氣而腐敗的米，或在其中參雜石頭泥土來增加重量。基於複雜的政治原因，我們不需要了解其細節，但無論是宗教當局或統治政黨，都不希望引起大眾注意這波安靜而有效的違抗行動。如果這麼做，將會暴露政府當局對鄉村地區無能為力的事實，還可能會助長其他不服從行動。[44]對立雙方採取的低調態度等同於某種共謀，一起避免讓這場衝突列入公開紀錄。因此，如果有人檢查這個時期長達數十年的報紙、演講和公開文件，幾乎不會找到任何這場衝突的跡象。

因此，霸權和虛假意識理論之所以如此誘人，絕大部分取決於菁英和從屬者通常共同植入公開文本的策略性表象。對從屬者來說，因為需要保護性逢迎（protective ingratiation）[45]，一旦受到上級者監視，羅拉德派人士必定會變成正統的信徒，盜獵者必定會變得和平且尊重仕紳的財產，什一稅的逃漏稅者必定會變成樂意履行義務的農民。壓迫他們的權力愈大，監控愈嚴密，從屬者就有更多誘因，必須塑造出屈從、同意和服從的印象。基於同樣的原因，我們知道在這種苛刻情況下強索而來的屈從態度，比較不可能是幕後意見的有效指標。一如我們在前文所見，菁英也可能擁有他們自己強而有力的理由，要去維持一種團結、願意順服和尊重的公開表象。除非有人可以穿透從屬者和菁英雙方的官方文本，否則解讀社會證據時，就幾乎總是會呈現出霸權理論所說的對現狀的肯認。正如從屬者不太會被自己的表演欺騙，社會科學家和歷史學者當然也就沒有理由認為那種表演必然是誠懇演出。

對權力的質問，或稱霸權的使用價值

對貧窮唯一可能的諷刺是讓正義和仁慈遭受不公正的否定。

——巴爾札克《鄉村醫生》（*The Country Doctor*）

就我對現有證據的解讀，我們必須至少在一個面向上，翻轉葛蘭西的霸權分析。葛蘭西的原始構想引領了多數後繼新馬克思主義的意識形態工作，在這個構想中，霸權主要是在思想的層次運作，不同於行動的層次。其反常的現象是——革命黨及其知識階層希望消除之——資本主義下的勞動階級會涉入具有革命含意的具體鬥爭，但因為他們受到霸權社會思想的束縛，無法從行動中得出革命的結論。葛蘭西主張，妨礙勞動階級做出其多數行動中固有的激進推論的正是這種受支配的意識：

活躍的人群中的人（man-in-the-mass）進行實際活動，但對於他的實際活動並沒有明確的理論意識。……綜觀歷史，他的理論意識確實可能抵觸他的活動。我們幾乎可以說，他擁有兩種理論意識（或一種矛盾的意識）：一種隱含在他的活動中，實際上讓他和他所有的工人同伴在真實世界的實際轉變中團結起來；另一種則表面上外顯或以言語表達出來，是他從過去承繼而來、不加批評便吸收的意識。可是這種言語表達的觀念有其後果……意識的矛盾狀態（經常）無法容許任何行動、任何決定或任何選擇，並導致一種道德和政治被動的情況。[46]

然而，我們已經探討過從屬群體的某種想像能力，可以翻轉或否定支配的意識形態。這種模式普遍到可以合理將之認定為歷史上弱勢群體宗教政治裝備的重要部分。如果其他條件不變，比較正確的認知是，從屬階級因為可以在隱蔽的環境中相對安全地說話，在思想和意識形態層次上較不受約束，不過日常的權力運作明確限制了他們所擁有的選擇，因此他們在政治行動和鬥爭層次上**比較**受到拘束。粗糙地說，農奴如果開始謀殺他們的領主並廢除領主政權往往等同於自殺行為；然而，如果是在低調祕密的情況下，他們很有可能會想像和談論這些強烈的願望。

懷疑者可能會反對說，我對葛蘭西的批評只適用於那些權力關係實際杜絕公開抵抗和抗議的情況。只有在這樣的條件下，對行動的限制才會嚴重到產生出類似霸權的表象。當然，懷疑論者可能會繼續說，在公開政治鬥爭的時刻，屈從和服從的面具可能會被去除，或至少明顯拿下。這肯定就是尋找虛假意識證據的時候。然而，如果在積極抗議的過程中，從屬群體仍擁抱大部分的支配意識形態，那麼我們才能確實推斷霸權意識形態的影響力。

從屬群體的抗議和公開鬥爭的確很少發生真正根本性的意識形態變化。這個無可否認的事實已經被用來重申淡薄版本的霸權理論。其中一段深具說服力的論述來自巴林頓·摩爾：

> 任何受壓迫群體都面臨的一項主要的文化任務，是要逐步削弱或戳破支配階層的藉口。這類批判可能的表現形式是試圖證明，支配階層沒有履行聲稱會執行的任務，因此違反了社會契約。還有另一種形式遠遠更為常見，那就是具體指出支配階層的某些個人沒有遵守社會契約。這類的批判並未破壞支配階層的基本功能。只有最激進的批判形式才會去質疑，國王、資本家、神職人員、將軍、官僚等等是否具有任何有用的社會用途。[47]

摩爾暗示我們去想像對支配的質問存在激進程度的高低之別。最不激進的舉措是去批評部分的支配階層已經違反他們聲稱是其統治根據的規範；再激進一點的舉措是指控整個階層都沒有遵守其統治的原則；而最激進的舉措是否定支配階層用來正當化其支配的那些原則。幾乎對任何支配形式的批評都可以用這種方式分析。主張這位國王不像他的前任一樣仁慈是一回事，主張所有國王都沒有履行他們承諾的仁慈統治是另一回事，而否定所有形式的王權、視之為不可容許又是另一回事。

這種方案是分辨某種特定的批判對某種支配的傷害程度有多深的許多合理方法之一，這麼做有一定的好處。我爭論的重點不是利用這個準則去推斷在某個特定環境下，意識形態支配的程度有多高。我認為，儘管社會批判依然受到意識形態限制，但永遠不能從這個事實合理推論出，霸權意識形態阻止了提出該批評的群體有意識地構想出更深遠的批評。如果只是因為奴隸、農奴、農民、賤民和其他從屬群體的抗議和主張，符合他們正在挑戰的支配階級的禮儀，就推斷他們在倫理上服從，那將會是嚴重的分析錯誤。

事實上，從屬群體公開表述主張時，**就算是在衝突的情況下**，也幾乎總是存在策略性或對話的面向，這會影響他們所採取的形式。如果沒有那種偶爾在革命危機期間出現的全面宣戰，多數的抗議和挑戰——即使是相當暴力的抗爭——都是在支配形式的主要特徵將保持完好無缺的實際期望下發生。只要那樣的期望普遍被接受，就不可能單單從公開文本得知，他們訴諸霸權價值觀時，審慎和客套的成分有多少，倫理服從的成分又有多少。

幾乎在任何不平等的環境中，訴諸霸權價值觀的潛在策略性都顯而易見；這是語言支配所導致的現象。舉個平凡無奇的例子，想像某人正在呼籲他在資本主義公司的上司替他加薪，或抗議他沒有拿到其他人得到的加薪額。只要他預期會繼續待在權威結構內，他的論據必然會針對他上司的機構利益來提出。事實上，他想要加薪的原因可能是，比方說，要買新車，要繼續維持賭博的習慣，或幫忙資助偏激的政治團體，而且因為他忠誠地掩飾他老闆的錯誤，他感覺自己有資格加薪，他大概會對他的家人和最親近的朋友說這些事。然而，這一切在官方文本中都沒有正當的地位。因此，他可能會強調他過去忠誠且有效地為公司的機構成就奉獻，以及他未來能有何貢獻。策略行動總是會揣摩上意，因為這經常是讓訴求被傾聽的唯一方法。訴諸霸權價值觀當然可能完全真誠，但我們不能單單根據官方文本就判斷其真誠。

於是，支配者的權力通常會——在公開文本中——引出不間斷的表演，表現出服從、尊重、敬畏、欽佩、尊敬，甚至是崇拜，藉此進一步說服統治菁英，他們親眼見過的社會證據事實上證明了他們的主張是對的。因此，「我們的（農奴、奴隸、賤民）愛我們」這種經典主張往往比對支配的批評傾向假定的更加天真單純。藉由這種畢竟不怎麼神祕的社會煉金術，支配的渣滓會製造出公開的論述肯定，**看似**將支配轉變成願意，甚至熱烈同意的黃金。

多數來自下級者的權力行為，即使目標是要暗中破壞「規則」仍會——或含蓄或明確——廣泛遵守之，就算是抗議也不例外。除了訴諸這類規則隱含向官方文本致敬的意義，這些行為經常被認為是慣常和公式化的作為，幾乎沒有包含其本質。直接寄給法國國王的署名信往往是在控訴個人遭遇到的不公義，並希望君主能夠伸張之，信中在提到君主時會大肆使用浮誇的語詞。這些套語眾所周知，還能聘請一位公證員讓實質的申訴內容充滿適當的委婉措辭，強調君主的偉大和仁慈，以及這名特定請願臣民的謙卑和忠心。一如傅柯指出，這類套語「讓乞丐、窮人或純粹是平凡人現身在一座奇特劇場，在那裡，他們要裝腔作勢，假裝慷慨激昂、天花亂墜地發表演說，他們穿上幾塊布幔製成的特殊服裝，如果他們想在權力的舞台上被注意到就必須這麼做。」[48]傅柯所提到的「奇特劇場」不僅運用來取得被聆聽的機會，往往也被當作在衝突，甚至是反叛期間寶貴的政治資源。後文中取自一間平民監獄，以及農民請願和起義模式的例子，應該有助於說明委婉表達的力量如何為下級者的訴求奠定基礎。

托馬斯．馬西爾森（Thomas Mathiesen）仔細描述在一間相對進步的挪威監獄中囚犯運用的公開策略時，探討了他們如何設法提升他們的利益，以對抗治療人員和管理階層的利益。[49]對我們的目標來說，囚犯是憤世嫉俗地看待這個機構，或是認為它合法正當，其實都無關緊要；只要他們的策略性理解是無論用何種方式，他們都必須繼續和監獄當局打交道，那麼他們的行為和這兩種假設都完全不衝突。囚犯被剝奪實際可行的革命選項，也幾乎沒有一般定義的政治資源，儘管如此，他們仍藉由有效利用霸權意識形態，成功發起對機構當局的有效抗爭。在每天的監獄生活中，囚犯最怨恨的是他們對於管理人員貌似善變且無法預測地分配特權和懲罰無能為力。他們在頑強地嘗試馴化部署來對抗他們的權力，使之變得可以預測和操縱時，所執行的策略被馬西爾森形容為「吹毛求疵」。其中包括強調他們小小王國統治者的既定規範，主張這些統治者違反了他們用來正當化自己權威的規範。囚犯不斷催促他們詳細說明管理特權授予（諸如住在保安措施最少的區域、好工作、休假）的程序、標準和原則。他們強硬支持把年資當作主要的判斷標準，因為可以自動且機械式運作。在他們入獄前所處在的更廣泛的社會中，存在法律相關程序和形式平等等既定價值觀，而他們靈巧地運用這些價值觀來證明自己有理。在這方面，他們的行為是注重道德的；偏離正當規範的是管理人員，不是他們。根本的不確定性原則再次勝出。從官方文本中幾乎不可能知道，囚犯的論點策略性有多高，是否有意識要操縱現行的規範。無論如何，監獄的官員都會是最後才知道的。

治療和管理人員試圖抗拒囚犯論點的邏輯，但效果有限。他們的權力顯然依靠的是最大化他們個人分配賞罰的裁量權；這幾乎是他們能夠讓一群已經被剝奪基本自由的人順從的唯一手段。如果沒有此一裁量權，他們的社會控制力就會消失，並且在爭取一些行動空間時，他們會訴諸「治療意識形態」，也就是針對特定囚犯的個人需求來調整他們的行為。對囚犯來說，這可能只代表著他們有資格因為他陰沉或穿著邋遢就懲罰他。於是，我們在此獲得實用的說明，解釋一套特定的規範或意識形態規則如何有助於構成權力運作，以及容易在其範圍內發生的衝突。任何自以為霸權的意識形態當然都會主張是為從屬群體的真正利益服務，這樣的可塑性提供了對立者政治資源，可以提出被那種意識形態正當化的政治主張。[50]無論是否相信那些規則，只有傻瓜才會無法察覺利用這些容易取得的意識形態資源可能帶來的益處。

支配階層對意識形態的利用無論如何都無法避免暴力的利益衝突；事實上還會被合理地視為

暴力常見的正當理由。在德川日本，農民寫給大名（封建貴族）的請願書經常是暴動和起義的前奏。儘管請願可能被處以極刑，但村落領導人確實偶爾會採取這種戲劇性的舉措，而他們這麼做時，請願書總是會以恭敬的用詞書寫，懇求「領主恩慈」減稅，並訴諸「他們的上位者慈善社會救濟」的傳統。[51]這類的措辭——就算是起義的前奏——經常被認為可以藉此有幸一窺農民真正的「仁慈領主和正直農民」世界觀，但事實上，我們在觀察的是一段與權貴的對話，或多或少具有策略面向。然而，有一點顯而易見。藉由提出仍在服從官方論述範圍內的訴求，農民或可略微降低絕望的請願行動所導致的致命風險。在充滿著未言明威脅的集體挑釁行為中，農民試圖將象徵性的優勢讓給官方價值觀，暗示只要領主遵守他們對階層社會契約的理解，他們必定會停止行動並保持忠誠。牽涉其中的所有人都必然知道，請願書帶有威脅——幾乎所有這類的請願書都是如此——但該文件始於訴諸階層制度的準則，農民聲稱將視之為已知事實並接受之。

集體透過請願極力主張從屬群體認為自己應得的「權利」，這其中帶有彼此心知肚明的「否則」威脅和拒絕的明確後果供領主去想像。如果我們可以說，貴族階級律己地遵守自己的價值規範——即使遵守得相當痛苦也不能放棄——是貴族的義務，那麼我們也可以說，農民極力主張菁英要遵守自己對社會契約的理解是農民的義務（*paysans obligent*）。這類的請願書通常會提到忠誠的農民在稅賦、徵用或其他諸如此類遭遇中的苦難、絕望、歷經考驗的耐心，而一如十七世紀法國歷史學家正確地觀察，「向他的君主訴說絕望之人會對君主造成威脅。」[52]絕望的請願書因此有可能讓對立的兩群人聯合起來：帶有未言明的暴力威脅和稱呼的恭敬語調。這種恭敬態度中有多少只是稱呼菁英時的套語——除此之外幾無重要性可言——又有多少是或多或少具有自我意識的嘗試，試圖透過公開否認任何挑戰階層化制度和權威基本原則的意圖，來達成實際的目標，要分辨這兩者絕對不簡單。比方說，我們從勒華拉杜里（Le Roy Ladurie）重現一五八〇年羅芒起義的描述中得知，工匠和農民間起義的氛圍早在一五七九年初便已成形。然而，當凱薩琳王后（Queen Mother Catherine）造訪該鎮，問波米耶（Paumier）他為何反對國王時，據說他回答道：「**我是國王的僕人**，但人民推舉我來拯救受戰爭暴政折磨的可憐村民，並**謙卑**地訴求他們陳情書中提到的**正義抗議**。」[53]因為公開反叛的時機尚未成熟，波米耶選擇慎重發言相當合理。他不加思考地使用尊敬的套語，就像現代商務信件運用的標準稱呼語和結尾辭，這點也十分合理。然而，其實還有第三個選擇，我想要詳細探討之。那就是在沒有那些罕見且孤注一擲的鬥爭的情況下，從屬群體通常會學會將他們的抵抗和挑戰蓋上從屬儀式的外衣，藉此同時掩飾他們的目的，並提供他們準備好的撤退路線，可以減輕萬一失敗的後果。我無法證實這樣的主張，但我相信我可以說明為何應該認真考慮之。

天真的君主主義：「某某萬歲」

在概略論述農民天真的君主主義沒那麼天真時，我高度仰賴丹尼爾．菲爾德對於俄國現象的縝密研究。[54]一般認為，沙皇拯救者（Czar-Deliverer）將會前來拯救他的人民脫離壓迫的「神話」，是俄國歷史上強而有力的保守意識形態力量。直到一九〇五年的血腥星期日（Bloody Sunday），據說沙皇向軍隊下令對和平示威者開火之前，列寧認為農民反叛的主要障礙就是天真的君主主義：

> 至今，（農民）仍能夠天真盲目地相信沙皇拯救者，在他們難以忍受的艱難情勢中向沙皇拯救者「本人」尋求救濟，並且對於強制、專斷、掠奪等任何其他暴行都僅僅怪罪給欺騙沙皇的官員。農民長期以來受壓迫且原始生活的世世代代，都在被忽視的落後地區度過，因而強化了此一信念。……**農民不會起義反叛，他們只能請願和祈禱**。[55]

雖然列寧這麼說，但沒有證據可以證明沙皇的神話讓農民在政治上更加被動，若真要說，其實有相當多的證據可以證明神話促進了農民抵抗。

這種神話本身似乎是在十七世紀動亂時期（Time of Troubles）和王朝危機期間發展出來的。

在一個多少符合標準的版本中，沙皇拯救者渴望解放他忠誠的臣民脫離農奴制度，但壞心的朝臣和官員希望避免此事發生而試圖暗殺他。他奇蹟似地存活了下來（通常是被一名忠誠的農奴拯救），並假扮成朝聖者躲藏在人群之中，共享他們的苦難，向一些忠貞者揭露他自己的身分。最後他回到首都，被民眾認出並重新登基，於是他獎勵忠貞之人並懲罰邪惡之人。他身為一位公正的沙皇，展開了一段和平穩定的統治期。[56]

這類神話也許最引人注目的特點是到了農民擁護者手裡時的可塑性。首先，這是在邀請眾人抵抗任何或所有假定的沙皇代理人，如果他們強加重稅、徵用、租金、徭役等，就不可能是在執行仁君沙皇的旨意。只要沙皇知道他的不忠代理人以他之名所犯下的罪惡，他就會懲罰他們並改正情況。如果請願失敗，壓迫持續，可能只是代表了在王位上的是一名冒充者——一位假沙皇。在這樣的情況下，那些加入自稱是真沙皇的反叛人士陣營的農民，會展現出他們對君主政體的忠誠。在凱薩琳二世（Catherine II）統治期間，至少出現二十六名冒充者。普加喬夫（Pugachev）是現代歐洲歷史上一次大規模農民起義的領導人，他成功的部分原因是他聲稱自己是沙皇彼得三世（Peter III）——顯然許多人接受了這個主張。在實際情況中，仁慈沙皇的願望是農民任何迫切利益和苦難所投射出來的；而這當然是讓這種神話變得如此具有政治煽動性的原因。沙皇的神話可以將農民對壓迫的暴力抵抗轉變成效忠君主的行為。一九〇二年，烏克蘭的反叛人士在地方法官前為自己辯護時，聲稱沙皇允許他們拿走仕紳的穀糧，他們聽說沙皇曾下達如此敕令

（**ukase**）但遭到壓制。農民可能會抵抗地方當局，聲稱他們（官員）的作為違背沙皇的旨意，於是將對立陣營的訊息和使者斥為欺騙。他們可能會為了改革或廢除農奴制度而起義，而這是沙皇所下令的，但殘忍的官員對他們隱瞞此事。

透過象徵性的以小搏大，看似建議保持順從的保守神話成為違抗和反叛的基礎，反過來藉由效忠君主公開證明抵抗的正當性！一旦農奴相信他們的抵抗是在為沙皇服務，神話勸告的順從耐心和祈禱對官僚而言就不再有效。一如菲爾德的結論，「無論是否天真，農民是透過符合他們利益的方式在表達對沙皇的忠誠——**而且只會用那些方式**。農民領袖發現這種神話在民間傳說的表述中唾手可得，並利用它來喚醒、激勵和團結其他農民。這是希望渺茫的抵抗的藉口，而且也沒有其他可能的手段可以達成那個目標。」[57]

無論是菲爾德深入檢視的兩個例子中的哪一個，相信地方官員在違反沙皇旨意都有些道理可循。一八六一年解放後，比斯尼（**Biezdne**，即喀山省〔**Kazan Province**〕）的農民沮喪地發現，因為有贖回土地費用、勞役和稅賦，若真要說他們的負擔比以前更重了。其中一人聲稱解放命令同意他們擁有可以免除這類款項的完整自由——「自由」（*volia*）一詞出現在該命令的許多為文脈絡中——但鄉紳和官員阻止實行這項命令，於是他們抓緊這個如今君主批准的機會拒絕支付。基於他們已經正式從農奴制度中解放的事實，認定他們被隱瞞完整命令的觀念並沒有那麼牽強。這想必不是第一次貴族和官員忽略或扭曲沙皇的命令。與此同時，他們起草給沙皇的請願書，並派三人到彼得格勒（Petrograd）親手遞交。無論他們會遭受何種指控，他們的行動似乎否認帶有任何引誘煽動叛亂或叛國的意圖。他們迴避問題，被追問時會「掩飾真實情緒」。[58]

第二個例子是發生在烏克蘭基輔省（Kiev Province）的奇吉林區（Chigirin District）。其中牽涉到的土地分配爭議——土地該屬於個人或共有——已經延燒超過七年。多數人反對較早的分配方式，最終在一八七五年反對支付贖回土地費，並以最恭敬的措辭向沙皇請願，表示有一條更慷慨的敕令被隱瞞了，不讓他們知道。奇吉林事件有個獨一無二的特徵，那就是有位民粹煽動者希望在這些風波中點燃叛亂，帶著現金和偽造的帝國特許狀抵達該區，聲稱他是從沙皇手中取得的，並同意他們的所有訴求。他試圖利用農民容易上當的特性和天真的君主主義來發起反叛。農民對待他就像對待任何外來者一樣：他們偷走他的錢，「他們在他面前時諂媚順從，除此之外便我行我素。」[59]

那位冒充者被捕時，地方的村民擔心他們自身的後果，於是起草他們自己的請願書，向沙皇解釋為什麼他們相信沙皇的決定是對他們有利的。開頭寫道：「當全世界都證實了我們愛戴的君主仁慈待民，而我們又聽說過他深愛和信任他的人民、關懷他們……我們這些單純駑鈍之人如何能夠不相信我們愛戴的仁君呢？」[60]這個問題不是農民在滑稽地抨擊自己的陣營，或嘲諷地算計他們措辭的效果。然而，這個問題是他們一定程度地了解向沙皇提出訴求時，表現得天真、單純和落後將會奏效。官方認為農民天真爛漫、無知落後、虔誠敬神且基本上十分忠誠，這樣的看法會產出一套規則的原理，同時強調嚴厲和如父的寬容，這種官方看法在緊要關頭對農民有些好處。藉由訴諸他們天真忠誠，他們希望可以喚起他的慷慨和寬恕，對他們可能會遇上的法官和警官也是如此。而如果農民是出了名地容易上當，他們被聰明煽動的宣傳欺騙時，也就不必完全負責。在這些情況下，我們幾乎無法想像出更有效的象徵性理據，可以為反叛和不服從的行為辯護——如果在和仕紳官員抗爭稅賦、土地、應付款、徵用和穀糧等議題時失敗，這套理據可能可以把失敗的傷害降到最低。我們只需要認識長期以來必須掩飾真實情感和策略性使用霸權價值觀的歷史，就能了解天真君主主義的使用價值。

天真的君主主義之所以對農民有用，有部分是源自其對沙皇官僚體制的價值。最重要的是，對那些從現存的財產、地位和財富分配制度得到最多利益的人來說，天真的君主主義代表著農民動亂最令人安心的詮釋。如果出現不平之聲，就可以解釋成是基本上穩固且公正的社會秩序發生短暫騷動。農奴或農民對沙皇十分忠誠，除非有些煽動者或貪婪的官員或貴族鼓動他們不忠，他們一般來說都會履行對政府的義務。因此，只需要圍捕一些煽動者，或開除一些官員就足夠了，如此便能恢復秩序。不需要考慮任何根本性的改變，也不需要大量驅逐農民到西伯利亞（Siberia）。如果農民表達懺悔時仁慈待之，還能進一步鞏固沙皇如父親般寬容的名聲，因而證明農民的天真君主主義有其道理。此外，因為農民依舊天真、落後又容易上當——他們在請願書中不也是這樣承認的嗎？——他們需要一位強大威權的君主和他的代理人來引導和教育他們。

心照不宣的意識形態共謀似乎在此奏效，而這正是沙皇家長式作風的邏輯所導致的現象。農民可以利用天真的君主主義來煽動起義，同時他們可能也深知農民神話的價值——無知蒙昧民眾（*narod*）的刻板印象有時可能跟單純相信沙皇會關心他的人民一樣有用。在這方面，我們不能將沙皇和農民的神話視為君主政體意識形態的產物，接著被農民挪用和重新詮釋。這些神話比較像是歷史鬥爭的共同產物，就像一場激烈的紛爭，其中的基本語彙（單純的農民、慈愛的沙皇）是共通的，但詮釋卻根據重要利益而大相逕庭。

俄羅斯農民沒那麼天真地使用天真的君主主義，這個現象應該可以讓我們停下來仔細思考，針對那些反叛的從屬群體在諸多時刻訴諸保守霸權的儀式性象徵的分析是否合理。比方說，儘管文化和宗教系統差異甚鉅，但在全歐洲和東南亞都有正義國王或宗教救世主回歸的悠久傳統。[61]這類傳統明顯存在於農民反叛中，可能和俄羅斯沙皇拯救者神話的意識形態功能大同小異。如果更仔細檢視在英國所謂教會與國王暴動（Church and King riots）*中的許多變化，都很可能具有重要的策略性。在十六和十七世紀的法國和義大利，叛亂的暴民經常高喊「聖母瑪利亞萬歲」（Viva Maria），並接著說出特定訴求。一如彼得．柏克（Peter Burke）的觀察，「可是不可能所有反叛者都沒有意識到大喊『聖母瑪利亞萬歲！』的策略性益處，這就像『國王萬歲！』（Vive le Roi!）會讓他們的目標變得可敬。根據該狹義定義，宗教理念是鬥爭的工具。」[62]在這樣的脈絡中，我們可能會認為先是連續高喊「國王萬歲」再說「拒絕封建稅和鹽稅」，就跟要求補救極度不平之情的請願書以恭敬措辭開頭一樣，具有相同的表演力量。[63]這是普遍被接受的稱謂形式，這麼做幾乎沒有損失，還能向抵抗的對象保證自己沒有要試圖摧毀他，主張自己的意圖忠誠，讓國王可以在批准請願的同時看似加強他的聲望，並且提供防禦姿態，若倡議失敗時可能有助於減少傷害。在某些文化脈絡中，這樣的姿態可能會成為習慣，就像尚未敵對到要宣戰的從屬者平常抱怨時的開場白。我想到的例子是以「我不是有意要抱怨，但……」或「無意冒犯……」開頭的語句。因此按照定義，任何自詡掌握霸權的支配意識形態都必定提供了從屬群體政治武器，讓他們可以在公開文本中利用。

讓我們透過將公開文本置於其政治脈絡中，短暫將焦點轉回「倫理服從」和霸權的議題。我認為歷史證據明確顯示，從屬群體能夠擁有革命**思維**，拒絕接受現存的支配形式。德國農民戰爭（German Peasant War）中施瓦本地區（Schwabian）的工匠和農民能夠想像，耶穌基督受難將所有信徒從農奴制度、奴役和稅賦中解救出來；賤民能夠也曾經想像，印度教正統隱藏了證明他們平等的神聖經文；奴隸能夠也曾經想像，有天他們會獲得自由，奴隸主會因為暴虐而受罰。

於是，罕見的不是否定支配的思維，而是從屬群體能夠公開完全按照該思維行動的時刻。唯

---

* 譯注：指英國一七九一年的伯明罕暴動（Birmingham Riots），教會與國王的支持者暴力襲擊以分離派（Separatists）神學家約瑟夫．普利斯特里（Joseph Priestley）為首的異議陣營。

有在最不尋常的歷史情勢下，現存的支配結構近乎完全崩毀，開啟前所未有的嶄新前景，讓人看見如今變得實際可行的可能性，我們才能夠預期會見證任何類似從屬群體毫無防備的論述的表述。在西方歷史中，德國農民戰爭、英格蘭內戰、法國大革命、俄國革命和一九三六年的西班牙共和國（Spanish Republic）都提供了這種短暫的特許時刻。[64]在這些時刻，我們可以略微窺探通常在隱藏文本中都被邊緣化的正義和復仇烏托邦理想。

在任何其他情況下，也就是說政治生活的絕大部分時間，包括最暴力的衝突，賭注都會比征服全新領域來得低。因此，衝突會採取一種對話形式，其中對話的語言總是會大量借用在公開文本中盛行的支配意識形態語彙。如果是基督教統治者和虔誠農民的官方論述，意識形態鬥爭就會繞著這些語彙的詮釋打轉。[65]同理，我們已經知道，在仁慈沙皇和忠誠農奴的支配論述中，意識形態鬥爭如何圍繞著這些語彙的詮釋打轉，並且不需要排除暴力衝突的可能性。家長式作風的領主和忠僕的支配意識形態並不會避免社會衝突，只是邀請雙方在結構框架下爭論。我們可以將支配論述視為具可塑性的慣用語或行話，可以承載大量各式各樣的意義，包括支配者意圖用來顛覆的情況。因為這些語彙的可塑性極高，訴諸自以為霸權的價值觀幾乎不會犧牲其彈性，還有額外的好處，亦即可以在表面上否認最具威脅性的目標。對於任何不具有徹底革命性目標的抗爭，支配論述的領域是唯一合理的鬥爭競技場。

再次強調，不可能從公開證據中判斷這些接受支配論述的表象實際上多麼衷心。如果我們要格外嚴謹地從這類表象取得合理結論，我們可以說，在非革命情況下，並且在對權力分配有一定限制的假設下，在政治鬥爭的過程中對支配菁英說話時，使用支配意識形態的語彙是既實際可行又深謀遠慮的做法。

注意公開論述

> 如果我是模範法官，你一定就是模範小偷。如果你是假小偷，我就變成了假法官。你明白了嗎？
>
> ——惹內《陽台》

任何統治群體在正當化社會不平等原則的過程中——這是他們權力主張的基礎——都會讓自己容易遭受特定方式的批評。[66]因為這些不平等原則必然會主張，統治階層執行了某些重要的社會功能，於是其成員便將自己暴露在可能會因為沒有可敬或充分地執行這些功能而招來攻擊的危險中。特權和權力主張的基礎可以說是為對支配的猛烈批評打造了根基，而且是以菁英所訴諸的條件來批評。這類源自統治論述的批評等同於意識形態上的自食其果。無論是何種特定的支配形式，都可以詳細說明其所提出的正當性主張、為公開文本所策劃搬演的論述肯定、企圖用來隱匿

（其家醜）的權力關係面向、會逐漸削弱其正當性主張的行為和姿態、可能符合其原則的批評，以及會否決或褻瀆其支配形式整體性的觀念和行動。[67]

關於支配形式的分析很可能會始於具體說明權力主張結構如何影響其所需要的公開文本種類。接著可能會檢視如何能夠暗中顛覆或否定這類公開文本。比方說，如果我們在研究封建歐洲的戰士貴族及其農奴間的關係，重要的是要了解他們對於世襲權威的主張，如何以提供人身保護來換取勞力、穀糧和軍事服務為基礎。這種「交換」在強調以下事物的情況下可能會獲得論述肯定，包括榮譽、貴族義務、英勇、豪爽慷慨、軍事才能比武和競賽、築城設防、騎士身分的標誌和儀典、禁奢法律、召集農奴工作或從事軍事行動、農奴在領主面前的服從和謙卑行為、不服從的懲戒性處罰、效忠宣誓等等。任何違反這些肯定的行為都會讓封建「契約」遭到**論述否定**：諸如懦弱、小氣地討價還價、吝嗇、逃跑農奴、無法保護農奴的人身安全、農奴拒絕尊重或恭敬等等。類似的分析可以應用在婆羅門（或高種姓的上級者）和較低種姓間的關係上。在這個例子中，權力主張的基礎是奠基在神聖的世襲地位、優越命運，以及只有婆羅門基於其地位和知識才能提供某些可能至關重要的儀式服務。論述肯定可能包括所有儀式性的隔離，諸如清潔和汙穢觀、飲食、衣著、禮儀教養、主持新生、婚禮、葬禮等重要儀式、遵守共同生活的禁忌，以及職業、住所、飲水用井、寺廟等其他隔離形式。這些階層制度表述的論述否定可能呈現的形式，包括拒絕容忍汙穢和清潔相關的規定、婆羅門沒辦法提供儀式服務、賤民在稱謂用語或姿態上不服從等等。這種分析模式當然可以延伸到任何歷史上可以相提並論的特定支配形式；例如某些教士統治的形式、特定的奴隸制度形式、各種君主制度、特定傳統內的宗教先知、在義大利或日本公司內的現代管理權威。詳細解釋特定支配形式所需要的公開文本後，便已足以具體說明在這個脈絡中的顛覆性行動確切會是什麼樣子。

不管支配的特定形式為何，菁英編排的公開文本必定會有個重要部分包括地位、優越和榮譽的視覺和聽覺展示。我想到的這類支配表述有稱謂用語、舉止、言論級別、飲食、衣著和沐浴的規範、文化品味、誰先發言、誰讓路給誰。同理，只要公開文本遭到破壞——無論是不小心或蓄意——這樣的破壞必定會瓦解儀式性的威望或將之去神聖化。[68]因為這類的不服從行為相當於公開文本內的一場小叛亂。

就像官方文本有助於定義何為對支配者的羞辱——例如冒犯君主罪——也有助於決定哪些包含不可避免的骯髒權力手段的作為必須隱匿起來，不公諸於世。不平等待遇的基本原理運作會創造出潛在的家醜區域，如果曝光將會牴觸支配者自詡的正當支配。統治階層的權威主張如果是以根據有誠實法官配合的法律制度規定，提供制度化正義為基礎，那麼他們就必須耗費額外的心力去隱藏其暴徒、雇用來的行刺殺手、祕密警察和威嚇手段。菁英如果將其權力建立在自我犧牲、熱心公益的廉潔人格的基礎上，高位者的貪腐行徑曝光就會極具殺傷力，如果是以庇護機制（**patronage machine**）為權力基礎的菁英則不會受到那麼大的傷害。因此，所有公開為不平等待遇辯護的藉口，都會凸顯出某種讓菁英特別脆弱的象徵性致命弱點。

針對這種象徵性致命缺點的攻擊，或可稱作霸權內的批評。這種攻擊特別難以轉移焦點，其中一個原因正是這類批評在開頭就會採用菁英參考的意識形態語彙。雖然這種批評可能言不由衷且憤世嫉俗，但因為披著菁英公開聲明的外衣，無法被指控煽動犯罪，而今菁英面臨偽善或違背神聖信任的控訴。統治階層過去制定出論點所採用的那些語彙並普及之，現在便難以拒絕在自己選定的這個領域內為自己辯護。在那些視獅子為勇氣象徵的民間傳說中，懦弱的獅子是具有渲染力或幽默的重要元素。苦修的教士階級如果被揭露淫亂貪吃，就會遭到重創；仁慈的沙皇如果被揭露命令軍隊對他和平集會且態度恭敬的臣民開火，就會遭到重挫；如果可以揭露奴隸主任意鞭打他的奴隸，他聲稱自己是家長式作風的主張就變得空洞無據；而將軍如果為保全自己的性命而拋棄他的軍隊，就會聲譽受損。從這方面來看，支配群體最沒有辦法任意使用那些他們投注最多資源的象徵。[69]

一如我在前文表明的，可能正是因為這個原因，許多激進的攻擊都源自於霸權內的批評——源自於認真看待統治菁英的價值觀，並聲稱他們（菁英）沒有嚴肅對待之。使用這些語彙發動攻擊實際上是要呼籲菁英認真看待自己的論調。這類攻擊不僅在定義上是正當批評，更總是可能會訴諸真誠的菁英成員，這是來自他們價值觀範圍之外的攻擊無法辦到的事。蘇聯（Soviet）異議人士弗拉基米爾．沃伊諾維奇（Vladimir Voinovich）描述了這些幻想破滅的信徒所擁有的批判性力量：

> 我是社會中完全無害的成員。會對政權造成遠遠更大傷害的是那群年輕人，他們展現出對於共產主義理論基礎的認真興趣，並開始讓自己沉浸在馬克思、列寧和史達林的思想中。蘇聯當局意識到這一點。認真看待理論的人遲早會開始用理論來對照實踐，而最終會抵制理論或實踐其一，後來又會同時排拒兩者。不過，沒有受理論吸引的人會將實踐視為稀鬆平常且無可改變的罪惡——視為可以接受的現實。[70]

值得注意的一點是，自以為霸權的意識形態確實成功說服從屬群體的成員由衷接受之時，就是潛在激進的一連串事件啟動的時刻。也就是說，與一般常識和葛蘭西的分析正好相反，激進主義或許比較不可能在沒有認真看待支配意識形態的弱勢群體中形成，反而是可能被視為擁有馬克思主義所謂虛假意識的群體會比較激進。在一份關於英國勞動階級中學學生的敏銳研究中，保羅·威利斯發現一種強大的反主流文化，讓他們與支配方的陳腔濫調憤世嫉俗地保持距離，但並沒有發展成激進主義。[71]反常的是，造成威脅的反而是至少在形式上看來接受學校（現在社會中最典型的霸權機構）價值觀的「循規蹈矩者」。因為他們的行事作風看似接受了支配意識形態隱含的承諾（如果你認真工作，服從權威，在校表現優良，安分守己，你就能靠著功績往上爬，並擁有令人滿意的工作），他們會做出自律自制的犧牲，並形成對未來的期待，但往往會遭到背叛。雇主傾向不雇用他們，因為他們野心勃勃，比起更典型的勞動階級青年更難應付，後者實事求是，期望不高，不會多加抱怨就投入一天的工作。這個體制可能最需要害怕那些最成功受霸權機構影響的從屬者。[72]對既定宗教來說，比起從未受其承諾欺騙的異教徒，幻滅的傳道少年（卡利班〔Caliban〕）*總是會造成更嚴重的威脅。背叛感受所引發的憤怒意味著過去曾經信任。

注釋

1. 在此一辯論中，某些具代表性的意見可參見 Robert A. Dahl, *Who Governs? Democracy and Power in an American City*; Nelson W. Polsby, *Community Power and Political Theory*; Jack E. Walker, "A Critique of the Elitist Theory of Democracy"; Peter Bachrach and Morton S. Baratz, *Power and Poverty: Theory and Practice*; Steven Lukes, *Power: A Radical View*；以及 John Gaventa, *Power and Powerlessness: Quiescence and Rebellion in an Appalachian Valley*。
2. 在此一辯論中，某些具代表性的意見可參見 Antonio Gramsci, *Selections from the Prison Notebooks*, ed. and trans. Quinten Hoare and Geoffrey Nowell Smith; Frank Parkin, *Class, Inequality and the Political Order*; Ralph Miliband, *The State in Capitalist Society*; Nicos Poulantzas, *State, Power, Socialism*; Anthony Giddens, *The Class Structure of Advanced Societies*; Jürgen Habermas, *Legitimation Crisis*；以及 Louis Althusser, *Reading Capital*。對這些詮釋方法一針見血的批評，尤其可參見 Abercrombie et al., *The Dominant Ideology Thesis*，以及 Paul Willis, *Learning to Labour*。
3. 對自由的民主體制來說，這裡所提到的歪曲可能包括官方對經濟機會平等、公開且可近用的政治制度和馬克思所謂

「商品拜物教」（commodity fetishism）的信仰所造成的影響。每種信仰的影響反過來可能會汙名化窮人必須為他們的貧窮負起全責，掩蓋經濟力量所必然導致的不平等的政治影響力，並且讓勞工誤會低薪或失業完全是非人為造成的自然（亦即非社會）事件。

4. 參見Abercrombie et al•, *The Dominant Ideology Thesis, and Willis, Learning to Labour*。

5. *Power and Powerlessness*, chap. 1.

6. 這基本上就是第三章提到的電圍籬比喻的重點。

7. 參見*Power and Powerlessness*, 22。關於這個論點「較濃厚」的版本，可參見Frank Parkin, *Class, Inequality and the Political Order*, 79-91。

8. 然而，不是沒有真正的讓步，就像葛蘭西對霸權的代價的看法。

9. 關於這點批評的最佳概述，可參見Abercrombie et al•, *The Dominant Ideology Thesis*全書各處。

10. 我的著作*Weapons of the Weak*第八章概述了這點的部分證據，而我大幅參考了Barrington Moore, Jr., *Injustice: The Social Bases of Obedience and Revolt, and Willis, Learning to Labour*一書。

11. *The Uses of Literacy*, 77-78.

12. 霍嘉特也含蓄地要我們同意，人對於他們被說服自己無法擁有的東西不會有太多幻想，也不會浪費時間抱怨他們相信自己無法改變的事情。我們將在後文了解到，這些主張其實遠更可議。

13. 因果輪迴的信條是終極的霸權意識形態，承諾賤民如果順服謙恭就會獲得轉世為更高種姓的獎勵。這種信條承諾正義的到來，而且以一種徹底機械式的方式運作；只是正義只在今世和來世間作用，並不會在此生作用。

14. *Outline of a Theory of Practice*, 164.

---

* 譯注：卡利班為莎士比亞劇作《暴風雨》（*The Tempest*）中半人半獸的角色，他是劇中島嶼的住民，被公爵普洛斯彼羅（Prospero）殖民奴役。

15. *Central Problems in Social Theory: Action, Structure, and Contradiction in Social Analysis*, 195.

16. 參見*Learning to Labour*, 162。齊格蒙・包曼（Zygmunt Bauman）將霸權視為一個過程，藉此將現行權力和地位結構的替代方案排除在外：「支配文化的特點之一是將所有非必然的事物變成不太可能出現。……。過度壓制的社會將有效除去其他的替代選擇，因此會放棄醒目且戲劇性地展示其權力。」出自*Socialism, the Active Utopia*, 123。

17. 參見*Outline of a Theory of Practice*, 77。在較晚期的一部著作中，他以稍微較模糊的方式陳述了同樣的論點，很難去分辨「同意」代表的是順從必然或擁抱必然。他寫道：「被支配的行動者……往往會將分配給他們的特質歸因於他們自己，拒絕他們被拒絕給予的事物（『那不適合我們這種人』），將他們的期望調整到符合他們可能擁有的機會，將自己定義成既定秩序對他們的定義，複製經濟體制對他們的宣判來裁決自己，無論他們面臨何種命運都怪罪自己……同意保持他們必須保持的樣子——『謙遜』、『謙恭』且『卑微』。」出自*Distinction: A Social Critique of the Judgement of Taste, trans. Richard Nice*, 471。

18. *Injustice*, 64.

19. 關於這類理論的探討，參見John D. McCarthy and William L. Yancey, "Uncle Tom and Mr. Charlie: Metaphysical Pathos in the Study of Racism and Personality Disorganization"。

20. 如果我們將接下來這段尼采的引文中的「友善」替換為「屈從」，這套邏輯所設想的過程便顯而易見：「他總是戴著友善（屈從）的面具，**最終必定能夠控制友善（屈從）的性情**，否則便無法表現出友善（屈從）本身——而最後友善（屈從）的性情將反過來掌控他——於是他變得親切和善（卑躬屈膝）。」在後文中，我們將有充分的理由可以反駁這套邏輯，但了解此一論點的本質十分重要。尼采暗指，永遠不該摘下這只面具，而經過漫長但未明言的一段時間後，轉變就會發生。此外要注意的是，將「友善」替換成「屈從」可能會徹底改變這套邏輯。我們假設那名「戴著友善面具」的男子真心希望變得真正的友善，然而我們完全有理由去假設「戴著屈從面具」的男子是因為別無選擇才戴上的，而且希望能夠拋棄之。在屈從的例子中，可能會讓臉改變並適應面具的主要動機很可能是缺乏的。引文出自Hochschild, *The Managed Heart*, 35，粗體為作者所加。

21. 相關例子可參見Scott, *Weapons of the Weak*第八章和Abercrombie, et al，*The Dominant Ideology Thesis*全書各處。

22. 我們之後將有充分的理由可以去詢問，這些目標本身是否部分受權力關係影響，妨礙他們表達更有野心的目標。

23. Moore, *Injustice*, 369-70.

24. 我目前想到的一些例子有一戰後「準革命」中的德國勞動階級，以及墨西哥革命（Mexican Revolution）中薩帕塔（Zapata）領導下的莫雷洛斯（Morelos）農民。換句話說，列寧眼中的「工會意識」——在這個論點中以激烈手段追求的溫和目標——在革命情勢下非常常見。

25. *Learning to Labour*, 175.

26. *French Rural History: An Essay on Its Basic Character*, trans. Janet Sondheimer, 169.

27. 在西印度群島，農業單位的規模平均大上許多，奴隸占人口的絕大多數，當地的物質條件也較差，從死亡率來判斷，那裡的叛亂遠遠更加常見。

28. 傳統農民不只將天氣去自然化。在叛亂中，可以時常發現傳統民族會佩帶護身符、辟邪物，或朗誦他們相信可以讓自己不受敵方武器侵害的魔咒。關於曾發生這類去自然化做法的幾個殖民叛亂例子，可參見Michael Adas, *Prophets of Rebellion: Millenarian Protest Movemenr against European Colonial Order*。

29. 關於類似的更詳細論述，可參見我的著述"Protest and Profanation: Agrarian Revolt and the Little Tradition," *Theory and Society*, part 1, vol. 4 (1977): 1-38; part 2, vol. 4 (1977): 211-46。Barbara A. Babcock, ed.，*The Reversible World: Symbolic Inversion in Art and Society*探討了藝術和社會思想領域中顛覆和翻轉的主題。在這本文集中，尤其可參見David Kunzle, "World Upside Down: The Iconography of a European Broadsheet Type," 39-94。

30. Nguyen Hong Giap, *La condition des paysans au Viet-Nam à travers les chansons populaires*, 183.

31. Norman Cohn, *The Pursuit of the Millennium*, 245.

32. Kunzle, "World Upside Down," 80-82.

33. 在這段討論中，我們理應擱置兩種從屬。首先，我們可以排除自願且可撤回的從屬，典型的例子是加入宗教教團。進入這類生活的人會自願忠於構成從屬基礎的原則，這類原則通常是以莊重的宣誓為特徵，但可以隨時宣告退出，此一事實從根本上改變了支配的本質。霸權——如果可以這麼說的話——按照定義唯有在真正的信仰者加入時才成立，而他們不再信仰時可以離去。自願在軍中或商船上服務一段時間或自願入伍是類似的情況，但沒那麼明確。如果，比方說，是在幾乎沒有其他經濟機會存在的情況下，入伍可能不會被認為是自願所為，而且直到兵役或服務期滿前無法逃脫從屬狀態。然而，原則上，愈能自由選擇加入、愈能簡單退出，從屬就愈正當。我們排除的第二種從屬形式是嬰兒和孩童之於父母。在這種情況下，權力極度不對等——因此可能發生虐待——但通常是良性的養育關愛，而非剝削關係，而且是生物學上既有的情形。

34. 如果有服務和順從的紀錄就可能獲得自由的話，也可以產生出一種看似很像霸權的順服模式。這個絕佳的例子可以證明，對未來的願景如何明確影響人對自身處境的評價。如果唯有透過支配者意願的調解才有可能解放，此一影響就會大幅放大。一如奧蘭多．帕特森（*Slavey and Social Death*, 101）對奴隸制度的觀察，承諾主人逝世時就能獲得最終解放，比起任何鞭打都更能有效獲得穩定的順從。這個邏輯和監獄制度中表現良好就能減刑的承諾如出一轍。而就像「假釋」的誘因，奴隸解放的可能性永遠無法促使霸權產生，畢竟被操縱的是奴隸對解放的渴望、囚犯對自由的渴望。操縱的前提是從屬者只要可以換得自由，幾乎什麼都願意做——包括長期忠實的順從。這樣的協議或契約只有在假設支配意識形態並非霸權的情況下才可能存在。

35. 參見*Discipline and Punish*, 237。某些對於精神分裂症深具影響力的詮釋也是以孤獨、原子化和支配為主題。因為對精神分裂症患者來說，受害和控制經驗是個人經驗（而非和其他類似處境的人共享的社會經驗），幻想和實際行動之間的界線消失了。相關例子可參見James M. Glass, *Delusion: Internal Dimensions of Political Life*, chap. 3，以及Harold F. Searles, *Collected Papers on Schizophrenia and Related Subjects*, chap. 19。

36. Denise Winn, *The Manipulated Mind: Brainwashing, Conditioning, and Indoctrination*, passim.

37. 參見Stanley Milgram, *Obedience to Authority: An Experimental View*, 116-21。米爾格蘭的實驗顯示出多麼容易就能誘導受試者，去做出違背他們較佳判斷的事，從某個角度來看可能會被視為證實了思想灌輸多麼容易。然而，關鍵的事實是米爾格蘭的受試者全都是自願參與，而不是被非自願召集而來。一如我們在第二章所見，這讓說服他們的容易程度大不相同。

38. 當然，從屬者永遠不會在完全相同的同一艘船上。這衍生出另一個關於「分而治之」的問題。比方說，如果我們想像，特定某位主人的每位奴隸都根據一致的嚴厲或仁慈分級受到不同的對待，就會導致有一半的奴隸受到的待遇優於平均。這麼一來，他們難道不會對於自己身為擁有特權的一分子心存感激嗎？難道他們不會因此內化奴隸制度的意識形態嗎？儘管奴隸和其他從屬者確實可能會努力取悅他們的主人，來贏得這類的特權，這不必然意味著內化霸權標準。如果如此假設，就等同於假設奴隸等人無法同時理解某種支配形式不公不義，以及他們比其他奴隸過著相對更寬裕的生活。思考一下以下的陳述，這是一位剛被解放不久的奴隸對她前主人的描述：「這麼說吧，她和多數任何白種的老婦人一樣好。她是最好的白種女人，分餐時十分慷慨，但你也知道，親愛的，那不算什麼，因為他們全都討厭可憐的黑人。」引文出自Eugene G. Genovese, *Roll, Jordan, Roll: The World the Slaves Made*, 125。

39. 在此也牽涉到利益問題。對保守的社會理論學者而言，來自下級者的意識形態同意這樣的概念顯然令人安心。另一方面，對列寧主義左派而言，這個概念讓先鋒黨（vanguard party）及其知識階層（intelligentsia）派上用場，他們必須解除受壓迫者雙眼的蒙蔽。如果勞動階級不僅能夠發揮人數優勢和經濟槓桿，還能生成解放自己的觀念，列寧式政黨的角色就會變成問題製造者。

40. “From Lollardy to Levellers,” 86-103, in Janos M. Bak and Gerhard Benecke, eds., *Religion and Rural Revolt: Papers Presented to the Fourth Interdisciplinary Workshop on Peasant Studies*.

41. 同前注，頁87。

42. 同前注，頁93。

43. 更多比較他們的抵抗和十七、十八世紀法國農民抵抗天主教什一稅的描述，可參見我的文章”Resistance without Protest and without Organization: Peasant opposition to the Islamic Zakat and the Christian Tithe”。

44. 這提出了著名哲學問題的政治版本：如果沒有任何生物聽見，一棵在森林中倒下的樹會發出聲音嗎？如果從屬者的

「抵抗」被菁英蓄意忽視或以其他方式稱呼，如此還算是抵抗嗎？換言之，抵抗是否需要被抵抗對象的群體認定才能算是抵抗？這個問題指出決定（從來不是完全單向的）何者為公開文本、何者不是的權力和權威非常重要。選擇無視或忽略不服從行為，彷彿其從未發生，這種能力是權力的關鍵運用。

45. 這個用詞取自Edward E. Jones, *Ingratiation: A Social Psychological Analysis*, 47。他如此定義之：「保護性逢迎的目標不是要改善結果，讓結果比原本預期的更好，而是要減弱潛在的攻擊……這是有遠見的防禦性計畫。對保護性逢迎者而言，世界充滿著潛在的敵人，可能刻薄、充滿敵意、坦率得殘忍的人。逢迎可以藉由剝奪潛在敵人的任何侵略藉口，來將這個世界改變成更安全的地方。」

46. *Selections from the Prison Notebooks*, 333.

47. *Injustice*, 84.

48. Michel Foucault, *Michel Foucault: Power, Truth, Strategy*, ed. Meaghan Morris and Paul Panon. "Working Papers Collection #2," 88.

49. *The Defenses of the Weak: A Sociological Study of a Norwegian Correctional Institution.*

50. 隨著歷史演進，使用和操縱意識形態規則來達成新的目標，當然會對這些規則造成重大的變化。

51. Najita and Scheiner, *Japanese Thought in the Tokugawa Period*, 41, 43.

52. Ladurie, *Carnival in Romans*, 257. 在此引用的多菲內（Dauphinois）歷史學家是N. Chorier, *Histoire générale de Dauphiné*, 2:697 (1672)。

53. 同前注，頁152，粗體為作者所加。同時，波米耶在說這段話時並沒有在凱薩琳面前下跪，這種省略禮節的行為會被人民運動的敵人認為相當傲慢。

54. *Rebels in the Name of the Tsar.*

55. 引文出自同前注，頁2，粗體為作者所加。

56. 我們很難忽略這和耶穌基督生命經歷的相似之處，但就像在其他的文化中，在俄羅斯的是正義之王回歸的古老傳統。

就像在西歐，反基督者經常被比作暴君，反之亦然。

57. 同前注，頁209。

58. 同前注，頁79。

59. 同前注，頁201。

60. 同前注，頁198。據推測，經典的請願書形式是埋藏在服從修辭中的威脅。我們可以想像，官員在閱讀時會習慣跳過表達服從的修辭，好趕快讀到履行條款，可能會如此陳述（但措辭比較有禮）：「如果你不減稅，我們可能就會製造大麻煩。」但在天真君主主義的演出方法中，請願書實際上是表示「那好，只要你假裝當個仁慈的沙皇，在這個例子中代表著減稅，那我們就會假裝是忠誠的農民。」

61. 關於歐洲這類傳統的簡短討論，參見Peter Burke, *Popular Culture in Early Modem Europe*, chap. 6。關於東南亞的類似傳統，參見Adas, *Prophets of Rebellion*。

62. “Mediterranean Europe, 1500-1800,” in *Religion and Rural Revolt*, ed. Bak and Benecke, 79.

63. 這個特定的口號據說是出自十六世紀的諾曼第（Normandy），參考資料為David Nicholls, “Religion and Peasant Movements during the French Religious Wars,” in同前注，頁104-22。

64. 關於法國歷史烏托邦時刻——在某種程度上全都再現了一七八九年革命的最初承諾——的開創性分析，參見Aristide R. Zolberg, “Moments of Madness”。

65. 舉例來說，菲律賓革命領袖安德烈．滂尼發秀（Andreas Bonifacio）曾發布宣言，指控西班牙人背叛了兄弟情誼的締約，他們原先承諾給予他們的菲律賓弟兄知識、繁榮和正義：「我們犧牲來實現我們自己的承諾，但我們看見他們履行他們那一方的締約了嗎？我們的善意所得到的回報只有背叛。」引文出自Reynaldo Clemeña Ileto, “Pasyon and the Interpretation of Change in Tagalog Society,” 107。當西班牙人違背了他們自稱的支配條件，菲律賓人民就免除了任何服從義務。當然，滂尼發秀勢必會暗示，如果西班牙人遵守他們的基督教聲明，塔加洛人（Tagalogs）就會保持忠誠。滂尼發秀由衷如此相信嗎？我們無法確知。然而，我們可以知道的是，他選擇用西班牙人可以理解的語彙對他們說話

——根據這樣的詮釋，也就是採用他們自己的修辭論述，來正當化武裝防衛。

66. Moore, *Injustice*, 84.

67. 這會讓人想到一篇類似的分析文章，在探討本世紀初孟加拉（Bengal）麻紡廠的衝突，這份研究可以表明這類的研究多有價值。迪佩什・查克拉巴蒂說明，工廠管理者行使的恩庇侍從作風需要個人裁量權、慈善和暴虐兼施，並且以衣著、隨扈、住宅和舉止等形式來展示權力。透過採用家長式的關係模式，管理者在下屬眼中的印象會在從個人暴君到慈父形象的光譜上遊走。不像契約、勞動市場、分工和工作組織所加總而產生的工業紀律關係，麻紡廠裡的控制完全是以個人、直接且經常暴力的語彙來表達。一如查克拉巴蒂所示，其中一個結果是對管理者的抵抗於是也傾向採取個人報復和暴力的形式。為施行社會控制而侮辱工人的尊嚴，會在有機可乘時被回以對管理者的辱罵。抵抗的形式會反映出支配的形式。參見Dipesh Chakrabarty, "On Deifying and Defying Authority: Managers and Workers in the Jute Mills of Bengal circa 1900-1940"。

68. 參見Ranajit Guha, *Elementary Aspects of Peasant Insurgency*，尤其是第二章。

69. Bourdieu, *Outline of a Theory of Practice*, 193-94. 我認為，因為這些主張對支配者來說鮮少只是憤世嫉俗的表面，這項限制有部分也是他們自己自願承擔的。

70. *The Anti-Soviet Soviet Union*, trans. Richard Lourie (New York: Harcourt Brace Jovanovich, 1985), 147.

71. *Learning to Labour*, 110-11.

72. 同理，我們或許可以主張，一九六〇年代初美國民權運動的機構中心之所以是教堂和大學，正是因為在提出強烈道德主張的機構中，平等原則和種族隔離現實間的矛盾特別引人注目。參見Evans, *Personal Politics*, 32。

第五章　為異議次文化創造社會空間

人是種渴望平衡的動物：有人用邪惡的重量壓彎他的背，他就用仇恨的重量來平衡。

——米蘭・昆德拉《玩笑》

有些人可能會……坐在扶手椅上，輕率地講述奴隸生活的快樂；但卻讓他們和他在農田裡長時間辛苦勞動……看著他被鞭打、追捕、踐踏，接著他們回來後又會說出另一套故事。讓他們明白可憐奴隸的心聲——了解他祕密的想法——也就是那些他不敢在白人聽得到的地方說出來的想法；讓他們在寂靜守夜時坐在他身旁——在信任保密的前提下與他交談。

——前奴隸所羅門・諾薩普（Soloman Northrup）

在本章中，我將概述隱藏文本和支配經驗之間連結的動態。這必須說明多少有些被迫的表演如何引發某種反應，以及該反應的基本形式。這種我所謂的否定行為可以採取相當簡單或複雜的形式。複雜否定的一個例子是奴隸修訂基督教教義，來回應他們自己的經驗和渴望。

討論的平衡會著重在一段過程中，哪些特定的社會性場域和特定的行動者開始分別代表隱藏文本的地點和傳遞者。我認為，證明其重要性的最佳方法是菁英持續努力去消滅或滲透這些場域，以及從屬群體付出相對應的努力去捍衛之。最後，我提出了某個特定群體的隱藏文本可以多麼團結或一致的問題。要回答這個問題，我們必須具體說明支配的同質性，以及那些服從者之間共同性的強度。

對認輸的反應

我們的常識告訴我們，如果有些人必須慣常屈服於他們認為不公的辱罵或身體毆打，他們會付出沉重的心理代價。該代價確切為何可能是另一回事。然而，社會心理學有些不直接相關的證據試圖說明被迫順從的後果。

我們必須謹慎看待這些研究發現。有鑑於這些發現是源自於一個大多以實驗為根據並實踐個人主義方法論的學科，我將嚴重忽視文化和歷史成因。儘管如此，這些成果可以用來闡明順從和信念之間的關係。各式實驗得出的兩項普遍研究發現是我們關注的重點。首先，研究指出，被迫服從不僅無法產生在沒有支配的情況下仍保持服從的態度，**更會引起反對這類態度的反應**。其次，研究顯示，如果服從被視為是自由選擇的——亦即自願順從——而且唯有如此，個人的信念和態度就可能會強化對掌權者心意的順從。強迫看似可以讓人服從，但實際上是在讓服從者變得更不願意服從。

社會心理學界近期發展出所謂的抗拒理論，大幅運用了經典攻擊理論的研究發現。可是，不像攻擊理論根源於本能的驅動力，抗拒理論的前提是人類渴望自由和自主，而受到利用勢力的威脅時，會導致反抗的反應。[1]類似的各種實驗指出，如果具說服力的溝通加上威脅，會減少態度轉變的程度，反之則會增加。只要威脅施行得夠徹底，公開的同意和服從就可能會盛行，但祕密的抗拒也會增加。因為威脅而存在的公開服從，往往得靠著嚴密的監控去偵察和懲罰偏差行為，才能加以確保。一旦取消監控，服從就會迅速消失，而研究也發現，監控這種展現強制力的手段本身會進一步增加反應的程度。有份研究的摘要如此結論，「關於抗拒理論的文獻證實，受威脅的替代選項通常會變得更吸引人，而對態度的威脅會引發反彈，反而導致態度轉變。」[2]其他實驗證據也證實了權力關係讓公開和私下行為間產生落差的影響。其中一個案例證明，需要依賴權勢的從屬者會比較贊同「暴躁邪惡」的監督者，而非「親切寬容者」。然而，一旦依靠——亦即支配方——消除後，結果就會翻轉，這說明了在暗地裡，專橫的監督者一直以來都是被討厭的，而只是因為害怕懲罰才會壓抑隱瞞討厭的情緒。[3]強迫表演的不可抗力愈大，從屬者就愈不會認為表演能夠代表他「真正的自己」，表演也就更像純粹的操縱策略，和他的自我認知幾乎毫無關聯。

除非從屬者認為那樣的舉動多少可以算是自願的選擇，否則假裝戴上面具的演出幾乎不可能會顯著影響演員的臉。而如果確實造成影響，面具背後的臉反而比較可能長得愈來愈不像面具，而非愈來愈像。換句話說，強迫我們行動的外在因素愈強大——在此大量威脅和大量獎勵的影響力是相當的——我們就愈不需要為我們的行為構思可以說服自己的理由。有群心理學家研究從韓國拘留營獲釋的美國戰俘，他們在營中被「攻破」並簽署供狀，發表政治宣傳演說，學者發現這對他們信念和態度造成的長遠後果遠遠比一般會假設的更少。他們配合的理由顯然如此難以抵抗，因此合作可以被視為手段，幾乎對信念毫無影響。[4] 因為這類研究發現和我們探討過的更嚴峻且文化上更複雜的無權形式密切相關，可以幫助我們了解為何光是強迫和監控就能夠引發蓄勢待發的反彈。那麼，那些非自願勞役的人需要嚴密監控也就不足為奇了，畢竟監控的任何失誤都可能會導致他們表演時表面上的熱忱驟降。

否定行為

在抗拒理論的設計實驗世界中，受到反應的社會事實相對比較瑣碎，因此反應本身也不複雜。然而，奴隸、農奴、賤民和農民是對相當複雜的歷史支配形式做出反應，所以他們的反應也會相應地複雜。

按照定義，我們已經讓支配的公開文本在本體上先於隱藏的幕後文本而存在。[5]以這種方式推論，是要強調隱藏文本作為一種抵消和否定行為的反身性。如果我們概略地認為公開文本包含三個範疇，包括物質占用（例如勞力、穀糧、稅賦）、公開支配與從屬（例如階層、服從、言論、懲罰和羞辱等儀式）和最後的在意識形態上正當化不平等現象（例如支配菁英對外公開的宗教和政治世界觀），那麼我們可能也會認為隱藏文本包含了對那套公開文本的幕後回應和反駁。如果你願意這麼說的話，隱藏文本就是被支配勢力趕下當前舞台的辛辣對話的那個部分。

就像傳統的馬克思主義分析，可能會被說是特別將占用剩餘價值強調為剝削和抵抗的社會性場域，我們在此的分析也會特別強調侮辱、控制、屈從、羞辱、被迫服從和懲罰的社會經驗。選擇強調這些經驗，並不是要否認階級關係中物質占用的重要性。畢竟，占用是支配絕大部分的目的。然而，占用的過程必然會導致系統性的從屬社會關係，對弱者造成某種的侮辱。這些侮辱是憤怒、憤慨、失望和壓抑怒氣的溫床，從而孕育出隱藏文本。這些屈辱經驗提供了能量和激昂情緒給波伊瑟太太，讓她在想像中演練對大地主的演說長達一年之久（見第一章）。

這麼一來，抵抗不僅源自於物質占用，也源自於那種剝削特有的個人羞辱模式。儘管對從屬人口壓榨勞力或穀糧的行為都有某種類似的特性，但個人支配的型態可能遠更具有文化特殊性和獨特性。我在此主張的論點並不會忽略占用。正好相反，這個論點會擴大其視野。比方說，在了解奴役的**經驗**時，被迫做苦工並沒有比毆打、辱罵、性虐待和強迫自貶來得特別。在了解農奴制度時，向農民壓榨的穀糧和勞力並沒有比要求擺出致敬和順服的姿態、禁止使用某些稱謂、初夜權（*ius primae noctis*）* 和公開鞭刑來得特別。

我之所以有信心針對我們探討過的這些支配類型提出這個論點，是因為有關於自由民主國家中勞動階級價值觀的研究給予支持。如果工人在享有政治權利，並且形式上擁有辭職自由的情況下，順服的個人面向對其所從事的相對非個人的雇傭勞動仍至關重要，那麼此一面向對那些更直接且直涉個人的勞動形式來說應該遠更息息相關。理查．桑內特（Richard Sennett）在說明美國的工人如何經驗他們的勞動生活時強調，持續接收命令會導致最嚴重的憤恨。我在此提供兩段來自他訪談對象具代表性的引言：「可是接著我到機械工廠工作，然後我好像就頓悟了。人生就是有人可以命令你做這做那，而你必須接受，因為你需要這份工作。」[6]「成天『是的，先生』、『是的，女士』……我的意思是，工作讓我明白平凡人要忍受多少苦，你懂嗎？」[7]他們的工作會引發深切憤慨的另一個面向，是他們認為自己沒有在工作上得到他們身而為人應得的最低認可。一如桑內特所述：「與此同時，在我們的對談中，人們一次又一次表達對『被一文不值地對待』、『待你如糞土』、『對你視若無睹』深惡痛絕。人該如何讓自己被看見？」[8]

桑內特主張，公然傷害身而為人的自尊和地位是美國工人非常核心的階級經驗。儘管物質占用事實上可能是以相當非個人化的方式進行（例如對著一台機器工作、按件計酬的工作），支配通常會比較個人化——從屬者以個人的身分致敬，以個人的身分受罰，以個人的身分遭到藐視。

因此，特別會在個人尊嚴上——若非人的肉體——留下烙印的是支配，而沒有支配，占用就不會發生。

我們將從屬的狀態命名為**雇傭勞工**或奴隸後，仍需要具體說明那些擁有該身分的人特殊的從屬經驗為何。如果我們只知道馬來村民貧窮又沒有土地，那我們對他的所知相對甚少。一旦我們知道他感到絕望的具體原因是他沒有錢可以在齋月（**Ramadan**）的餐宴上供應客人食物；富人在村裡的道路上經過他時完全不打招呼；他無法好好埋葬他的父母；如果他的女兒晚婚，必定是因為他沒嫁妝可給；因為他沒有財產可以留下他的兒子，他們會早早離家；他必須卑躬屈膝向比較富裕的鄰居乞求工作和稻米——還經常徒勞無功；如果我們知道這些原因，就更能了解他的貧窮所代表的文化意義。用這種方式了解他貧窮的文化意義，等同於是在了解他受辱的情況，因此得以判斷他憤怒的內涵。如果僅僅表示他貧窮無地，就等於只告訴我們他缺乏收入和生產工具。儘管我們所列出的日常屈辱全都源自於他的階級地位，但這些經驗告訴我們遠遠更多，在某個具有特定禮儀準則的特定文化中，在歷史上的某個特定時刻，身為一個窮人的感受為何。正是這些受辱的經驗在他的狀態和意識之間搭起橋樑。

尊嚴是種同時非常私密又非常公開的特質。人可以在沒有其他人看見或聽見的情況下受到

---

* 譯注：指領主擁有在佃農新婚之夜時和新娘第一次性交的權利。

另一個人羞辱。然而，相當明確的是，任何侮辱只要是在公開場合發生都會嚴重惡化。辱罵、鄙視的眼神、肉體羞辱、攻擊某人的地位，這類無禮的態度在大庭廣眾下顯現時，傷害幾乎總是遠更嚴重。若要判斷公開中傷會額外對個人尊嚴造成何種威脅，可以思考一下員工私下在主管辦公室被斥責（這個用語本身就帶有暗示性）*，以及在所有員工的同儕和從屬者面前遭受相同斥責的差別。如果我沒弄錯的話，該名員工會認為後者是遠遠更具攻擊性和羞辱性的做法。大致同理的是，奴隸敘事幾乎都有類似以下這段動人的段落：「誰能想像父親和母親看著嬰兒遭受有恃無恐地鞭打和虐待，接著又身在無法給予他保護的處境時會有何感受？」[9]在這個例子中，直接的傷害是加諸在小孩身上；父母承受的是毀滅性地公開展示他們無力保護他們的小孩不受傷害。就像艾姬（見第一章），他們失去了公開自稱父母的權利，尤其是在他們小孩和任何旁觀者的眼中。很難想像有比這更嚴重喪失身而為人的地位的情況。造成的影響似乎會烙印在受害者的記憶中。[10]

那麼，在哪些觀眾面前受辱是最具傷害性的呢？我認為是那些在他們面前時受辱者的尊嚴——身而為人的地位——最為重要的觀眾，因為他們構成了他自尊感的社會性來源。這個圈子尤其包括他最親近的家人、朋友、鄰居、同事和同儕，以及特別是他自己的從屬者，他和他們之間也存在權力關係。[11]至此，區分比如一名奴隸在他的主人面前享有的地位，以及他在其他奴隸面前享有的地位，或許會有所助益。除非他願意受死，否則奴隸永遠無法在他的主人面前有效主張他的人格和尊嚴。因此，他不太會面臨在主人眼中失去大量尊嚴的危險，原因不外乎他一開始擁有的便已微乎其微。奴隸可以——至少暫時可以——有效建立其尊嚴和地位的領域是由他的同儕組成的圈子，因此在他們之中遭受任何公開羞辱，他就會失去最多的尊嚴。

在這個限定的社交圈中，從屬者可以得到部分的庇護而免受支配的羞辱，而隱藏文本的觀眾（或可說是「公眾」）也是從這個圈子裡吸引來的。他們都遭受同樣的羞辱，或更糟糕的情況是承受同樣的從屬條件，因此都有興趣要共同創造出一套尊嚴、否定和正義的論述。除此之外，他們也同樣想要隱匿一個脫離支配的社會性場域，讓這樣的隱藏文本可以在相對安全的環境下闡述。

在隱藏文本的社會性場域中，最基本的否定形式不過是代表著安全地表達主張、攻擊和敵意，這樣的表達在幕前遭到支配方的權力所阻撓。要在權勢面前謹慎行事，就必須讓一部分會回應或回擊的「自我」保持沉默。而在較安全的隱藏文本領域中得以表達的正是這部分的自我。儘管不能將隱藏文本描述成與對權勢編造的謊言牴觸的真相，但可以說隱藏文本是一種權力關係通常會排除在官方文本之外的自我揭露。[12] 無論隱藏文本可能變得多麼複雜，它永遠會是直接在

* 譯注：原文為「dressing down」，最初較常在軍中被用來表示訓斥以修正軍人行為之意。其源由有兩個說法，其一是指軍人遭到降級懲處，因此需要改穿較低階的軍服；其二是船隻長時間航行後，必須拆下船帆，重新上蠟和油來保養帆布，這個動作叫做「re-dress」，用來比喻重整軍人的紀律。

權勢面前提出主張的替代品。或許正因如此，波伊瑟太太在幕後演練對地主的「許多想像中的演說」，完全不可能產生她對地主本人發表演說所得到的那種滿足和解放之感。有人會猜想，公開羞辱除非透過公開回應，否則永遠無法完全放下。

隱藏文本中的否定行為經常會收回在受權力壓迫的遭遇中，看似不可避免的言論或行為。一名從屬者剛被他的上級公開斥責，他表現得畢恭畢敬，而現在他發現自己和他的同儕在一起後，可能就會詛咒他的上級，擺出具侵略性的姿勢，談論他下次想怎麼回應。（「等著看吧……。」）可是在波伊瑟太太和許多其他人的例子中，隱藏文本反而是日後公開否定的整裝彩排。從屬群體的集體隱藏文本一般具有的否定形式，如果調換到支配方的脈絡中，就會變成反叛行為。

意識形態否定

然而，否定行為牽涉到的遠遠不只創造出社會領域，讓從屬者缺失的回應和主張可以安全表達。由於歷史上許多重要的支配形式都將自己塑造成一套形上學、一種宗教、一種世界觀，這些支配也刺激隱藏文本發展出幾乎同樣複雜的回應。

我們可以從我們所知的美國內戰前南方，主人向奴隸傳教的公開基督教和他們不受監控時所祕密實踐的宗教之間的差異，明顯看出這種否定可以多麼徹底。[13]在由主人或其指派的某人帶領的公開禮拜中，奴隸被期望要控制他們自己的姿態、表情、聲音和一般的行為舉止。不受監控並在「僻靜所」內時，那裡利用了一整套的設備來避免聲音傳到外頭（例如對著翻過來的鍋子大叫），瀰漫著截然不同的氛圍——從受支配而必須時時保持謹慎的狀態中解放，容許跳舞、喊叫、拍手和參與。自主的奴隸宗教不僅是在否認官方禮拜的風格，更反駁其內涵。內心重視主人利益的傳道會強調關於順從、甘願挨打、多走一里路等《新約聖經》（New Testament）段落，以及比如以下的經文（出自《以弗所書》〔Ephesians〕第六章第五至九節），改寫過後也收錄在給「有色人種」的教義問答手冊中：「你們作僕人的，要懼怕戰兢，用誠實的心聽從你們肉身的主人，好像聽從基督一般；不要只在眼前事奉，像是討人喜歡的；要像基督的僕人，從心裡遵行神的旨意。」和這種呼籲奴隸展現出真摯的官方文本相反，幕後的基督教一如我們所知，會強調釋放和救贖、摩西（Moses）和應許之地（Promised Land）、埃及的奴役以及解放。弗雷德里克·道格拉斯（Frederick Douglass）曾提到，迦南之地（Land of Canaan）被用來代表北方和自由。當奴隸可以安全地拒絕參加譴責偷竊、逃跑、工作過失和無禮行為的講道或中途離席，他們一定會這麼做，一八三三年在美國南方講道的查里斯·瓊斯（Charles Jones）發現了這一點：

> 當時我正在向一大群會眾針對使徒書信《腓利門書》（Philemon）講道，我堅稱忠誠和服從是僕人的基督教美德，並堅持使徒保羅（Paul）的權威，譴責逃跑時，我一半的觀眾故

意起身、逕自離去，而那些留下來的人看起來也對傳道或他的教義相當不滿。散會後，他們之間發生了不小的騷動；有些人嚴肅地宣告「聖經裡根本沒有這樣的使徒書信」，其他人則表示「他們完全不在乎」能否再次聽到我講道。[14]

奴隸鮮少能幸運到可以這樣公開表現他們的不滿。然而，他們的宗教信仰無疑經常是在否定白人向他們灌輸的謙恭和忍耐。前奴隸查爾斯．鮑爾（Charles Ball）指出，黑人的天堂是個他們可以向他們的敵人報仇的地方，而黑人宗教的「基石」就是「改革白人和黑人環境條件的革命理念」。[15]我們可以認定，這個概念所採取的形式類似於廚師艾姬在她女兒受罰後所說的誓言。[16]

有力的證據顯示，在印度的賤民之中，合法化種姓支配的印度教教義會遭到否定、重新詮釋或忽視。比起婆羅門，表列種姓（scheduled castes）*遠更不可能相信業報的教義可以解釋他們當前的處境；反之，他們將自己的地位歸咎於貧窮和原初神話的不義之舉。在群體方面，他們共同運用了那些印度教傳統裡不顧種姓，或提升那些最無權者地位的傳統、聖人和敘事。在公共事務方面，當然也有一些叛離印度教的現象，大規模改信佛教、基督宗教和伊斯蘭教，這些宗教都強調信徒人人平等。重點是要補充說明，這類否定持續進行的同時，數百萬的賤民仍在日常實踐中，遵守儀式性迴避和致敬姿態等種姓秩序的核心部分。正如某位作家巧妙地描述，較低種姓可以從事「正統行為」，但無需「正統信仰」。[17]

抵抗行動可以減輕日常的物質占用模式，隱藏文本中的否定姿態則可以回應日常對尊嚴的侮辱。可是在系統性的社會教條層面，從屬群體對抗著將不平等、奴役、君主統治、種姓等狀態正當化的精巧意識形態。這個層面的抵抗需要更精巧機敏的反擊，不只是零碎的抵抗行動。可能更精確的說法是，抵抗意識形態支配需要一套對立的意識形態——一種否定——可以有效提供任何從屬群體策劃來防衛自我的許多抵抗行動一種普遍的標準形式。

共同性的重要

外來權力若剝奪人公開傳達想法的自由，同時也會剝奪他思考的自由。

——康德（Immanuel Kant）

假如我們將「公開」一詞理解為在某種環境下社會性表達想法，那無論該環境多麼侷限，康德的陳述對抵抗支配來說都是重要的事實。即使其公開對象必然排除支配者——隱藏文本確實需

* 譯注：印度憲法於一九五〇年將一千多個低種姓列入，明文規定須為其提供政治、教育等領域的保留名額，官方改稱賤民階級為較中性的「表列種姓」。

要一群公眾。如果從屬群體內部沒有心照不宣或公認的協調和溝通，這些抵抗的實踐和論述都無法存在。要讓此事發生，從屬群體就必須努力為自己開創出社會空間，與上級者的控制和監控隔絕開來。如果我們要了解抵抗的發展和公式化過程，分析這些幕後社會空間是如何創造出來的就變成一項重要任務。唯有透過具體說明這類社會空間是如何被打造和捍衛的，才可能從個別抵抗主體——這是種抽象的想像——進展到探討抵抗實踐和論述的社會化。憑空想像出一個個別的從屬者，厭惡占用行為，並以偷竊來抵抗之；被一次辱罵激怒而夢想反擊；無法接受他的統治者的立論，而夢想有個「在後的將要在前」的烏托邦；這樣的想像或許看似合理。然而，事實上，就連偷竊也需要從屬者同伴共謀，對其睜一隻眼閉一隻眼，解決辱罵宿怨的夢想必然會以令同儕滿意並適當挑釁上級的社會形式來實行，而要否認支配的宗教意識形態也需要一套讓否定意見可以成形和表達的幕後次文化。

相對自主的社會空間不僅提供了中立的媒介，讓否定的實踐和論述得以在其中發展茁壯。這些空間本身就是權力關係的領域，用來規範抵抗模式，並將之公式化。社會化的過程和任何賦予情感形式的過程大同小異。如果我們可以想像，假定存在一股沒有表達出來的憤怒感受，用語言表達那樣的憤怒時，就必然會在其上強加有所規範的形式。如果這種現已表達出來的憤怒要變成一個小群體的資產，就會進一步受到那個小群體內共同經驗和權力關係的規範。接著，如果這股憤怒要變成整個從屬層級的社會資產，就必須為從屬者傳遞有效的意義，反映出他們之中權力的文化意義與分配。在這個假想的進程中，從「生」的憤怒到或可說是「熟」的憤慨，異質、非典型或在群體中僅能引起薄弱共鳴的情感可能會被排除或監控。當然，從任何社會和文化的觀點來看，我們的假想進程毫無道理可言。人總是會在一個文化框架內經驗憤怒、羞辱和幻想，而這種框架有部分是從屬者間的幕後交流所創造出來的。就這點而言，很可能就沒有完全「生」的憤怒、羞辱或幻想這種東西，就算從未傳達給他人也是如此；個人經驗的文化歷史已經形塑了這些情緒。基本的要點在於，從屬者中的抵抗次文化或對立風俗必然是共同性的產物。

當我們轉而研究隱藏文本發展的社會性場域時，若在心中謹記幾個重點將大有助益。第一，隱藏文本是社會性產物，因此也是從屬者間的權力關係所造成的結果。第二，就像民間文化，隱藏文本不會存在於純粹的思想中；隱藏文本的存在僅取決於在這些幕後的社會性場域中被實踐、表述、實行、散播的程度。第三，讓隱藏文本得以發展的社會空間本身就是抵抗的成就；這些空間是在對抗權勢的狀態下贏得並捍衛來的。[18]

隱藏文本的場域和傳遞者：自由的程度

> 這就是為什麼歌舞酒吧是人民的議會。
>
> ——巴爾札克《農民》（*Les Paysans*）

在隱藏文本的社會性場域所在的那些地點，沒有說出口的機敏反駁、壓抑的怒氣、忍住的話語找到了慷慨激昂、全力喊出的表達方式。那麼，兩個條件滿足時，隱藏文本會比較不受拘束：第一是在隱蔽的社會性場域表達時，也就是支配者的控制、監控和壓制最不可能觸及的時候；第二是這種隱蔽的社會情境完全由親近的密友所組成時，他們全都共享類似的支配經驗。第一個條件讓從屬者能夠完全自由說話，第二個則確保他們在共同的從屬狀態下有話可說。

無論是何種支配關係，都可以具體指出一連串的社會性場域，按照支配菁英巡查的頻繁程度來排序。最少面臨巡查、最自主的場域大概就是最可能可以恢復隱藏文本的地點。舉例來說，在內戰前的美國奴隸制度中，控制最明確的場域顯然是在工作組織中——亦即直接占用勞動力的地點——以及公開展示主宰和服從的場合。因此，在白人面前、在主人的大房子裡和工作期間，奴隸的社會自主性會降至最低。在這受嚴密巡查的範圍外，奴隸宿舍、親友圈子內等領域則自主性較高，並以民間故事、衣著、語言、歌曲和宗教表達來表現。更遠離密集監控中心的還有最有效隔絕支配影響力的社會空間，因此或可被視為隱藏文本的特許祕密場域。這樣的空間可能包括隱密的僻靜所，受保護的言論、歌唱、宗教熱忱、解救的夢想、逃脫的計畫、反叛的陰謀、偷竊的策略等等，都可以在相對安全的情況下討論。據前奴隸亨利．齊坦姆（Henry Cheatam）所述：「那個工頭是惡魔。他不會允許現場出現任何聚會。有時候我們會溜到山腳下，把洗衣用的鍋子反過來，這樣一來我們的聲音就會在鍋子裡迴盪，我們會在底下唱歌和禱告。」[19]

如果我們以為「社會性場域」一詞只代表著隱蔽的實體地點，那就傳達了錯誤的印象。當然也可能只是某個地點；奴隸利用隱密的樹林、林中的小空地、溪谷、灌木叢、溝壑來安全聚會和交談。他們可能也會密謀透過主動封鎖監控，改造一個本質上沒那麼安全的地點。在夜晚的宿舍中，奴隸可能會懸掛起被子和破布來隔音，圍圈跪著竊竊私語，並分派一人把風，確保他們的隔絕狀態。然而，要為隱藏文本創造一個安全的地點可能不需要任何實際遠離支配者的距離，只需要利用——男主人和女主人難以理解的——語言符碼、方言和手勢。[20]

如果公開文本最卓越的社會場域是在菁英召集從屬者的公共集會，那麼隱藏文本最卓越的社會場域則是從屬者未經授權且無人監控的祕密集會。因此，一如前文提及的克里斯多福．希爾說明，羅拉德派的「異教」於田園、森林、沼澤和濕地地區最為盛行，教會和地主階級的社會控制並沒有有效滲透進這些地方。[21]三世紀後，愛德華．湯普森（E. P. Thompson）也針對已大幅轉變的英格蘭的宗教異端提出大同小異的觀點：「鄉村地區被仕紳掌控，城鎮被腐敗的公司掌控，國家則被最腐敗的公司掌控；可是禮拜堂、小酒館和家中是他們自己的地盤。在『沒有尖塔』的禮拜場所，有空間可以發展自由的知識生活和民主實驗。」[22]對於湯普森筆下的勞動階級而言，不受巡查、孕育異議的社會空間不再是羅拉德派盛行的無人居荒野。能找到這類空間的地點反而是在隱私的家中，或小酒館和禮拜堂這類勞動階級可以稱之為自己地盤的公共空間。

無論如何在歐洲文化中，世俗當局和教會都會將啤酒酒館、酒吧、小酒館、小旅館、歌廳、啤酒地窖、小酒吧等地方視為顛覆性場所。在這裡，從屬階級在幕後和下班的狀態下會面，現場瀰漫著酒精催化的自由氛圍。這些地方也是大眾文化傳播的特許祕密地點——以遊戲、歌曲、賭博、褻瀆言行和混亂來體現——而這種大眾文化往往會牴觸官方文化。彼得·柏克曾在著述中提到，小酒館是一五〇〇至一八〇〇年英國大眾文化的發展中心，其重要性的證據比比皆是。某位研究宗教的歷史學者甚至提到十九世紀教會和酒吧的敵對狀態。[23]

小酒館或相同作用的場所是反霸權論述的場域，其重要性比較不是在於促進飲酒，或相對較不受監控，而更在於這類場所是較低階級的鄰居和工人未經授權集會的主要地點。與更大規模、匿名性更高的市集一樣，小酒館幾乎已經是從屬者的社區集會所。十八世紀期間發展出咖啡館和俱樂部會所，為人數正在成長的中產階級創造出類似的社會空間，接著促進獨特的中產階級文化茁壯，讓啤酒酒館變得更專屬於勞動階級。每個場域由於其常客的社會地位，都會產生獨一無二的文化和論述模式。彼得·史塔利布拉斯（Peter Stallybrass）和艾隆·懷特（Allon White）研究這類發展成形的階級文化後總結道：

> 論述模式是在團體集會中產生的，並且會根據團體集會的形式來調整。啤酒酒館、咖啡館、教堂、法庭、圖書館、鄉村豪宅的客廳：每個集會地點都是不同的交流場域，需要不同的禮儀和道德。論述空間從不會完全獨立於社會場所之外，我們可以根據新出現的論述公共

> 場域和舊場域的變化，來追溯新類型言論的形成過程。……因此，政治鬥爭的歷史很大一部分都是試圖控制重要集會場所和論述空間的歷史。[24]

根據巴赫汀（Bakhtin）如今赫赫有名的主張，對中世紀歐洲來說，市集是反霸權論述的特許祕密場所，而嘉年華是其最引人注目的表達方式。只有在市集裡，眾人才會或多或少自然聚集，不需要上級者強制舉辦儀典。群眾的匿名性，加上讓人人都平起平坐的買賣，將市集劃定成一個領域，在其中時，在領主和教士面前必須施行的儀式和服從變得無法適用。特權中斷了。巴赫汀主張，這種氛圍鼓勵了被排除在階層體系和儀禮世界之外的論述形式：諧擬、嘲弄、褻瀆、詭態（grotesque）*、穢語汙言（scatology）、狂歡等等。對巴赫汀來說，市集——以及尤其是嘉年華——無拘無束的放縱是對官方價值觀的褻瀆歪曲。在這裡，官方幕前行為的虔敬、謙恭、屈從、嚴肅、尊重和姿態[25]都會被在其他情境下不被認可的言行模式取代。

之所以應該要在小酒館、啤酒酒館、市集、嘉年華期間和夜間的隱密地點，尋找比較第一手的隱藏文本的原因深具啟發性。異議的次文化「在一連串的社會化過程中植入弱點」。[26]對於一

* 譯注：指怪誕詭異、醜陋變形的身體形象，打破自然法則和既有的美學定義，同時呈現死亡和重生、痛苦和幽默、黑暗和光明等兩種矛盾力量。

九五六年波茲南（Poznan）暴動前的波蘭勞動階級來說，那些弱點幾乎就是所有那些可能會分享祕密的環境。一如勞倫斯．古德溫（Lawrence Goodwyn）的解釋，「在澤傑斯基（Cegielski）（鐵路工程公司）內的組織對話是在工頭看不到的地方進行——上下班的火車和公車上、工廠的偏僻廠區、午休時間，以及設施極度簡陋的冷水更衣室，這些更衣室本身就是造成持續不滿的原因之一。……這樣的空間不是天上掉下來的禮物；必須由奮鬥創造之的人們創造出來。」[27]因此，如果認定反霸權論述只是占據支配者未使用而留下的社會空間，就等於遺漏了贏得、淨空、建立和捍衛這類場域的鬥爭。

隱藏文本的闡述不僅取決於創造相對不受監控的具體地點和自由時間，也取決於創造和傳播隱藏文本的積極行動者。隱藏文本的傳遞者可能會和他們聚集的地點一樣位處社會邊緣。因為何謂社會邊緣很大程度上取決於文化定義，傳遞者會隨著文化和時期的不同而大相逕庭。舉例來說，在現代早期的歐洲，民間文化的傳遞者似乎在發展嘉年華的顛覆性主題方面，扮演著關鍵的角色。演員、特技演員、吟遊詩人、雜耍演員、占卜師、各式各樣的巡迴表演者，可能會被說是用這種方式來維生。其他的巡迴工作者——合格工人、流動工匠、補鍋匠、賣書小販、製鞋匠、小商人、乞丐、治療師、「牙技師」——儘管可能在闡述異議次文化方面沒有那麼活躍，但是傳播的重要媒介。因為許多對支配文化的抵抗是採取宗教異端和異教的形式，馬克斯．韋伯所謂「賤民知識分子」（pariah-intelligentsia）的作用不該被忽視。我們可以將某些變節的較低階層教士、自稱的先知、朝聖者、邊緣教派和修道院道團、托缽僧等算入其中。韋伯指出，他們和支配價值觀保持的關鍵距離源自於他們的技能和邊緣性：「在某種程度上，社會地位較低或完全不屬於社會階層體系的群體是站在客觀全知的觀點看待社會成規，包括外部秩序和輿論方面皆然。因為這些群體不受社會成規約束，他們能夠對宇宙的意義抱持原初的看法。」[28]

如果我們從特定文化環境的特定群體略退一步，就可以更廣泛地描述隱藏文本的主要傳遞者。這不只是他們社會地位反常或低落的問題。他們還可能會從事貿易或鼓勵實際移動的職業。身為旅人的他們經常扮演從屬社群之間的文化中介和社會橋樑，而他們自己與社會的連結較為薄弱，因此也更自主。在行會或教派的例子中，他們可能也有團體實體，能夠讓自己在社會上隔絕直接的支配。最後，許多這些群體都直接仰賴較低階級的群眾贊助來維生。必須依賴大眾捐助的教士，或是期望觀眾供養他並提供他小額捐獻的吟遊詩人，可能會傳達出和他們的觀眾價值觀一致的文化訊息。[29]

上級者的社會控制與監控：防堵隱藏文本

匿名的社會性場域對產生隱藏文本至關重要，要證明這點的最有力證據是支配群體費盡心力要消滅或控制這類場域。從十五到十七世紀的歐洲，世俗和宗教權威都深知異議民間文化的自主場域可能會造成的危險。這點從宗教改革（Reformation）前夕德國農民戰爭前發生的文化衝突來看再清楚不過了。利昂內爾・羅斯克魯格（Lionel Rothkrug）對與「尼克拉斯豪森（Niklashausen）的鼓手」*有關的朝聖地鬥爭的分析顯然是個恰當的例子。[30]這位年輕鼓手在一四七六年看見的預言異象，包含了當時已經是宗教異議地下傳統重要部分的主題。此一傳統認為，基督的犧牲解救全人類——包括農奴在內——脫離奴役，而能夠獲得拯救的機會是民主地分配給所有人。這位名叫布海姆（Boheim）的鼓手在教堂裡公開譴責教士的腐敗（尤其是關於販售贖罪券一事），並呼籲將教宗免職，讓那座教堂吸引了大量具威脅性的群眾。一群瑞士的平民弓箭手在一場最初的小規模戰鬥中打敗勃艮地（Burgundian）貴族的菁英後，布海姆被視為異教徒和反叛分子而遭逮捕和處死。這些事件及其餘波的兩個特點對我們的研究目標大有助益。首先，尼克拉斯豪森教堂早先並沒有特別重要，但只是因為大眾響應了布海姆的預言，這座教堂就成為吸引朝聖者和顛覆性論述的社會性場域。這個隱藏文本的自主場域是社會創造的產物，而非社會既存的事實。其次，一旦造成威脅，權威當局就會不遺餘力地消滅這個異議中心。他們把那座教堂夷為平地，把布海姆的骨灰撒進陶伯河（Tauber river），銷毀聖壇剩餘的供品，沒收所有和他有關的聖物和紀念物，並禁止信徒到那如今已空無一物的地點朝聖。同時，符茲堡（Würzburg）的主教發動針對反教權情緒的文化攻勢，委託人寫作誹謗布海姆的詩，將聽從他召喚的「叛亂分子」妖魔化。很難想像有比這更具野心的努力了，既要消滅顛覆性論述的實體場域，也要抹除這種論述在大眾口傳文化中的痕跡。

大衛・薩比安（David Sabean）曾描述在不到兩百年後的三十年戰爭（Thirty Years War）尾聲，在信奉路德會（Lutheran）的德國的漢斯・凱爾（Hans Keil）事蹟，其中刻畫了顛覆性大眾異端的堅韌毅力，以及世俗和宗教權威對其傳遞者和蓬勃發展的場所的敵意。[31]在軍隊四處劫掠、鼠疫肆虐和苛捐雜稅的背景下，漢斯・凱爾收到來自上帝的徵兆和天使的訊息。他在修剪葡萄藤時，發現樹藤流血了。天使下凡預言，將集體懲罰人的邪惡。天使承諾將會懲罰的罪惡中，尤其強調貴族苛徵穀糧和勞役、高層神職人員徵收什一稅，以及貪婪、荒淫又自負的菁英無能遵守上帝的命令。從宗教角度來看，上帝顯然要求權威人士為戰爭的苦難負起責任，並且意圖減輕痛苦。就像尼克拉斯豪森的鼓手，預言的內容再次不足為奇，也毫無新意；流通的大幅圖紙、關於神蹟的描述和大眾的聖經傳統早已詳細預示了這些事情。漢斯・凱爾來自上帝的訊息所造成的危險在於，農民視之為授權他們抵抗賦稅的徵兆。當神蹟的故事透過新印刷的大幅圖紙和講述漢斯・凱爾事蹟的流行詩歌傳遍該區，權威當局感覺到可能會發生大規模反稅行動的危險。他們為防止大眾傳播這些消息所採取的舉措可以提供許多有用的訊息。他們沒收描繪神蹟的大幅圖紙，並且拘留傳播廣告的印刷工、歌手和巡迴工作者。任何人只要被發現在討論這個話題——尤其是

---

* 譯注：指德國農民兼宗教革命人士漢斯・布海姆（Hans Boheim, -1476）。

在市集和旅社——就會遭到逮捕和審問。我們在此看到的是權威當局系統性地試圖斷絕民間論述自主流傳，並拒絕給予這個異端故事任何可以安全重述和說明的社會性場域。

如果沒有吸引到官方注意——和壓制——我們就無法得知任何這些事件。這可以說是這類事件能夠被載錄在檔案文件中的原因。每則外溢到隱藏文本的隱蔽範圍之外的預言，都對掌權者造成直接威脅。然而，是壓制的模式為我們凸顯了隱藏文本的流通系統。對十七世紀的中歐來說，該系統不多不少正是由大眾文化的生產者、傳遞者和消費者，加上他們旅行的路線和占據或經過的場域所組成。此外，大眾文化及其社會媒介的重要性，不只引起封建和現代早期歐洲研究領域的古文物研究興趣。多位現代勞動階級歷史的研究者已經指出，十九世紀末許多大眾文化的流通管道遭到蓄意計畫破壞，導致無產階級遭受控制和文化馴化的惡果。[32]

西印度群島和北美洲的奴隸主都費盡苦心，要防止可以創造和分享隱藏文本的場域產生。他們控制的對象是一群剛經歷駭人過程而被集合起來的人，被強迫脫離熟悉的社會行動環境，這點當然對他們大有助益。[33]為了將交流減至最少，種植園的主人傾向召集一群語言和族裔多樣性極高的勞動力。[34]當工人發展出某種種植園主無法理解的洋涇浜方言，他們就會要求奴隸在工作時只能以他們的監工可以理解的英語來交談。種植園主將週日和節日聚會視為可能煽動叛亂的場合，而嚴厲限制之，他們會盡力確保這類的集會幾乎不會讓幾個種植園的奴隸聚集在一起。利用奴隸告密者的標準做法可以進一步阻礙隱藏文本的安全場域建立。最後，為了解散奴隸夜間的祕密聚會，主人會組織騎馬帶狗的巡邏隊——令人畏懼的巡查人員——以逮捕和懲罰任何未經授權集會、逍遙法外的奴隸。

這些措施全都是無可救藥的烏托邦（肯定是主人的烏托邦）計畫的一部分，旨在消滅奴隸間任何和所有受保護的交流。這樣的抱負原則上無法實現，原因不外乎工作本身就需要奴隸間的簡單交流才能完成。無論監控讓人多麼窒礙難行，都無法避免他們迅速發展出局外人無法理解的語言符碼、嘲諷的奴隸大眾文化、強調解放的自主宗教憧憬、實際的縱火和怠工模式，更別提山區自由的逃亡奴隸社群。

在此，和我們的論點最密切相關的不是這類計畫必然失敗的結局，而是透過移除或滲透任何自主溝通的領域來原子化從屬者的那種努力和抱負。我們會一再看到這樣的抱負，就算是在自願加入的機構內，目標是要統率其成員團結一心的紀律和忠誠，也存在這樣的強烈願望。一如路易斯·柯塞（Lewis Coser）的主張，若仔細分析諸如耶穌會（Jesuits）、修道院道團、政治派別、任用宦官或禁衛軍的朝廷官僚體制，或烏托邦社區這類「貪心」的機構，就能揭露其中有些社會規則是為了避免從屬者發展出任何可能會與機構的霸權目標競爭的忠誠行為或論述。[35]為了實現他們的目標，這類的規則就必須讓從屬者完全依賴他們的上級者，實際與彼此隔絕，並且多少持續受到監視。

帝國之所以有從受鄙視的邊緣群體吸收行政管理幕僚的傳統，正是為了要打造一群受訓過的幹部，和平民百姓隔離開來，而且其身分地位完全仰賴統治者。當然，在獨身或宦官的例子中，原則上排除了出現競爭的家庭忠誠的可能性。在他們的訓練——往往始於年幼時期——和服務期間，經常會讓他們與一般平民盡可能隔絕。和農奴或奴隸的情況不同，這些菁英幕僚的服務需要高度的主動性、積極忠誠和合作，因此需要打造強大團隊精神所必要的水平連結和訓練。然而，就算是在這樣的環境，也有用來盡力防止任何牴觸官方目標的意圖產生的結構性措施。美國十九世紀的烏托邦社區中比較長久的，就是那些堅持獨身或在社區內自由性愛的社區。無論是獨身或自由性愛，都是為了避免發展出危險的兩人和家庭關係，進而創造出另一個效忠的焦點。如柯塞所述：「廢除家庭生活便得以確保個人總是會扮演他們的公眾角色；也就是說，他們放棄了他們的隱私權。」[36]如果轉換成前文使用的語彙，廢除家庭生活是為了確保幕前的公開文本能夠耗盡全部的社會生活。要達成這個目標也需要近乎完整的監視模式，去監控任何潛在的顛覆性論述。比方說，震教會（Shakers）*有瞭望塔、窺視孔和公開告解的社會壓力，這些都是他們監控計畫的一部分。於是，就連自願的意向社群也展現出完全支配的抱負——他們設法消滅所有狹小自主的社會空間和社會關係，以免在其中孕育出某些棘手且未經許可的隱藏文本，而這些措施揭露了他們的抱負。

下級者的社會控制與監控：捍衛隱藏文本

如果支配模式的邏輯是要實現徹底原子化和監控從屬者，這種邏輯將會遭遇下級者對應的抵抗。各地的從屬者都無疑明白，如果支配的邏輯占上風，就會淪為霍布斯（Hobbesian）所謂的所有人對抗所有人的戰爭†。對從屬群體的成員來說，個別的提拔策略一直都是一大誘惑。菁英引發個人公開的順從行為，以表現他們的權威，這有部分是為了鼓勵標準且實際的變節投敵。此外，透過這樣的手段，菁英還能培養出忠僕、「親信」和告密者，他們可以仰賴這些人巡查隱藏文本的場域。光是從屬者間存在已知或嫌疑的親信，往往就足以讓那個場域不再是適合當作隱藏文本的安全地點。

異議從屬次文化的成員可能會做出不拘禮節的行為，以促使自己更符合違反支配常規的標準。從關於英語方言使用情形的社會語言學研究中，我們可以得到一個具有啟發性的例子，幫助我們了解此一過程。[37]

---

* 譯注：十八世紀建立的基督教貴格會（Quaker）支派，教徒會在集會上集體震顫身體，故得名。

† 譯注：英國哲學家湯瑪斯・霍布斯（Thomas Hobbes, 1588-1679）在《利維坦》（*Leviathan*）一書中提出社會契約論，主張在不受權威治理的自然狀態下，人為了爭奪資源會導致每個人都與所有其他人為敵，因此個人需要將自己的自然權利交付給某個威權，建立社會契約，才可能維持秩序。

針對勞動階級的男性和女性語言模式的研究顯示，女性使用的方言比男性更接近標準英語（支配性規範）。造成這種差異的原因是，勞動階級的男性比女性更穩固深植於主張平等的工人次文化中，反之，女性則更急於避免被支配文化汙名化的語言模式（比如雙重否定）。然而，更切合我們研究目標的重點是，女性以為自己的說話方式比她們實際的說話方式更標準，而男性以為自己的說話方式比實際的更非標準。男性在某種程度上渴望比實際情況更頻繁地使用勞動階級的語言模式，這證實了男性之間勞動階級慣用語法的「隱性威望」（covert prestige）。勞動階級文化抵抗他們上級者的慣用語法所造成的壓力，抵抗學校制度、廣播和電視促進的標準化，已經發展出自己有力的制裁方法，防止語言團結逐漸鬆懈。因為勞動階級英語和標準英語都適合用來溝通多數的想法，方言在此的作用是某種道德論述，公開表達對自己勞動階級伙伴的認同感和歸屬感，對抗中產和上層階級。任何在語言上背叛勞動階級方言的徵兆，都會被解讀成是更廣泛變節的洩密跡象。

從屬者次文化擁有的社會權力幾乎必定比支配文化少，那麼這個次文化是如何實現高度一致性的呢？這個問題的答案無疑在於從屬次文化可以用來獎勵遵守其規範的成員，並懲罰違規成員的社會誘因和制裁。如果從屬次文化要有任何影響力，這些制裁就必須至少抵消來自上級的壓力。在此有個社會事實至關重要，那就是在歷史上，奴隸、農奴、賤民和多數的勞動階級成員多數時間都生活在菁英直接視線之外的家戶和社區內。就算是在工作時間，假設他們不是各自工作，他們也同時受到同儕工人和老闆的監視。從屬群體會在這種文化鬥爭（*kulturkampf*）中自己巡邏，挑出任何擺架子、否認自己出身、看似漠不關心、試圖親近菁英的工人。用來制裁他們的作為可能包含略表反對，到完全排擠，再到肢體的恐嚇和暴力。

在從屬群體內受從眾壓力監督的不只有言說行動，還有各式各樣從屬者認為會傷害他們集體利益的作為。胡安・馬提尼茲—阿列爾（Juan Martinez-Alier）描述，在佛朗哥（Franco）統治西班牙期間*，在農業勞工之間，工會的概念傳達出團結的共同理想。[38]就像我們剛討論過的勞動階級方言，儘管勞工——鑑於背棄盟友的誘惑——並不總是虔誠地遵從工會，但無論如何仍對行為造成顯著的影響。工會下令，如果有人同意按件計酬，或願意領低於最低薪資的工資，將會遭到公開鄙視排擠，並被視為無恥之人。工會命令，工人要在他們的村莊等待工作機會（而不會不得體地爭先恐後前往莊園），他們不得同意分糧，他們也不能為了得到工作而出比同儕勞工更低的價錢。違反這些命令的勞工不僅要擔憂遭受大量羞辱，更可能會面臨傷害身體的報復。

一如阿列爾在安達盧西亞勞工的例子中提到的，創造並維持這種一致性的是共同的語言使用。勞工在公開場合碰到地主時會尊重以待，但在背後卻大肆辱罵他們，替他們取嘲諷的綽號。勞工會在私底下嘲笑菁英強制在官方公開表達時，把分糧委婉地說成「分享」

* 譯注：指一九三六至一九七五年西班牙受法蘭西斯科・佛朗哥（Francisco Franco）獨裁統治的時期。

（*comparticipazione*）。勞工間還流傳著關於國民警衛隊（*guardia civil*）成員和神父的誹謗傳聞。激起階級仇恨的不只有不平等和支配，還有生動傳達不公義情況的笑話、故事和諷刺詩：「當我們在吃美味的刺薊和可口的雜草，他們（富人）在吃致命的火腿和骯髒的香腸。」[39]我們可以從這類語言使用和共同的社會觀點中，看見從屬群體成員進行文化工作的明確證據。

這種衝突軍事作戰般的細節並不光彩。首先，我們必須記住除了與敵人交戰外，自己的部隊必須紀律嚴明，在背叛的誘惑如此強大的情況下尤其如此。儘管支配者可能更常運用公開的暴力、威嚇和經濟力量關係，但讓從屬者團結一致的**綜合**誘因中可能包含更多同儕壓力。然而，就算是在從屬者之間，當背叛的代價看似極為高昂，暴力關係就鮮少缺席。糾察線的工人攻擊工賊，或南非黑人城鎮中殺害嫌疑警員都是例證。然而，從屬群體內部多半很少擁有強制力可以有效運用，他們所擁有的力量往往是要依賴從屬者間基本的普遍共識才能發揮作用。團結一致反而是高度仰賴社會壓力才得以成形。即使同儕間的社會壓力具有**相對**民主的面向，這些社會控制的機制依然令人痛苦，也經常醜陋不堪。誹謗、人身攻擊、八卦、謠言、公開鄙視的姿態、排擠、咒罵、背後中傷、逐出群體，這些只是部分從屬者能夠用來影響彼此的制裁手段。在任何關係緊密的小社群中，聲譽會造成非常實際的後果。一戶農家如果被他們同村的村民鄙視，就不可能在收成時換工互助、借用役用動物、小額借貸、替他們的子女找結婚對象、避免他們的穀糧或家畜遭受少量偷竊，甚至無法有尊嚴地埋葬他們的死者。總體而言，這類制裁顯然具有強制力量，但再次強調，這些手段需要一定程度的普遍共識，才能達成他們強迫不團結者歸隊的目標。

因此從屬者間如果實現團結的話，很矛盾的是唯有透過一定程度的衝突才能實現。特定的社會衝突形式絕對不是不團結和衰弱的證據，而很可能是維護團結且活躍積極的社會監控的徵兆。最精闢闡述此一原則的莫過於錢德拉・賈亞瓦德納（Chandra Jayawardena）關於加勒比海地區一群坦米爾（Tamil）種植園勞工的傑出研究。[40]他們的社群完全由種植園聘雇的家族組成，因此幾乎無差別地受相同的權威結構控制。他們發展出高度的團結，以爆發暗中協力合作的集體暴力為特色，而且沒有可辨識的領導階層或預先準備。團結背後有種名為「伙伴情誼」（*mati*）嚴格平等的社會關係意識形態在支撐。儘管上級者渴望管理勞動力，從中培養出通敵合作和寵信的工人，但這種意識形態仍維繫了基本的團結。這個例子就像任何其他例子一樣，意識形態工作和一系列的舉措連結在一起，這些舉措的目的是要避免內部地位或收入差距擴大，以免削弱社群對外時的團結。[41]這些舉措包括謠言、個人爭論、妒忌，甚至是大多關於違背伙伴情誼的訴訟案件。一如賈亞瓦德納適切地描述，「這些爭執顯示出社群連結的強度，而非薄弱。」[42]從我們的角度來看，爭執不僅表明社群的連結，更是創造和強化這些連結的核心。因此，支配形式會創造出異議隱藏文本的社會性場域，這種說法將會有所誤導。更正確的說法是支配形式會創造出某些產生隱藏文本的可能性。這些可能性是否實現和如何表達，都取決於從屬者奪取、捍衛和擴大正規權力場域的持續能動性。

支配菁英和從屬者之間社會文化隔閡的存在，有利於發展出濃厚堅韌的隱藏文本。關於權力關係有個諷刺的現象，支配者要求從屬者的表現在從屬者手中可能會變成一道幾乎實心的牆，讓菁英無法看見無權者的自主生活。

在最顯著的情況下，可能會打造出全面的假象，保護另一側的現實不被察覺。舉例來說，在受殖民的寮國，偶爾造訪的法國官員要求山村要推派一位村長和幾位長老，以便和他們商討事務。寮國人的回應似乎是創造出一組沒有地方影響力的假貴族，但在殖民官員面前扮演成**那些**地方官員。在這計策背後，受人敬重的地方人士繼續管理地方事務，包括假官員的表演。[43]寮國的例子只是其中一個比較引人注目的例子，長久以來，東南亞的村莊都努力透過將土地所有權、親屬關係、收入、作物產量、家畜和派系嚴格保密，和具有威脅性的政府保持一定距離。達成這個目標的最佳方法往往是將與政府的接觸限縮至最低限度的奉命演出。

更常見的情況是，運用公式化且持續的服從可以打造一道無法穿越的社會屏障，而因為利用支配者堅持的那些遵從行為，這道屏障變得遠更穩固耐久。為此目的蓄意利用服從可能帶有進攻的意味，一如拉爾夫・埃利森（Ralph Ellison）的小說《看不見的人》（*Invisible Man*）中祖父在臨終時的建議：「把頭伸在獅子的嘴裡過活。我要你用順從來戰勝他們，用笑容削弱他們，至死至亡都要同意他們，讓他們把你生吞下肚，直到他們嘔吐或爆炸。……要教會年輕人這個道理。」[44]從屬群體膚淺的官方表演所築起的高牆，經常會透過假裝無知來補強。如同表演，支配者也會意會到他們的無知是蓄意所為，意圖阻撓命令或隱瞞資訊。一名南非白人（Afrikaner）談到他社區的有色人種居民時，表示他明白這種無知的利用價值：「那些黑人已經學會一件事——裝傻。他們可以藉此達到不少目的。我自己沒有真正了解他們。我也不認為我可能做得到。他們雖然和我交談，但我們之間總是隔著一道牆——我對牆外的世界一無所知。我可以認識他們，但我無法了解他們。」[45]透過裝傻，從屬者有創意地利用意圖將他們汙名化的刻板印象。如果他們被認定是愚笨的，而直接拒絕又會帶來危險，那他們就可以用無知來掩飾拒絕。農民系統性地利用無知來阻礙菁英和政府的做法，促使艾瑞克．霍布斯邦（Eric Hobsbawm）主張，「拒絕理解是一種階級鬥爭的形式。」[46]

我忍不住想進一步推論，菁英蓄意和下級者保持的語言和社會距離可能會如何被後者有創意地利用。統治階層費盡心力制定出能夠盡可能明確區隔他們和較低階層的說話、穿著、消費、姿態、舉止和儀節風格，這是他們自稱優越不可或缺的一部分。在種族、殖民或以地位為基礎的社會階層中，這種文化隔離也會為了避免玷汙而防止階層之間的非官方接觸。一如布赫迪厄所強調的，這種獨特性和隔離狀態會創造出一種菁英文化，宛如難以辨認的「象形文字」，讓從屬者無法輕易模仿。[47]他沒能注意到的一點是，在創造出下級者幾乎無法參透的菁英文化的同一過程中，也會助長發展出上級者難以理解的從屬文化。事實上，正是這種從屬者間密集社會互動的模式，再加上和上級者極為有限的正式接觸，促進了獨特次文化和伴隨而來的歧異方言蓬勃發展。

隱藏文本凝聚力的社會學

特定從屬群體成員之間共享的隱藏文本有多麼凝聚團結?這個問題不只是換句話在詢問特定隱藏文本和從屬群體的幕前表現差距有多大。一如我們所見,公開行動和幕後論述之間的差異大多取決於支配的嚴重程度。在其他條件不變的情況下,支配愈違背意願、愈屈辱、愈繁重、愈剝削,就愈容易孕育出與官方主張截然相異的對立論述。

詢問隱藏文本多麼團結,等同於在詢問從屬關係通過的社會透鏡具有何等決定性力量。如果從屬者完全原子化,當然就沒有可以聚焦重要集體敘述的透鏡。然而,除了這種有限的案例之外,隱藏文本的凝聚力似乎是以支配的同質性和受害者本身的社會凝聚力為基礎。

在理解促進團結的隱藏文本發展的條件時,我們可以受益於解釋西方勞動階級好鬥性和凝聚力不同之處的悠久研究傳統。大膽地說,那方面的研究說明了「命運共同體」的成員最有可能形成明確敵對他們雇主的共識,並團結行動。[48]舉例來說,比較世界各地工人的罷工傾向後,會發現諸如礦工、商船船員、伐木工人和碼頭工人等職業團體在這方面遠比平均更為好鬥。我們不難看出這類群體和一般勞動階級的差異何在。他們工作的特色是具有異常高度的人身危險,並且需要相應程度的同志情誼和互助合作才能將危險降至最低。簡言之,他們必須仰賴他們的同事工人才得以保命。其次,礦工、商船船員和伐木工人工作和生活的地點在地理上相對孤立,遠離其他工人和階級。在伐木工人和商船船員的例子中，他們甚至在一年中的多數時間都和他們的家人分隔兩地。因此，這些職業的特徵是其社群和工作經驗的同質性和孤立性、他們緊密的相互依賴性，以及業內的差異性（和向外的流動性）相對較低。這類的條件非常有利於最大化他們次文化的凝聚力和團結力。他們幾乎就像另一個種族。他們全都受制於相同的權威，承受相同的風險，幾乎只和彼此打交道，並且仰賴高度的共同性。因此我們或許可以說，對他們而言，社會生活的所有面向——工作、社群、權威、休閒——都有利於強化和凝聚階級焦點。反之，某個勞動階級如果生活在混居社區、從事不同工作、沒有高度互相依存、休閒活動多元，他們的社會生活便會大大有利於分散他們的階級利益和社會焦點。

於是，命運共同體社群能夠創造出獨特團結的次文化也就不足為奇了。他們發展出「自己的符碼、神話、英雄和社會標準」。[49]他們發展隱藏文本的社會性場域本身就一致且凝聚，受到強而有力的相互制裁約束，而能夠和敵對的論述保持一定距離。如此高道德密度發展的過程類似於某種獨特語言方言發展的過程。方言是在一群語言使用者頻繁和彼此來往，但鮮少和外人互動的情況下發展出來的。他們的語言模式逐漸偏離根源的語言，而的確，如果這個過程持續得夠久的話，其根源語言的使用者會變得無法理解他們的方言。[50]

透過類似的方式，從屬者間的隔離狀態、處境的同質性和相互依賴有利於發展獨特的次文化——通常帶有「我們對抗他們」的強烈社會意象。當然，一旦此事發生，獨特的次文化本身就會成為一股社會團結的強大力量，共同的世界觀將會居中影響往後的所有實際經驗。然而，隱藏文本從未成為獨立的語言。光是因為隱藏文本是持續和支配價值觀對話——更精確地說是爭論——就足以確保隱藏和公開文本會保持在彼此能夠相互理解的狀態。

注釋

1. Sharon S. Brehm and Jack W. Brehm, *Psychological Reactance: A Theory of Freedom and Control.*
2. 同前注，頁396。
3. Jones, *Ingratiation*, 47-51. 關於以大同小異的方式遭到阻撓和釋放的攻擊行為研究，參見Leonard Berkowitz, *Aggression: A Social Psychological Analysis*。
4. 參見Winn, *The Manipulated Mind*。我們認為的自由選擇所衍生的行動會造成相反的效果。當我們自願投入行動，但最後發現與我們的價值觀不符，我們就更有可能會重新評估我們的價值觀，使之與我們的行動更一致。這個過程在史丹利．米爾格蘭的著名實驗中非常顯而易見，主持實驗的專家要求或命令志願者，對看似感到疼痛的對象執行他們認定的嚴重電擊。雖然自願參與的實驗對象顯然不情願，但服從率普遍偏高；他們出現流汗等明顯的緊張跡象，而權威人士離開房間時，許多人只假裝執行電擊。他們服從的關鍵顯然在於他們一開始是自願參與的。那些志願者愈沒有因為參與而得到完善的補償，會導致他們想出愈具說服力的理由，說服自己為什麼那些受害者應該被電擊。他們更需要向自己辯解。非志願者和志願者之間存在如此鮮明的差異和我們的常識認知一致。監獄和嚴格的男女修道院中的剝奪情況大致相當。然而，前者的囚犯孤立且懷抱敵意；他們不是自願到那裡去的。後者的修士致力於接受他們被剝奪的情況，因為這是自由選擇的奉獻投入。參見Philip G. Zimbardo, *The Cognitive Control of Motivation: The Consequences of*

Choice and Dissonance, chap. 1。

5. 這個重點也是傅柯著述中的一個重要主題。「哪裡有權力，哪裡就有抵抗；但是，這個抵抗從來不在核力關係之外。」出自*The History of Sexuality*, vol. I, *An Introduction*, trans. R. Hurley, 95。在我看來，只要我們謹記兩個重點，這是相當合理的推論方式。第一點，傅柯的陳述反之也同樣合理：「權力的存在從不會與抵抗無關。」支配形式需要設計、闡述和辯解，正是因為試圖讓其他人屈從自己的意志總是會遭遇抵抗。第二點，我們不應該假設，我們分析中的真實對象完全不會談論任何支配和抵抗以外的事。

6. Richard Sennett and Jonathan Cobb, *The Hidden Injuries of Class*, 97.

7. 同前注，頁115。在每個例子中，這些桑內特對談的對象都認同了工廠內階層制度的邏輯，或甚至其必要性，但這仍是他們工作中最厭煩的面向。

8. 同前注，頁139。

9. Osofsky, *Puttin' on Ole Massa*, 80-81.

10. 舉例來說，可以參考賤民描述在他們自己的家門前，在自己的家人、小孩和鄰居面前被辱罵時所感受到的屈辱。參見Khare, *The Untouchable as Himself*, 124。

11. 最後提到的這種對象顯然和以下這種情況有關：受害的從屬者看見他們的加害者反而受其上級者公開羞辱時，會感受到強烈的愉悅。一旦從屬者看見他的上級者公然受辱，就算這在本質上並沒有改變他們的權力位置，但某些東西已經不可挽回地改變了。

12. 尤爾根・哈伯瑪斯將他關於「理想言說情境」的理論建立在類似的假設基礎上，假定任何形式的支配都會妨礙正義社會所必備的自由平等論述。此外，他主張理想言說情境不過是任何為溝通所付出的努力背後的實際假設，因此具有普世性。我的論點不需要這種宏大的假設，更別提哈伯瑪斯的傾向了，他看待公民和政治社會的方式，彷彿認為社會應該像完美的研究生研討會。參見Habermas, *The Theory of Communicative Action*, vol. 1, *Reason and the Rationalization of Society*, trans. Thomas McCarthy；亦可參見尤爾根・哈伯瑪斯著作的第四章。

13. 除非特別注明，本段的素材都是取自Raboteau, *Slave Religion*, chaps. 4, 5。

14. 同前注，頁294。

15. 同前注，頁291。

16. 我們在零星碎片中重新找回這種否定模式——瞥見大多隱藏在白人視線之外的一個世界。我們在內戰後得到的證詞說明了許多奴隸虔誠地祈禱北方勝利；然而，戰爭期間鮮少有白人知道此事。當南方其實在戰爭中暫居下風的局勢逐漸明朗，奴隸就變得更加大膽：他們更多人逃跑，他們更固執地在工作上偷懶，他們更常回嘴。因此，有名喬治亞州（Georgia）的奴隸描述，他在接近戰爭尾聲被他的男主人和女主人要求他祈禱南方邦聯（Confederate）勝利時，他說他服從他的兩位主人，但他不會違背他的良心祈禱，並希望他和「所有黑人」都能得到自由。唯有南方邦聯的權力瓦解，他才能如此公開宣告。因為正如Raboteau所意識到的，「他公開高喊他私下在夜深人靜時重複的禱告，也就是他聲稱是自己的禱詞。」出自*Slave Religion*, 309。我們的注意力因此不只聚焦在否定支配的宗教理據的能力，也聚焦在社會秩序深處、讓這類否定得以表達和表現出來的社會性場域。

17. 出自J. F. Taal, "Sanskrit and Sanskritization"。亦可參見Bernard Cohn, "Changing Traditions of a Low Caste" in *Traditional India: Structure and Change*, ed. Milton Singer, 207; Gerald D. Berreman, "Caste in Cross Cultural Perspective," in *Japan's Invisible Race: Caste in Culture and Personality*, ed. George DeVos and Hiroshi Wagatsuma, 311，以及Mark Jürgensmeyer, "What if Untouchables Don't Believe in Untouchability?"。有些標準文獻反對此處的論點，並同意「意識形態收編」，其一可參見Michael Moffat, *An Untouchable Community in South India: Structure and Consensus*。

18. 某些社會心理學實驗說明了要在沒有一定社會性支持的情況下，堅持任何判斷有多麼困難，這些實驗間接證實了抵抗之共同性的重要。其中最簡單的實驗牽涉到判斷兩條直線孰長孰短，實驗者的暗樁全都蓄意堅稱兩條線中較短的那條其實比較長。在這樣的情況下，多數的實驗對象都無法獨排（錯誤的）眾議，於是公開同意其他人的意見。然而，只要有一位實驗者的暗樁反對其他人，實驗對象就會恢復我們想像中他的原始認知，並加入異議的陣營。要打破遵從輿論的壓力，似乎往往只需要一位同伴便已足夠。雖然這些實驗幾乎沒有複製我們所直接關注的支配情境，但確實指出獨排眾議是多麼困難的事，而異議甚至只需要最小的社會空間，抵抗的次文化也可以在其中成形。參見Winn, *The Manipulated Mind*, 110-11。

19. 齊坦姆的訪談引自Norman Yetman, ed., *Voices from Slavery*, 56。

20. 要發展這類的祕密手勢和符碼可能需要幕後的環境，好讓從屬者可以在支配者眼皮底下使用前，產出這些表達方式，並賦予其共同的意義。

21. "From Lollards to Levellers," 87.

22. *The Making of the English Working Class*, 51-52. 湯普森描述十八世紀的盜獵和農村財產權的鬥爭時指出，分散且隱蔽的住宅一直都被視為有利於不法活動，因此耗費大量心力在圈地上，以利強迫人口進入村莊。E. P. Thompson, *Whigs and Hunters: The Origin of the Black Act*, 246.

23. 引自Burke, *Popular Culture in Early Modem Europe*, 109，以及Colin Campbell, *Toward a Sociology of Irreligion*, 44。

24. *The Politics and Poetics of Transgression*, 80. 有份研究深具洞察力地探討了莎士比亞時期和他的劇作中啤酒酒館的文化意義，參見Susanne Wofford, "The Politics of Carnival in Henry IV," in *Theatrical Power: The Politics of Representation on the Shakespearean Stage*, edited by Helen Tartar。

25. 這裡我所謂的「姿態」是要喚起對公開文本的身體姿勢和姿態的注意。一如巴赫汀的理解，嘉年華會有個必不可少的元素是從幕前表演的沉重壓力中獲得身體的釋放。在這個脈絡下，我想起我們經常可以在奴隸不受監控時的慶祝和宗教儀式上，注意到歡騰喧鬧和身體精力充沛的展現。在此，放假學童的類比或許能夠有所啟發，畢竟他們在教室裡以從屬者身分表現時，身體也受到嚴格限制。強制控制身體、聲音和表情時，可能會創造出某種身體的隱藏文本，並在活動中釋放。

26. Stuart Hall and Tony Jefferson, *Resistance Through Rituals: Youth Subcultures in Post-war Britain* (London: Hutchinson, 1976), 25-26.

27. "How to Make a Democratic Revolution: The Rise of *Solidarnosc in Poland*," MS, chap. 5, pp. 29, 34.

28. *The Sociology of Religion*, 126.
29. 當然，他可能有很多理由得去掩蓋或掩飾他的訊息，以避免上級者的報復。第六章主要都在探討這個議題。儘管如此，這裡的重點是，比起聘雇來專門為親王演唱讚揚歌曲的吟遊詩人，對著從屬者觀眾吟唱的吟遊詩人的曲目會更符合隱藏文本。
30. "Icon and Ideology in Religion and Rebellion, 1300-1600: Bayernfreiheit and Réligion Royale," in *Religion and Rural Revolt: Papers Presented to the Fourth Interdisciplinary Workshop on Peasant Studies*, ed. Janos M. Bak and Gerhard Benecke, 31-61.
31. 更詳盡的敘述可參見David Warren Sabean, *Power in the Blood: Popular Culture and Village Discourse in Early Modem Europe*, chap. 2。
32. 這個論點最具說服力的擁護者是Frank Hearn。參見*Domination, Legitimation, and Resistance: The Incorporation of the 19th-Century English Working Class*；以及他的"Remembrance and Critique: The Uses of the Past for Discrediting the Present and Anticipating the Future," *Politics and Society* 5:2 (1975):201-27。雖然霍嘉特的*The Uses of Literacy*是針對二十世紀，但多數的論述也可以用相同的方式來解讀。
33. 在這方面，那些在工業化西方國家的新興無產階級被剝奪他們社會行動的農村網絡，他們的支配者是在類似的不利條件下操作，但奴隸主的程度遠更極端。
34. 這裡和接下來的論點除非特別提及，否則都是取自Craton, *Testing the Chains*, chaps. 3-8。
35. *Greedy Institutions: Patterns of Undivided Commitment*, passim.
36. 同前注，頁144。亦可參見Rosabeth Moss Kanter, *Commitment and Community: Communes and Utopias in Sociological Perspective*。
37. Trudgill, *Sociolinguistics*, chap. 4. 主要負責多數關於階級、種族和方言議題研究的是William Labov。
38. *Laborers and Landowners in Southern Spain*, chap. 4
39. 同前注，頁208。

40. “Ideology and Conflict in Lower Class Communities.”

41. 儘管齊頭式的社會平等可能有助於團結，但確實會涉及對差異的壓抑，因此也會壓抑天賦，和自由意識形態牴觸。這種齊頭式平等經常會迫使工人要在工作表現突出和維持同事的友誼之間抉擇，或是迫使下層階級的學生要在好成績和同學的尊敬之間抉擇。相關例子可參見Sennett and Cobb, *The Hidden Injuries of Class*, 207-10。

42. “Ideology and Conflict,” 441.

43. Jacques Dournes, “Sous couvert des maîtres.”

44. 頁19。

45. 引文出自Vincent Crapanzano, *Waiting: The Whites of South Africa*。可以比較巴爾札克《農民》頁34的段落——「『主人，我不知道。』查理（Charles）一臉愚笨地說，僕人可以如此裝傻來掩蓋對上位者的拒絕。」

46. “Peasants and Politics,” *Journal of Peasant Studies* 1:1 (October 1973): 13.

47. *Distinction: A Social Critique of the Judgement of Taste*, 41.

48. Arthur Stinchcombe, “Organized Dependency Relations and Social Stratification,” in *The Logic of Social Hierarchies*, ed. Edward O. Laumann et al•, 95-99; Clark Kerr and Abraham Siegel, “The Inter-Industry Propensity to Strike: An International Comparison,” in *Industrial Conflict*, ed. Arthur Kornhauser et al•, 189-212; D. Lockwood, “Sources of Variation in Working-Class Images of Society”; Colin Bell and Howard Newby, “The Sources of Agricultural Workers’ Images of Society.”

49. Kerr and Siegel, “The Inter-Industry Propensity to Strike,” 191.

50. 這個過程類似於植物相內的物種形成，如果和整體物種遺傳群體的隔離程度夠高，就會逐漸分支發展，直到差異大到阻礙雜交受精，新物種誕生。因此，比方和鳥類相比，野花的相對孤立狀態導致野花的地方物種形成更加蓬勃。

第六章　支配下的抗議：政治掩飾的藝術

用彎棍揮出筆直的一擊。

——牙買加奴隸諺語

透過伸張語言，我們將之扭曲到足以掩飾和隱藏我們自己，而主人則會壓縮語言。

——惹內《黑鬼》（*The Blacks*）

孩子啊，你們絕對不能正面迎擊，你們太弱勢了；相信我，要從側面襲擊。……要裝死，假裝是沉睡的狗。

——巴爾札克《農民》

從屬群體絕大部分的政治生活，既非集體公然挑戰政府，亦非完全服從霸權，而是位處這兩個極端之間的廣大領域之中。這兩極間的領域地圖目前造成了一些風險，會讓人以為其中只有一方面具說服力（但可能是假裝）的幕前表演，以及另一方面相對不受拘束的幕後隱藏論述。那樣的印象將是嚴重的錯誤。我在這章的目標是要將注意力轉移到從屬群體各式各樣的策略，他們藉此設法將經掩飾的抵抗巧妙融入公開文本之中。

若說從屬群體通常都會以隱晦著稱——他們的上級者經常將其隱晦視為狡猾欺騙——這肯定是因為他們的脆弱讓他們幾乎無法奢望正面對決。因此，無權者不得不自制和迂迴，和掌權者較不受拘束的直接態度形成鮮明對比。舉例來說，我們可以比較決鬥的貴族傳統，以及黑人和其他從屬群體面對辱罵時保持自制的訓練。再也沒有比美國黑人青年之間「語言羞辱遊戲」（dozens）或「髒話羞辱遊戲」（dirty dozens）的傳統更顯而易見的自制訓練了。語言羞辱遊戲由兩名黑人參與，輪流押韻羞辱對方的家人（尤其是母親和姊妹）；若要得勝，就從頭到尾不能發脾氣和動手，而是不斷想出更機智的羞辱，如此才能贏得這場純粹言語上的決鬥。當貴族受到的訓練是要將所有嚴重的言語羞辱轉移到致命決鬥的場地，無權者受到的訓練則是要承受羞辱而不動手反擊。一如勞倫斯・萊文（Lawrence Levine）的觀察，「語言羞辱遊戲被用來當作一種機制，教導和增強控制情緒和憤怒的能力。」[1] 有證據顯示，許多從屬群體都發展出類似的辱罵儀式，無法自制時就代表失敗。[2]

這類儀式必然包含口語能力訓練，讓弱勢團體不僅能夠控制他們的怒氣，也能夠在公開文本內進行等同於掩飾的尊嚴和自我主張論述。為了完整勾勒出在這模糊不清的領域上的意識形態鬥爭模式，就需要關於「支配下的抗議」（voice under domination）的精細理論。[3]儘管在此無法完整分析支配下的抗議，但我們可以探討為了安全考量而掩飾、削弱和掩蓋意識形態抵抗的方法。

要了解在這個政治空間內未經宣戰，但如火如荼進行的意識形態游擊戰，我們就必須進入謠言、八卦、掩飾、語言把戲、隱喻、委婉表達、民間故事、儀式性手勢和匿名性的世界。基於充分的理由，這裡沒有任何事物是完全坦率的；從屬群體所面對的權力現實意味著他們的許多政治行動都需要解釋，這恰恰是因為其行動全都刻意要隱密難解。在近代發展出制度化的民主規範之前，這個曖昧不明的政治衝突領域——反叛除外——正是公開政治論述的場域。對世界上許多當代的臣民來說，公民身分充其量只是一種烏托邦的嚮往，這點依然成立。因此，珍·可馬洛夫在描述南非茨瓦納人獨特的基督教信仰和實踐時，將「這類反抗必然必須保持隱蔽和加密」視為已知事實。[4]歷史學者湯普森指出，遲至十八世紀的英格蘭，壓制舉措仍杜絕較低階級直接的政治表述；取而代之，「民眾表達政治同情時，較常拐彎抹角、使用象徵，並且太過含糊而無法遭受起訴。」[5]尚待具體說明的是，從屬群體儘管極度不利，仍成功讓異議和自我主張滲透進公開文本的技巧。

我認為，透過辨認無權者在隱藏文本的安全範圍之外必須採取的掩飾手段，我們便能察覺到公開文本中與權力的政治對話。如果可以證實此一主張，那麼許多歷史上重要從屬群體的隱藏文本實際上已無法復原的事實至關重要。然而，可以得知的往往是他們得以用削弱或掩蓋過後的形式引入公開文本的訊息。[6]如此一來，我們在公開文本中所面對的是一種關於正義和尊嚴、古怪的意識形態辯論，權力關係導致其中的一個陣營嚴重的語言障礙。如果我們想要聆聽這一方的對話，我們就必須學習他們的方言和符碼。最重要的是，要恢復這套論述需要理解政治掩飾的藝術。懷抱這樣的目標，我最先探討的是基本或基礎的掩飾技巧：匿名、委婉表達和我所謂的「嘟囔」（grumbling）。接著，我會轉向探討可以在口傳文化、民間故事、象徵性顛覆中，最後是在諸如嘉年華這類翻轉的儀式中，更複雜、文化上更精細的掩飾形式。

基礎的掩飾形式

就像在嚴格審查制度下審慎的反對派報紙編輯，從屬群體必須找到傳達他們訊息的方式，同時想辦法待在法律許可的範圍內。這需要實驗精神，以及測試和利用所有他們可用的漏洞、含糊表達、沉默和輕微過失的能力。這意味著要以某種方式設定一條路線，遊走在權威當局不得不允許或無法預防的範圍邊緣。這意味著要在除非完全由上級者精心安排，否則原則上禁止公共政治生活的政治秩序中，為他們自己開拓出脆弱的公共政治生活。在後文中，我們會簡略探究一些掩飾和隱瞞的主要技巧，並建議可以如何解讀之。

在最基礎的層次，這類技巧可以分成掩飾訊息和掩飾訊息傳遞者兩種類型。打個比方，這方面的極端對比可能一端是一名奴隸在說「是的，主人」時的語氣似乎略帶諷刺，而另一端則是同一名奴隸向同一名主人匿名發出直接的縱火威脅。在前者的例子中，採取行動的從屬者身分可以識別，但他的行動可能太過模稜兩可，無法被權威者控訴。在後者的例子中，威脅再明確不過了，但發出威脅的從屬者（們）隱藏了起來。當然，也可能同時掩飾傳遞訊息者和訊息本身，例如在嘉年華期間，蒙面的農民隱晦但具威脅性地羞辱一名貴族。如果在這類例子中的傳遞訊息者和訊息都公開揭露，那麼我們可能就進入直接對抗（也可能是反叛）的範疇了。

隱瞞的實際方式僅受從屬者的想像能力限制。然而，如果政治環境極具威脅性且極度專制，隱藏文本的元素及其承載者若要成功侵入公開文本，可能就需要掩飾得更多。在此最重要的是，我們必須意識到，要進行掩飾就得仰賴對於所操縱的意義符碼機敏且穩固的理解。我們無論如何都難以高估這種操縱的精妙程度。

兩個當代東歐的例子可以用來說明，誇大的順從和再平凡不過的行為，如何在經過普及並加密後，可以構成相對安全的抵抗形式。捷克作家米蘭．昆德拉（幾乎毫無掩飾）自傳式地描述他在政治犯懲戒部隊中的經驗時，提到軍營衛兵組織的一場親自對抗囚犯的接力賽跑。[7]囚犯知道衛兵期望他們會輸，於是演出一場過度努力的精巧鬧劇，刻意輸掉比賽來破壞表演。透過將順從誇大到嘲諷的程度，他們公開展現對該活動的鄙視，同時讓衛兵難以採取行動對抗他們。他們具有象徵性的小勝利帶來真正的政治影響力。一如昆德拉所述，「那次溫和破壞接力賽跑的經驗鞏固了我們團結一致的精神，也激發出一陣騷動。」[8]

第二個例子來自波蘭，規模較大，也比較有所計劃。一九八三年，沃伊切赫·賈魯塞斯基將軍（General Wojciech Jaruzelski）為了打壓獨立工會團結工聯（*Solidarnosc*）而宣布戒嚴後，馬茲城（Lodz）的工會支持者發展出一種謹慎抗議的獨特形式。他們決定，為了展現他們鄙視政府官方電視新聞所傳播的謊言，所有人每天都要在恰好新聞播放的時間去散步，並且反戴帽子。不久後，整座城鎮的居民幾乎都加入他們的行動。政權的官員當然知道如此大規模散步的目的，這已經成為政權反對者強而有力且振奮人心的象徵。然而，每天在這個時間去散步並未違法，就算是一大群人抱持明顯的政治目的這麼做依然如此。[9]透過操縱他們能夠參與的日常活動領域，並賦予其政治意義，團結工聯的支持者用政權不便打壓的方式「示威抗議」。

現在我要來說明一些主要的掩飾形式。

匿名

「其中一位觀眾在解釋為何他沒有在一份仔細打字的訊息結尾署名時（寫道），『這不是這匹狼第一次度過的冬季。』」

——一九八七年十一月莫斯科的時事公開討論

從屬者對掌權者隱瞞隱藏文本的原因多半是出於對報復的恐懼。然而，如果可以在掩飾宣告者身分的狀態下宣告隱藏文本，就能驅散絕大部分的恐懼。意識到這一點的從屬群體已經發展出大量的技巧，用來在促進公開批評、威脅和攻擊時，掩護他們的身分。達成此一目的的重要技巧包括附身、八卦、巫術攻擊、謠言、匿名威脅和暴力、匿名信和匿名大眾反抗。

在許多前工業化的社會中，附身和附身的崇拜儀式非常普遍。附身及其儀式只要存在，經常會提供儀式性場域，讓在其他情況下相當危險的敵意表達可以相對自由地表達。比方說，約安・路易斯（I. M. Lewis）強而有力地主張，在許多社會中，附身代表著女性和受壓迫的邊緣男性群體類祕密的社會抗爭形式，對他們來說，任何公開抗議都格外危險。[10]最後，路易斯的論點隱約採用了我們最初在波伊瑟太太的話語中聽過的水壓隱喻；支配的羞辱會引發批評，如果無法在其出現的地點大膽公開，就會找到經掩飾的安全出口。在附身的情況下，被附身的女性可以公開表明她對她的丈夫和男性親屬的不滿，咒罵他們，提出要求，通常還會違反男性支配的強力規範。她在被附身期間可能會停止工作，收到贈禮，並且普遍受到寬容的對待。因為在行動的不是她，而是附在她身上的靈體，就不能為了她的言論追究她的個人責任。這導致一種間接的抗議，儘管不敢用自己的名義發聲，但往往只是因為主張被認為是出自強大的靈體而非女性本人就會獲得同意。

路易斯將他的論點延伸到許多類似的情況，在那些例子中，從屬群體的任何公開抗議都看似命中注定。他特別研究了印度南部喀拉拉邦（state of Kerala）較高種姓的奈爾人（Nayar）的低種姓僕人附身的事件，他發現不滿和要求在附身的掩護下可以完整表達的相同模式。他直接將附身和剝奪連結在一起：

> 不出所料，這些靈體引發的痛苦折磨，往往會和主僕關係的緊張和不公對待事件同時發生。因此，一如其他例子常見的情況，客觀來看，我們可以認為這些靈體的作用是某種「富人的良心」。祂們邪惡的力量反映出高種姓民族認定較不幸的低種姓在與上級者的關係中，必然懷抱的嫉妒和怨恨感受。[11]

除了嚴格定義的附身外，路易斯聲稱他的分析經常可以適用於狂喜邪教（ecstatic cult）、狂歡教派、酒醉儀式、歇斯底里和維多利亞時代（Victorian）女性的「歇斯底里」症。他發現這些例子的相似之處在於從屬群體表達不滿而個人可以卸責的模式。將這類行為稱為抗議是否合理幾乎是個形而上學的問題。一方面，這些經驗被視為非自願和附身，從未直接挑戰其瞄準攻擊的支配者。[12]另一方面，這類行為提供了某種實際的平反，表達對支配的批評，而在附身崇拜的例子中，經常會創造出受制於這類支配的人之間的新社會紐帶。

路易斯所發現的這些模式之所以非常重要，肯定是因為它們代表了對支配的批評要素，否則這些要素可能根本沒有公開的平台。假設是在路易斯研究的那些情境下，似乎只能在附身這類短暫的抵抗形式和沉默之間抉擇。

八卦可能是掩飾大眾攻擊最熟悉且基礎的形式。雖然八卦不僅限於用在從屬者攻擊上級者的情況，但仍代表著一種相對安全的社會制裁。八卦幾乎是理所當然沒有可辨識的作者，但有眾多熱切的傳播者可以聲稱自己只是在傳遞消息。如果有人挑戰八卦——這裡我所想的是惡意的八卦——所有人都可以拒絕承擔始作俑者的責任。馬來文指稱八卦和謠言的用詞「*khabar angin*」（意為「乘風的消息」）捕捉到了分散責任的特質，而讓這類攻擊得以成功。

和謠言不同的特點在於，八卦的組成往往是旨在破壞某些可辨識人物的聲譽的故事。若說肇事者保持匿名，受害者的身分則顯然十分具體。因為八卦只會在其他人也認為轉述故事對自己有利的範圍內傳播，可以說八卦是某種經掩飾的民主意見。[13]如果大家認為傳播八卦無法讓自己獲益，八卦就會消失無蹤。最重要的是，多數的八卦是關於有人違反社會規則的論述。一個人會因為吝嗇、口出穢言、行騙或衣著等傳聞而聲譽受損的前提是，這類傳聞是在具有人應該慷慨、禮貌發言、誠實和穿著得體等共同標準的群眾內流傳。如果沒有公認的規範標準可以用來評估偏差的程度，八卦的概念就毫無意義可言了。八卦透過援引這些規範標準，並教導任何談論八卦者具體何種行為可能會遭受嘲笑或鄙視，又會反過來強化這些標準。

我們比較熟悉的狀況是，八卦是地位相對平等的一群人之中的社會控制技巧——多數派的典型村落專制——而非由下而上的控制。正如前一章所強調的重點，一般較少認知到的一點是，在這類情況下的八卦、窺探眼神和誹謗比較，恰好有助於維持面對支配外界時的團結一致。大衛·吉爾摩（David Gilmore）在分析安達盧西亞村落——許多村落都有激進的無政府主義歷史——的社會攻擊時，強調了他們團結以同一陣線對抗富有地主和政府的方式。[14]如果受害者的權威沒有太大，談論八卦的眾人會確保他本人知道自己正在受人議論；或許會對人投以嚴厲的目光，或可能在受害者經過街上時，用雙手罩住友人的耳朵竊竊私語。目的是要處罰、懲戒或甚至可能驅逐那名違反規則的人。對抗富人和權勢者時，為了避免主要談論八卦的人被發現後很可能會丟掉飯碗，就必須用更謹慎的方式來八卦。那些在種姓制度底層的人民也經常透過八卦來尖刻批評，藉此破壞高種姓上級者的聲譽。[15]就算是強烈的人身攻擊形式，八卦仍是相對溫和對抗掌權者的制裁手段。其前提是該社群不僅會面對面相處，而且聲譽在其中仍有其重要性和價值。[16]

八卦可能會被視為巫術的語言版本和前兆。在傳統社會中，八卦往往會因巫術而強化——巫術可以說是社會敵意升級的下一步。使用巫術代表試圖比八卦更進一步，並將「嚴厲言語」變成會直接傷害敵人及其家人、家畜和作物的祕密攻擊行動。希望不幸降臨在某人身上這種具有攻擊性的願望（「願他的作物枯萎！」）透過表述性質的巫術，造成傷害的作用。[17]和八卦一樣，但和公開口頭宣戰不同的是，巫術攻擊是祕密進行的，而且總是能夠否認責任。因為脆弱的從屬群體幾乎沒有安全公開的機會，可以挑戰激怒他們的支配形式，巫術在許多層面都是他們經常訴諸的手段。在有巫術習俗的社會中，察覺到下級者對自己極度怨恨嫉妒的那些人很容易就會深信，他們遭受到的任何挫折都是惡毒巫術造成的結果。

謠言是八卦和巫術攻擊的遠房親戚。雖然不必然會針對特定人物，但謠言是強大的匿名溝通形式，能夠為特定利益服務。有份早期的研究強調，謠言最蓬勃發展的情境是發生對人民利益至關重要的事件，而且無法取得可靠的資訊——或只有模糊的資訊。在這樣的情況下，一般會預期眾人會耳聽八方，並熱烈重述任何聽說的消息。於是，戰爭、流行病、饑荒和暴動等危及性命的事件是部分孕育謠言最肥沃的社會性場域。在現代新聞媒體發展以前，以及在現今任何媒體不被信任的地方，謠言可能幾乎是關於外界唯一的消息來源。謠言口傳的過程中會容許修飾、扭曲和誇大，導致謠言極度四散且集體，而沒有可識別的作者。政治敏感的謠言既自主又變化無常，很容易就會激發暴力行徑。一如拉納吉特．古哈指出：「在歷史上，那些會因為反叛而損失最慘重的人以注重壓迫和控制謠言著稱，這明確但間接承認了謠言的力量。羅馬皇帝對謠言敏感到雇用了一整批幹部官員——即『告發人』（*delatores*）——來蒐集和回報流傳的謠言。」[18]

謠言傳播的速度十分驚人。這有部分只是因為連鎖信現象的數學邏輯。如果每個聽到謠言的人都重述兩次，那麼連續十人轉述就會讓超過一千人聽到這則故事。然而，比傳播速度更驚人的是謠言的修飾。舉例來說，一場軍隊中的叛變觸發了一八五七年印度的大起義，古哈解釋了在起義過程中，最初對上油子彈的恐慌*很快變成關於強迫改信、禁止務農、要求所有人都要吃麵包的新法律的謠言。[19]

對我們的研究目標來說，關鍵的事實是修飾和誇大的過程完全不是隨機任意的。謠言在流傳時的改變方式會使之更符合那些聽者和重述者的希望、恐懼和世界觀。有研究者發展出巧妙的實驗證據，以說明傳播謠言的過程必定會流失部分資訊，並且會添加符合傳遞者普遍形態的元素。[20]於是，美國的實驗者展示一張危險的群眾場景圖片，其中一名白人男子拿著一把剃刀對抗一名手無寸鐵的黑人男子。超過一半的白人在轉述該場景時，都將剃刀轉換到黑人男子手中，符合他們對於黑人的恐懼和臆測！黑人受試者則沒有轉移剃刀。謠言似乎不只是在受保護的情況下匿名溝通的機會，更承載了其傳播者可能無法公開承認的焦慮和願望。在這個基礎上，我們必然會預期謠言的形式相當分歧，因流傳圈內的階級、階層、地區或職業而異。

最詳盡的歷史謠言研究——由喬治．勒費弗爾（Georges Lefebvre）彙整而成，追蹤攻占巴士底監獄（Bastille）後的夏天對於君主制擁護者入侵的恐慌——詳細說明了在「大恐慌」（La Grande Peur）期間夢想（和恐懼）實現的作用。[21]法國大革命本身、內亂、飢餓和無家可歸的流浪群體正好提供了那種前所未有的緊張氛圍，異常成為日常，謠言蓬勃發展。而且，在法國大革命前，國王召開一六一四年以來首次的三級會議，並開始收集各界的投訴時，並不非常意外的是，農民的理想化願望和最迫切的恐懼影響了他們對這些舉措背後意義的詮釋：

接著他們不僅受邀選舉出他們的代表，也受邀起草陳情書：國王希望聽見他的子民的真實心聲，好讓他了解他們的苦難、需要和渴望，大概是要讓他能夠革除所有弊端。這件事的新奇發展實在令人吃驚。教會欽定的國王是上帝的助手，他無所不能。向貧窮和痛苦道別。不過，當希望在人民心中油然而生，對貴族的仇恨也隨之湧現。[22]

要判定在這些理想化的解讀中，夢想實現和存心誤會分別占多少比例，並不是件容易的事。然而，可以肯定的是，就像俄羅斯農民詮釋沙皇的願望，他們的詮釋也非常符合他們的利益。我們應該如何理解以下兩段彼時官員對於當時流傳的謠言的描述？

> 實在令人厭煩的是，這些被召集的與會者通常都認為自己被授予某種主權權威，散會後，農民往往會帶著他們從現在起就可以擺脫什一稅、打獵禁令和封建稅賦的想法回家。[23]
>
> 較低階級的人民相信是為了讓王國革新而召開三級會議時，我們就會看見徹底絕對的改變，不僅現存的常規，環境和收入也會改變。……有人告訴人民（原文如此），國王希望人

* 譯注：英國人當時將一種紙匣子彈引入印度，必須用牙齒咬開再裝填進步槍中。印度士兵間流傳該型子彈為保持乾燥塗抹了牛油和豬油，但因為印度教徒不吃牛，穆斯林不吃豬，而引發恐慌。

人平等，他不要主教或地主存在；不再有階級；不再有什一稅或領主權利。所以這些被誤導的可憐人就相信自己是在行使他們的權益，服從他們的國王。[24]

第二個觀察者似乎假設「較低階級」之所以形成極高期望，可以追溯到某種外界的煽動者。無論如何，較低階級顯然相信他們選擇相信的事；畢竟他們大可忽視任何理想化的謠言。當然，在這個例子中，謠言帶來的結果至關重要，可以推動革命向前。事實上，農民大多在革命立法機構做出決議**之前**，就開始不再支付封建稅金，保留什一稅，把他們的牛羊趕到領主的土地上吃草，任意打獵和砍樹。他們在受阻時會抱怨「權威當局正在隱瞞國王的命令，並且說國王樂見他們焚毀城堡。」[25]他們知道過去所有農民起義都是以屠殺作收，因此同時對任何貴族反動、窩藏錢財或反革命計畫的謠言特別警戒。謠言帶來的政治刺激是革命過程不可或缺的一部分。

為什麼受壓迫的群體會如此頻繁在謠言中讀到他們即將解放的徵兆？想要擺脫從屬負擔強大且壓抑的渴望，似乎不僅會鼓舞受壓迫者發展自主宗教生活，也會強烈渲染他們對事件的解讀。加勒比海地區奴隸制度和印度種姓制度的幾個例子可能可以說明此一模式。麥可・克拉頓（Michael Craton）證明了在十八世紀末、十九世紀初加勒比海地區的幾次奴隸反叛，民眾都相當始終如一地深信國王或英國官員已經解放奴隸，是白人在隱瞞這個消息，不讓他們知道。[26]巴貝多（Barbadan）的奴隸在一八一五年開始期待他們會在元旦獲得解放，並採取舉措準備迎接自由。有則謠言動搖了法屬聖多明哥（St. Domingue）殖民地，謠傳國王已經授予奴隸一週三天的假日，並廢除鞭刑，但白人主人拒絕同意他的決定。[27]奴隸將想像的命令視為既成的事實，不服從和抵抗例行工作的事件增加，在短時間內便引發革命，最後將以海地（Haiti）獨立告終。雖然我們對這則謠言的起源所知不多，但多數解放即將到來的暗示背後都有些真實的元素。廢除奴隸制運動、海地革命（Haitian Revolution），以及英國人承諾任何願意在一八一二年戰爭（War of 1812）倒戈加入他們陣營的美洲奴隸可以獲得解放，這些事件全都刺激奴隸想像自由的未來。

一如奴隸，賤民也傾向將謠言解讀成符合他們的希望。如馬克・尤根斯邁爾（Mark Jürgensmeyer）指出，在殖民統治的不同時期，賤民逐漸開始相信總督或他的國王已經提升他們的地位，並廢除賤民身分。[28]除了對英國人的理想化期望外，賤民普遍深信，婆羅門和其他高種姓印度教徒偷走了他們曾經擁有的祕密解放經文。[29]

法國農民、奴隸、賤民、俄羅斯農奴，以及被西方征服擊敗的民族的船貨崇拜（cargo cult）*，這些群體之間的相似之處明顯得難以忽略。從屬族群經常會傾向相信他們的奴役即將終結，神或權威當局已經讓他們的夢想實現，邪惡勢力不讓他們獲得自由，而且這種傾向往往會帶來災難。[30]弱勢群體藉由如此描述他們的解放，來公開表達他們隱藏的渴望，這種方式既能讓

* 譯注：指與世隔絕的原住民族將外來先進的船貨當作神祇的宗教形式。

他們避免承擔個人責任，並且與某種更高的權威結盟，而他們只是在遵從其明確的命令。與此同時，這種徵兆協助激發了無數的反叛，但幾乎全數失敗。社會理論家如果假設霸權意識形態會促使支配自然化，並且認為其他的替代情況都不可能發生，就會難以描述這些從屬群體似乎靠著自己的集體渴望自力更生的時刻。如果受壓迫的群體誤解了這個世界，他們往往會想像他們渴望的解放即將到來，同時將支配具體化。

我們幾乎還沒開始詳盡研究從屬群體運用的許多匿名方式。幾乎無一例外，這些方式隱藏了行為者的個人身分，因此能夠遠更直接地表達出口頭或肢體攻擊。[31]舉例來說，在十八世紀的英國，這些方式在大眾行動中是如此標準的元素，以致於愛德華．湯普森可以極具說服力地談到所謂的

匿名傳統。在完全建立在附庸和依賴關係的社會中，在假裝順從的獎章背後，經常會出現匿名威脅或甚至是個人的恐怖行動。如果在某個社會中，任何對統治權力的公開具名抵抗都可能會導致立即的報復，失去家、工作、租用權，甚至是法律迫害——人往往就是會在這樣的社會訴諸黑暗的行動；匿名信、對存糧或庫房縱火、切斷牛的跟腱、開槍或投擲磚塊破窗、拆除大門、砍伐果園、在夜裡打開魚池的水閘。在白天對大地主畢恭畢敬，因身為服從典範而流芳百世的同一名男子，在夜晚可能會殺死地主的綿羊、誘捕他的雉雞或毒害他

的狗。[32]

湯普森將我會稱作服從表演的公開文本，和匿名言行攻擊的隱藏文本並列，這種做法極具說服力。在一貫具威脅性的匿名信中，我們可能可以讀到我想像中幾乎未經掩飾演繹的幕後言論，並對照官方的表演。因此，有封仕紳打獵導致作物受損而引發的匿名信直言不諱地寫道：「（我們）不會容忍如此可惡、氣喘又肥肚的無賴故意用這種惡劣的方式讓窮人挨餓，好讓他們可以繼續打獵、賽馬等，讓他們的家族保持傲慢和鋪張。」[33]匿名威脅不只是在由衷表達憤怒。最重要的是，無論是以書信或人盡皆知的暗號（插在茅草屋頂上未點燃的火炬、門階上的子彈、屋子周邊的小型十字架和墓穴），這些都依然是威脅，目的是要修正敵人的行為。在湯普森看來，這類行動是在對立的劇場上演的插曲。若說仕紳的庭院、獵場、穿著和教堂的外觀是要威嚇依賴他們的民眾，那麼鄉村窮人的匿名威脅和暴力則是要「讓仕紳、地方法官和鎮長背脊發涼」。[34]

無庸置疑，從屬者個人或集體開始直接攻擊其上級者的財產或人身時，很可能會隱藏他們的身分，採取在夜間行動或喬裝等預防措施。盜獵者、縱火者、煽動性訊息的傳遞者和實際的反叛人士會採取和攔路強盜同樣的審慎措施。我們將在後文談到，在信仰天主教的西方，嘉年華的傳統提供了一種儀式性傳統，允許喬裝和在其他情況下不被容許的直接言行。在威爾斯（Wales）

的麗貝卡騷亂（Rebecca Riots）*或法國反對森林禁令的少女抗議（Demoiselles protests）†中，喬裝成女性的男性無須發明新的傳統。

這兩個例子也說明了，女性在父權秩序中邊緣和無政治傾向的身分地位可以被有創意地利用。農民孤注一擲奮力抵抗史達林的集體化計畫時發現，如果是女性帶頭公開抵抗，就可能可以避免最惡劣的懲罰性報復。接著，男性就可以代表他們受威脅的女性，在更安全的情況下介入。琳恩・薇拉（Lynne Viola）如此解釋：

> 女性農民的抗議似乎已經成為一般農民抵抗相對安全的出口，也是一道屏障，可以用來掩護政治上更脆弱的男性農民，他們無法像女性一樣活躍或公開反對政策而不會面臨嚴重的後果，不過他們可以也確實會沉默威嚇地站在背後，抑或等到抗爭升級到一定程度再參與騷亂，男性可能會以捍衛他們女性親屬的名義加入爭鬥。[35]

更廣義來看，有些大眾集體行動的基礎形式儘管被權威當局視為群眾暴動，但應該也幾乎必定可以視之為策略性地利用匿名掩護。在歷史上，有時不可能永久持續反對運動，但短期的集體行動因為稍縱即逝反而可能成功，而在這類情況下，暴民的大眾政治尤其容易崛起。因此，湯普森得以寫到十八世紀英國群眾「迅速直接行動的能力。身為群眾或暴民的一員是另一種保持匿名的方式，然而如果是長期組織的成員則必定會使人暴露在偵察和迫害的危險之中。十八世紀的群眾非常了解自己的行動能力，以及他們自己尋求實際成果的藝術。他們必定要立即取得成功，否則便將空手而歸。」[36]其他人也針對十八世紀中到十九世紀中的法國都會群眾提出大同小異的論點。沒有任何正式組織，再加上他們行動看似臨時起意的特質，讓他們在有礙絕大多數反對權威當局的其他直接行動方式的權力環境中，適應得格外良好。從這個角度來看，如威廉・雷迪（William Reddy）所述，稱這類事件為臨時起意是「相當不恰當的觀察——除非我們承認參與者本身確實意識到這一點，而且故意不事先籌劃。」[37]

從屬群體很可能是經常故意選擇不事先籌劃的大眾行動形式，以確保匿名性和其他策略上的好處，如果繼續探究這背後的含意，將會重塑我們對大眾政治組織的觀點。傳統上，對群眾的詮釋會強調較低階級相對無能維持任何連貫一致的政治運動——這是他們短視的物質主義（materialism）和短暫激情所導致的令人遺憾的結果。一般期望，最後這種原始的階級行動形式將會被更長久、更有遠見且有領導階層（可能是先鋒黨成員）的運動取代，以尋求根本的政治改

* 譯注：發生於一八四〇年代反對增稅的抗爭，暴民喬裝成女性攻擊收稅員。

† 譯注：發生於一八三〇年代的抗爭，起因是法國政府於一八二七年通過禁止在森林採集、砍伐樹木和放牧的法令，抗議人士扮女裝攻擊大地主、森林衛兵、憲兵等人。

變。[38]然而，如果遠更具策略性的解讀無誤，那麼群眾選擇短暫直接的行動，就幾乎無法代表某種政治失能或無能，而無法採取更先進的政治行動模式。反之，快速的暴民行動所發起的市集暴動、穀糧麵包「定價」暴動、破壞機器、焚燒賦稅清冊和土地紀錄等這類事件，可能代表著大眾的戰略智慧，而這種智慧是在有意識地回應現實所面臨的政治限制的過程中發展出來的。如此一來，未經籌劃、匿名和缺乏正式組織等特質便成為讓抗議變得可行的方式，而非反映出大眾階級缺乏政治天賦。[39]

群眾臨時行動的政治益處隱藏了一種更深層、更重要的掩飾和匿名形式，若沒有這種形式，就無法促成這類行動。雖然群眾行動可能不需要正式組織，但肯定需要有效的協調方式，並發展出一種賦能的大眾傳統。在多數的層面中，傳統群眾行動中顯而易見的社會協調是透過從屬群體成員加入的非正式社群網絡來達成。這類網絡仰賴特定的社群，可能是透過親屬關係、勞力交換、社區、儀式習俗或日常的職業連結（例如捕魚、畜牧）來運作。攸關我們的研究目標的是，這些網絡是社會性深植於從屬社群內部，因此權威當局經常難以察覺，也就無法得知這些網絡「對持續的集體行動不可或缺」。[40]這類集體行動模式自然而然逐漸成為大眾文化重要的一部分，而暴動則變得像是一本劇本——但是部危險的劇本——由一大群保留劇目的劇團演出，其成員熟悉其基本的情節，能夠輕鬆扮演尚待認領的角色。因此，這種匿名的大眾行動完全仰賴隱藏文本的社會性場域的存在，在這樣的場域才能發展出一定程度自主、不受支配菁英控制的社會連結和傳統。如果沒有這種場域，這類行動就不可能發生。

還有最後一種值得評論的匿名大眾行動形式，是因為在某些最極端的從屬情況下發生。在此我想到的是囚犯經常參與的那種集體抗議，例如有節奏地敲打金屬餐盤，或敲擊他們牢房的圍欄。嚴格來說，這些抗議者並沒有匿名，然而他們憑藉眾多的人數和往往難以辨別是誰煽動或發起抗議，而達成某種形式的匿名。儘管表達形式本身在本質上較為模糊，但在特定脈絡下不滿的原因經常相當清楚。就算是在全控機構，要創造受保護的幕後論述場域機會渺茫，但依然能夠實現某種在支配下的發聲方式，幾乎不可能單挑出個人來進行報復。

委婉表達

如果說訊息傳遞者的匿名性經常讓原先的弱勢得以對權勢發表侵略性言論，我們可以想像沒有匿名後，從屬者的表現將會恢復成某種順應的服從。然而，完全服從的替代選項是掩飾訊息到足以閃避報復的程度。如果匿名往往會鼓勵傳達未經修飾的訊息，那麼掩飾訊息就代表著運用修飾手段。

這個修飾過程恰當的社會語言學類比是，起初的褻瀆言詞透過委婉表達轉化後，變成暗示性的褻瀆，得以逃避公開褻瀆會引發的制裁。[41]在基督教社會中，「妄稱耶和華之名」的言語宣誓往往會被轉換成較無害的形式，好讓宣誓者可能可以避免激怒全能的上帝，更不用說避免激怒宗教領袖和虔誠的信徒了。因此，誓言中的「Jesus」（耶穌）變成「Gee Whiz」或「Geez」；「Goddamned」（上帝詛咒的）變成「G.D.」；「by the blood of Christ」（藉基督的血）變成「bloody」。就連相當世俗的粗話，例如「shit」（狗屎）也轉變成「shucks」。在法文中，相同的過程也將「par Dieu」（以上帝之名）變成「pardi」或「parbleu」，「je renie Dieu」（以上帝之名詛咒）變成「jarnibleu」。

「委婉化」精確描述了在受權力壓迫的情況下，行動者希望避免直接陳述會導致的制裁時，表達隱藏文本的方式。雖然從屬群體絕非唯一使用委婉的群體，但他們經常因為更容易遭受制裁而訴諸之。在公開文本中剩下的是**暗示性的不全褻瀆言詞**，亦即拔除利牙的褻瀆。委婉措辭及其仿造的褻瀆言詞之間的原始連結可能會逐漸完全消失，而該委婉措辭就會變得無害。然而，只要連結仍存，所有聽者都會了解那是在代替真正的褻瀆。柔拉・涅爾・賀絲頓曾提及，許多從屬群體的口語藝術是由機靈的委婉措辭組成，那種措辭的「特色在於間接且經掩飾的社會評論和批評，可以將這種技巧適切地描述成『用彎棍揮出筆直的一擊』」。[42]

利用委婉表達來掩飾的做法，在普遍存在於無權群體的民間故事和民間文化中最引人注目。後文將會繼續探討這些較精細的掩飾形式；在此只須注意，委婉措辭會持續測試容許的語言界線，而為了要達到預期的效果，經常必須仰賴掌權者理解其意涵。南卡羅萊納州（South Carolina）喬治市（Georgetown）的奴隸因為在內戰初期吟唱以下的聖詩而遭逮捕時，似乎逾越了那條語言界線：

我們不久就會自由（重複三次）
當主喚我們回家。
我的兄弟，還要多久（重複三次）
我們才不必繼續在這裡受苦？
不久之後（重複三次）
主就會喚我們回家。
我們不久就會自由（重複三次）
當耶穌放我自由。
我們會為自由而戰（重複三次）
當主喚我們回家。[43]

奴隸主認為，其中提到的「主」、「耶穌」和「家」太過露骨地指涉北方人和北方。如果他們的福音聖詩沒有被認定為具煽動性，奴隸信徒就會因為僥倖成功在公開文本間接要求自由而感到心滿意足。法國大革命伊始，農民可能經常有創意地利用含糊的言詞，來保護自己不受舊制度當局或新革命當局的傷害。由於民主制度經常意味著恢復傳統權利，他們會高喊「恢復美好」，而官員永遠搞不清楚他們的意思是「好的宗教」、「好的革命」、「好的法律」或其他東西。[44]

然而，同樣常見的情況是，委婉表達的意圖是威脅，但除非被認定是蓄意所為，否則就失去其威脅力。不過，威脅的口頭套語是以委婉措辭來呈現，如果面臨挑戰時就能否認意圖。安德列・阿比雅特奇（André Abbiateci）描述，十八世紀法國的縱火犯曾實際使用以下的委婉表達：

> 我會用紅色的公雞叫醒你。
> 我會點燃你的菸斗。
> 我會派一名紅衣男子拆毀一切。
> 我會埋下禍種來對付你，總有一天你會後悔。
> 如果你搶走我的土地，你就會看到烏荊子李（Damson plums）。[45]

這些威脅的目的幾乎總是要對潛在的受害者施壓。如果他按照暗示的邏輯做到要求的事（例如降低租金、恢復森林權利、保留租用權、調降封建稅賦），就可以避免縱火之災。因為威脅是如此昭然若揭，通常是由一位匿名的陌生人傳達或寫在紙條上。發動威脅的農民目標是要兩者兼得；利用足以逃避控訴的模糊形式，傳達明確的威脅。

嘟囔

亞齊伯德（Archibald）：你將會服從我。以及我們準備好的經文。

村莊（Village）：（語氣戲謔）但我仍可以在朗誦和表演時加速或拖延。我可以慢動作移動，對吧？我可以更頻繁且深深地嘆氣。

——惹內《黑鬼》

我們全都很熟悉嘟囔或咕噥被當成一種掩飾抱怨的情況。通常嘟囔背後的意圖是要傳達一般的不滿之情，但無須負起公開具體抱怨的責任。對在該脈絡下的聽者來說，抱怨的內容可能十分清晰，但透過嘟囔，抱怨者避免了衝突，如果被追問還能否認任何抱怨的意圖。

我們應該將嘟囔視為屬於幾乎不加掩飾的異議這種更廣泛類別中的一個實例——這個方式對從屬群體特別有用。嘟囔這類的事件中，可能包括任何意圖表達間接和可以否認的嘲笑、不滿或敵意概念的溝通行為。只要是透露這類的訊息，幾乎任何溝通手段都可以達成目的：哼聲、嘆氣、呻吟、咯咯笑、時機恰好的沉默、眨眼或瞪視。仔細思考這段近期以色列軍官對於他在被占領的約旦河西岸地區（West Bank）遭到巴勒斯坦（Palestinian）青少年瞪視的描述：「他們的雙眼透露出仇恨——這點無庸置疑。而且是很深的仇恨。他們不能明說的一切，他們在內心感受到的一切，他們全都用眼神和他們看你的方式來表達。」[46]這個例子傳達的感受一清二楚。這些青少年知道，他們如果丟石頭可能會被逮捕、毆打或射殺，於是他們用眼神代替，這麼做遠更安全，但仍用表情傳達近乎確切的意義：「如果眼神可以殺人……。」

從屬者會自然而然發現，比起上級者，嘟囔比較常對他們有利。一旦他們逾越嘟囔，直接抱怨，他們就會面臨遠遠更高的風險，可能遭受公開報復。上級者明白他們在公開對峙時所享有的優勢，因此經常會試圖堅持要求對方直說，要嘟囔者具體說明他的怨言為何。而從屬者同樣經常否認他在抱怨，希望能留在對他更有利的含糊戰場。我認為，極度弱勢的從屬者日常在對其上級者政治溝通時，大多都只是以這種嘟囔的方式來進行。他們可能會逐漸發展出咕噥的模式，當對方變得相當明確地了解抱怨的時機、語氣和細微差異，就幾乎具備和相當精確的語言同等的溝通力。這種語言和服從語言並存，不必然會違背其慣例。厄文．高夫曼呼應惹內指出：「當然在嚴格遵守正規形式時，他（行為者）可能會發現他可以透過小心改變語調、發音、步調等等，來自由影射各種漠視的態度。」[47]這一切手段保存下來的是公開文本的表象。嘟囔的重點在於差點逾矩違抗——因此這是個精明的替代方案。因為否認了直言陳述的意圖，也就否認了直接回應的必要性：官方上，什麼事都沒發生。從上級者的角度觀之，只要從屬者永遠不會違反公開的服從禮節，支配的行為者就會允許他們嘟囔。從下級者的角度觀之，無權者巧妙地操縱了他們從屬的條件，藉此公開但隱晦地表達他們的異議，但永遠不會讓他們的對手有藉口反擊。

就像委婉措辭幾乎不加掩飾地傳達威脅，訊息必定不能隱晦到對手完全無法理解。嘟囔的目的經常不只是要表現自我，而是企圖對菁英施加不滿的壓力。如果訊息太過明確，傳遞者就面臨遭到公開報復的風險；如果太過模糊，就會完全被忽視。然而，嘟囔故意傳達的經常是一種清楚的語氣，無論是憤怒、鄙視、堅定、震驚或不忠。只要有效傳達語氣本身，一定程度的含糊就可以策略性地強化對支配群體的影響。比方說，如果讓對手任意想像最糟糕的情況，可能就會增強令他恐懼的效果。有份研究分析了拉斯塔法里教（Rastafarian）*的穿著、音樂和宗教，也提出類似的主張，指出這種與牙買加白人社會間接溝通的方式具有一定的優勢，勝過更直接的反叛語言：「矛盾的是，『恐懼』只有在目標受害者難以理解的情況下才得以傳達，暗示著不可明言、永不滿足的復仇儀式。」[48]拉斯塔法里教的威脅行為廣傳而增強其效果，但同時又提供信徒撤退的途徑，畢竟他們沒有提出任何具體的威脅。

只有在最罕見、最具煽動性的場合，我們才有可能在公開權力關係的範疇中，遇見任何像是未經修飾的隱藏文本的訊息。權力的現實導致隱藏文本若非必須透過匿名從屬者來表達，就是必須受到謠言、八卦、委婉措辭或嘟囔等不敢以自身名義表達的掩飾手段保護。

* 譯注：一九三〇年代興起的牙買加黑人基督宗教運動。

精巧的掩飾形式：文化的集體表現

如果意識形態煽動僅限於八卦、嘟噥、謠言和隱藏身分的行動者偶發表達敵意等短暫的形式，肯定就會邊緣化。事實上，在民間或大眾文化元素中，從屬群體也有相當公開的意識形態違抗形式。然而，鑑於這種大眾文化的承載者通常是在政治失能的狀態下運作，其公開表達往往遊走在不當行為的邊緣。其公開表達的條件是要足夠間接且含糊不清，才能有兩種解讀方式，而其中一種是無害的。一如委婉措辭的情況，無害的那種意義——無論被認為多麼不得體——提供了面臨挑戰時撤退的途徑。只要他們沒有宣稱**直接**反對支配者所認可的公開文本，這些民間文化模糊多義的元素便能劃出一個相對自主的論述自由領域。

大眾（相對於菁英）文化的重要元素或許會開始體現可能暗中破壞或牴觸其官方詮釋的意義。從屬群體的文化之所以應該會反映出將部分適切掩飾的隱藏文本偷渡上公開舞台的現象，至少有三個原因。

只要民間或大眾文化是某個社會階級或階層的資產，而該階級的社會位置會造成獨特的經驗和價值觀，那麼我們就應該預期那些共享的特色會出現在他們的儀式、舞蹈、戲劇、穿著、民間故事、宗教信仰等事物中。馬克斯．韋伯不是唯一一位社會分析師注意到「弱勢者」的宗教信念反映出對他們塵世命運的含蓄抗議。在由他們的怨恨滋養的教派精神中，他們可能會想像塵世的命運和階層最終會翻轉或齊平，並且強調團結、平等、互助、正直、簡樸和強烈的熱情。從屬群體的文化表達之所以如此獨特，很大一部分是因為至少在這個領域中，文化選擇的過程相對民主。他們的成員實際上選擇了那些他們想要強調的歌曲、故事、舞蹈、經文和儀式，他們採納這些元素供自己使用，而他們當然也會創造新的文化習俗和工藝品，來滿足他們所感受到的需求。能夠在農奴、奴隸和農民的民間文化中存活和蓬勃發展的事物，大多取決於他們決定要接受和傳播些什麼。這不是在暗指文化習俗的領域不會受到支配文化影響；只是相較於生產領域，文化領域比較不會受到有效的巡視。

從屬群體為何會希望透過文化生活，找到表達異議的方式，第二個原因純粹是要機敏地反駁幾乎總是貶低他們的官方文化。畢竟，貴族、領主、奴隸主、高種姓者的文化大多都是設計來讓這些統治群體和在他們之下的農民、農奴、奴隸和賤民大眾有所區別。比方說，在農民社會的例子中，既存的文化階層體系維繫著一套教養之人的行為典範，而農民缺乏文化和物質資源可以去模仿。無論是關於了解神聖經文；得體地說話和穿著；餐桌禮儀和姿勢；舉行繁複的入會、結婚或下葬典禮；品味和文化消費模式；農民實際上都被要求要崇拜這套他們不可能達成的標準。舉例來說，在傳統的中國社會，識字是階層化的重要手段，而其隱含的意義如宋代的一名百科全書編纂者指出，「天下以識字人為賢智，不識字人為愚庸。」[49]因為統治群體的文化尊嚴和地位往往是透過系統性強制貶低和侮辱從屬階級來建立的，平民不可能懷抱幾乎同樣的熱情共同認同這些假設，也就不足為奇了。

最後，從屬群體之所以得以暗中破壞經認可的文化規範，是因為文化表達的多元象徵和隱喻有助於掩飾。透過巧妙運用符碼，就能夠在一場儀式、一種穿著模式、一首歌曲、一則故事中影射某些意義，某個目標觀眾可以理解，但對另一個行為者希望排除的觀眾來說則十分費解。或者，被排除的觀眾可能會意會到表演中的煽動性訊息，但因為用來表達煽動的措辭也可以聲稱有另一種完全無辜的解釋，導致他難以反應。精明的奴隸主無疑意識到了，奴隸信仰的基督宗教特別強調約書亞（Joshua）和摩西，部分是因為他們身為解放以色列人（Israelite）擺脫奴役的先知角色。然而，因為他們畢竟是舊約聖經的先知，奴隸很難因為在他們——經過認可——的基督教信仰中崇敬這兩位先知而遭到懲罰。

有兩個簡短的例子可能有助於提示從屬者是如何開始如此運用符碼的。第一個例子是關於日本村莊長老和烈士佐倉惣五郎的崇拜祭祀，在他遭處決的一六五三年至十八世紀期間茁壯成長。[50]佐倉代表他受壓迫的村民請願，而在當時請願是死罪，因此遭到成田地區的領主處以磔刑。大概是因為他為了農民的利益而殉難，農民頌揚他的精神（帶有復仇心！），而他成為「為人民福祉犧牲自己的正義之士（義民）」最著名的例子。佐倉崇拜信仰透過其靈堂，透過說書人和人偶戲劇團講述的故事、戲劇，以及民眾崇拜他身為佛教救主的精神，成為某種人民團結抵抗的焦點。目前為止，除了是採取崇拜信仰而非直接政治抵抗的形式，這個例子中的掩飾手段似乎微乎其微。然而，比方要在公開戲劇演出等場合更公開表現此一崇拜信仰時，就必須謹慎措辭，表示是為了仁慈政府的利益著想。如果農民要求土地，他們是為了要繳稅給領主才要求的。和過去不同且隱含煽動性的是，如今改由農民行動實現正義，而不再是權貴的義務。這個崇拜信仰及其延伸發展似乎扮演了至關重要的角色，創造並維持了集體抵抗上級苛捐雜稅的農民次文化。

這個模式還有另一個顯著的例子，菲律賓人（Filipino）會利用耶穌受難劇的基督教傳統，來傳達對菁英文化普遍——但有所保留——的異議。雷納爾多·伊萊托（Reynaldo Ileto）曾巧妙地說明，這個文化形式可能曾被用來象徵菲律賓人臣服他們殖民主的宗教，並屈從於殘酷的命運，但其中卻注入了大相逕庭的意義。[51]聖週（Holy Week）期間在塔加洛社會各地表演的許多版本中，方言的受難劇（*pasyon*）設法否定了西班牙和他們在地西班牙化的知識分子（*illustrado*）盟友的大部分文化正統。這些表演忽視或否定傳統權威人士，同一階層的團結取代了對恩庇者的忠誠，將那些地位最低者（窮人、僕人、受害者）呈現為最高貴者，批評制度內的教會，並懷抱著千禧年希望。這齣戲劇的實際組織和表演相當脫離演出內含的主題概念，而是團結一般菲律賓民眾、強而有力的社會連結。當然，這一切的載體是上級正式批准的交會儀式——這點讓戲劇演出變成更受保護的社會性場域，可以表達顛覆性意義。這不是在主張他們預先策劃、憤世嫉俗地操弄耶穌受難劇；反之，這只是菲律賓百姓的宗教經驗逐漸滲入這個民間儀式，於是開始表現出他們的情感——而且是在可能相對安全的冒險範圍內進行。伊萊托說明，方言的受難劇所隱含的意識形態披著好戰的外衣出現在大量的暴力起義中，其中最顯著的是十九世紀末與抵抗西班牙和地方暴君的革命有關的大眾運動。這兩者之間不只是類同而已。更正確的說法是，菲律賓民眾挪用的受難劇透過在民間儀式的公開——但有所掩飾——演出，協助創造出一種共同的從屬者精神。就像其他從屬群體，塔加洛人幾乎沒有受限於隱藏文本的社會性場域，持續讓他們離經叛道又具抵抗精神的社會願景難以捉摸地存在於公開論述中。[52]

口傳文化作為大眾掩飾手段

較低階級的文化表達形式有很大一部分往往是口傳，而非書面文字。純粹因為傳播方式的特性，口述傳統提供了某種隔離、控制、甚至匿名性，使之成為文化抵抗的理想載體。如果要了解民間歌謠、民間故事、笑話，當然還有鵝媽媽（Mother Goose）童謠*為何承載了重要的煽動性意義，那麼就值得簡短闡述一下口述傳統的結構。[53]

我們全都知道，口語——尤其是朋友或密友之間的非正式談話——可能在句法、文法和暗示方面會比正式演說更不拘禮節，更別說是印刷的文字了。我們比較不常察覺到的是，就連現代印刷文字占優勢的社會也包含龐大的當代口述傳統，而且通常文化歷史學者都會忽略之。據羅伯特．格雷夫斯（Robert Graves）的犀利觀察，未來的歷史學家要在他傾注畢生心血的十四冊巨著中，著手處理十九和二十世紀的社會禁忌時，他會提出一些理論，說明當時存在一套龐大祕密的猥褻語言，以及大量猥褻故事和押韻詩的口傳文學，國內的每個男女都知道，但從未書寫下來或公開承認其存在，而他寫作當下的已啟蒙時代將會視這些理論為荒誕不經的概念。[54]

如果識字率相對更高且社會融合的工業國家都有這麼多口述文化可以探討，那麼我們研究重點的從屬群體口傳文化會更龐大和重要多少倍呢？

口傳文化可能具有的匿名性是來自於這種文化只能透過言說和演出這種暫時的形式才能存在。因此，每次實行的時空和觀眾都是獨特的，並且不同於所有其他次的實行。就像八卦或謠言，民間歌謠的聽者可以選擇是否接受並演唱或學習這些歌謠，而且長期來看，其根源會變得完全不可考。於是就不可能去恢復某種**原始**版本，而認定所有後續的演繹都是偏離原初。換言之，民間文化因為沒有原始文本可以當作異端的評斷標準，也就沒有正統或中心。實際的結果是民間文化實現了集體擁有的匿名性，不斷被調整、修正、壓縮或更進一步地忽略。其作者的多樣性提供了保護罩，當某種文化不再能促進當前的利益，而不足以找到演出者或觀眾時，該文化就會永

＊ 譯注：鵝媽媽是大量英文童謠的想像作者和角色，許多民間流傳的童謠都會被稱作鵝媽媽童謠。

遠消失。[55]一如某則謠言最初的散播者，個人的表演者和作曲者也可以在匿名的掩護下避難。因此，某位塞爾維亞（Serbian）的民間歌謠採集者曾抱怨，「所有人都否認（為創作新歌）負責，就連真正的作曲者也會說他是從別人那裡聽來的。」[56]

嚴格來說，書面的溝通會比言語的溝通更有效匿名。匿名傳單可以祕密準備、祕密投遞且不署名，但口頭溝通（在電話發明以前）至少是在兩個已知個人間交流——除非他們本身有所喬裝。然而，從隱瞞的角度來看，書面文字的缺點是一旦文本脫離作者的手，對其使用和散播的控制也會隨之喪失。[57]用聲音溝通（包括姿勢、穿著、舞蹈等）的優點在於，溝通者可以保有對其散播方式的控制——觀眾、地點、環境、演繹。於是，對口傳文化的控制將永遠去中心化。比方說，某則民間故事可能會被重述或忽略，如果有人重述之，就可能會省略、擴充、改變之，並根據說話者的興趣、品味和恐懼，以截然不同的型式或方言來表述。因此，就連對最鍥而不捨的警察機關來說，私人對話也是最難以滲透的領域。言語相對免疫於監控的部分原因是其技術水準很低。印刷機和影印機可能會被扣押，無線電發射機可能會被定位，就連打字機和盤式錄音機都可能會被拿走，但除非承載者被殺害，否則人的聲音是無法壓抑的。

最受保護的言語溝通形式是兩人之間的對話；安全程度會隨著單次遭遇（例如公開集會）中的訊息傳達人數增加而降低。因此，口頭溝通只有在小規模的傳述活動中才安全。有兩個重要因素規避了這個明顯的缺點。首先，這樣的敘述沒有考慮到連續講述的等比級數，可能在短時間內就可以傳遞給數千人，一如我們在謠言的例子中看到的情況。第二個因素是每次口頭演繹都可能根據暴露在權威當局監控下的程度不一，而有細微差異、含糊其詞、有所掩飾和隱瞞。就此意義而言，可能帶有煽動性的民間歌謠可能會以數百種方式演繹：從在敵對的觀眾前貌似無害的演出，到在友善和安全的觀眾前公開煽動。那些早先曾祕密參與煽動性詮釋的人將會察覺無害版本中隱含的意義。因此，口傳文化正是因為其特性和彈性，才能在相對安全的情況下傳遞難以捉摸的意義。

民間故事：搗蛋鬼

沒有其他東西可以比所謂的搗蛋鬼故事更能描繪從屬群體經掩飾的文化抵抗了。我認為，我們很難找到一個農民、奴隸或農奴社會是沒有傳奇的搗蛋鬼角色，可能以動物或人類的形式呈現。典型的搗蛋鬼可以在充滿想要打敗他——或吃掉他——的敵人的危險環境中成功存活，靠的不是他的蠻力，而是他的機智和狡猾。原則上，搗蛋鬼無法在任何直接對峙中獲勝，因為他比他的對手弱小。唯有靠著了解他敵人的習性，欺騙他們，利用他們貪婪、體型龐大、容易上當或慌忙，他才能設法逃離他們的魔爪，贏得勝利。愚人和搗蛋鬼的角色偶爾會結合在一起，而處於劣勢者的狡詐可能會包括裝傻，或機敏到可以利用話語誤導他的敵人。[58]

我們不需要大量精細的分析才能注意到搗蛋鬼英雄的結構位置，以及他部署的計謀和從屬群體的存在兩難明顯十分相似。事實上，南卡羅萊納州有句普及的奴隸俗語描繪了搗蛋鬼英雄的座右銘：「白人有謀，黑人有計，每每白人策謀一回，黑人就會施計兩回。」[59]搗蛋鬼故事是一種故事類型（例如馬來世界的鼠鹿〔Sang Kanchil〕故事、泰國東北部的項緬〔Siang Miang〕故事、西非的蜘蛛故事、西歐的搗蛋鬼提爾〔Till Eulenspiegel〕故事），其中也包含大量的暴力和攻擊情節。有些證據顯示，這種幻想式攻擊和極為苛刻的處境有關，而具攻擊性的民間故事和壓制公開攻擊的社會尤其息息相關。[60]無須堅持心理學的投射和轉移作用理論，就足以認知到這類故事中處於劣勢者以智取勝平常處於支配地位的對手後，也可能利用他的優勢來進行身體上的復仇。

北美奴隸的兔子大哥故事是搗蛋鬼故事的口述傳統中非常知名的例子，已經採集到許多變體。任何採集的版本自然都代表著單次的演繹——不包含速度和語氣強調的細微差異——而那些蓄奴的白人或外來的民俗學者所記錄的變體很可能代表著最淨化或審慎的敘述。正如我們可能的預期，這些故事的起源不明，但西非的口述傳統和印度關於佛陀青年時期的本生故事（*jataka* tale）的類似故事可能系出同門。兔子大哥通常是和狐狸大哥或狼大哥對立，而他會靠著他無限的掩飾、狡詐和機敏打敗他們。他的英勇事蹟經常酷似闡述這些故事的奴隸的生存策略。「在很大程度上，搗蛋鬼的一大樂事是享用他從強大敵人那裡偷來的食物。」[61]

兔子通往勝利的道路並不完全順暢無阻，但他的挫折通常都可歸咎於魯莽（例如瀝青寶寶*

的故事）或相信強者的誠意。獲勝後，往往會細細品嚐勝利的滋味。兔子不僅會殺掉狼，還會「騎在他身上，羞辱他，讓他卑屈，偷走他的女人，實際取代他的位置。」[62]

兔子大哥故事提供了多重的掩飾。任何說故事的人都可以聲稱只是在傳述一個他或她無須負責的故事——藉此可以和某個聲稱偶然聽到的笑話保持距離。這個例子中的故事顯然是個動物故事，因此是個幻想故事，與人類社會無關。說兔子大哥故事的人也可以從一大堆故事中選擇，並把任何特定的故事調整成符合當下的情況。

然而，在這相對有所掩飾的上下文中，奴隸可以和主角產生共鳴，主角設法以智取勝、嘲笑、虐待並摧毀他更強大的敵人，同時將這樣的敘事植入看似無害的故事脈絡中。此外，不言而喻的是這些故事具有啟發和告誡的面向。奴隸孩童和兔子大哥產生共鳴後，他或她就會像透過其他方式一樣學到，安全和成功取決於克制怒氣，並將之導向矇騙和狡詐的方式，如此一來成功的機會會比較大。因為其所教導的內容，這些故事也被頌揚為驕傲和滿足的泉源。英文中具有既定觀點的「狡詐」（cunning）一詞不足以捕捉這個備受頌揚的特質。[63]

頌揚狡詐和機敏的絕對不只有兔子大哥故事。在高尚約翰（High John，或稱老約翰〔Old

---

* 譯注：狐狸大哥用瀝青和松節油塑形做成一隻娃娃，並為他穿上衣服，擺放在路邊。兔子大哥看到後跟娃娃打招呼，但因為它沒有回應而生氣，於是毆打它而被困在瀝青中，愈掙扎就陷得愈深。

John〕）故事[64]和郊狼（Coyote）故事*中也可以找到類似的觀點，更不用說諺語和歌謠了，這些全都是口傳文化的門面，強化了某種對權勢的仇恨，以及對處於劣勢者的堅持和機敏的崇拜。

一般習慣將兔子大哥故事這類的口述傳統視為奴隸間的溝通，接著去判斷口述傳統對抵抗精神的社會化有何影響。這種做法的缺失是忽略了兔子大哥故事的公共性。這些故事並不只在幕後的奴隸宿舍才有人講述。這類故事是公開文本的一部分，這樣的位置暗示了一種詮釋方法。這表示任何從屬群體都有強烈的渴望和意願，想要公開表達隱藏文本的內容，就算為了安全，表達形式必須使用隱喻和影射也依然如此。隱藏文本可以說是在回應服從和順從的公開文本時，擠壓和測試安全嘗試的極限。如此一來，在分析上，我們在公開文本和隱藏文本中，都能分辨出與支配者公開文化的對話。閱讀隱藏文本的對話，就是在閱讀對菁英說教近乎直接且不受拘束的回應。當然，直接表述只是因為在幕後，在受權力壓迫的領域之外才可能發生。閱讀從屬群體公開口述傳統中的對話時，需要更加精細入微和文學式的詮釋，這純粹是因為隱藏文本必須喬裝自己且更謹慎發言。口述傳統最成功的情況——也是想像中最受讚揚的情況——是在遊走危險邊緣的同時，敢於盡可能保留隱藏文本的措辭力道。

這麼一來，奴隸和主人的對話是在三個層次上進行。第一個層次是官方的公共文化，這段出自美國內戰前南方為奴隸準備的教義問答手冊的引文或可體現之：

問：難道僕人不該服從他們的主人嗎？

答：應該，聖經告誡僕人要服從主人，並且凡事取悅他們……。

問：如果主人不講道理，僕人可以違抗他嗎？

答：不可以，聖經說：「你們作僕人的，凡事要存敬畏的心順服主人，不但順服那善良溫和的，就是那乖僻的也要順服……。」

問：如果僕人遭受不義對待，他們該怎麼做？

答：他們必須耐心忍受。[65]

在這個層次上，在受權威當局人士監控的從屬儀式中，奴隸幾乎別無選擇，只能交出被要求的表演——不過他們可能會透過某些小動作暗示他們並不熱中於此。另一方面，在幕後的層次，他們可能會直接否認他們的奉命演出。如果我們檢視來到北方的奴隸的敘事，就可以找到這種幕後否定的證據。某兩種可能的回覆是，「但我當時沒有把這件事（盜獵）看作偷竊；我現在也不這麼想。我認為奴隸擁有可以按其所需吃喝穿衣的道德權利……因為那是我親手勞動的成果。」[66]抑或奴隸實際的宗教信念可能會直言復仇，而非謙卑：「他們都被矇騙了，想像從跪姿起

＊譯注：高尚約翰是美國奴隸間流傳的民間故事的搗蛋鬼主角，郊狼則是北美原住民傳統故事中的搗蛋鬼。

身、背部撕裂流血的他只抱有溫順寬恕的念頭。那天或許會到來——若他的禱告獲得應允就必將到來——在那可怕的復仇之日，將輪到主人哭著求饒。」[67]考慮到文字較為拘謹和觀眾是北方白人，我們可以想像在奴隸宿舍中可能會表達出這類回應不加掩飾的口語版本。

我認為，兔子大哥故事代表的是上述的直接回應削弱後的間接版本。從屬群體的口傳文化大多也是如此。[68]這種回應覆蓋的厚重掩飾可能看似幾乎完全消除了回應的愉悅。儘管確實沒有公開宣告隱藏文本那麼令人滿足，但無論如何仍實現了某些幕後永遠無法匹敵的成果。口傳文化開拓出一個公開但暫時的空間，允許異議的自主文化表達。就算經過掩飾，但至少沒有隱藏；而且是在對權力說話。[69]在受支配的情況下，沒有任何聲音的成就是渺小的。[70]

象徵性翻轉：顛倒世界版畫

如果奴隸的兔子大哥故事口述傳統因為足夠含糊和無害而能公開講述，泛歐洲的「顛倒世界」繪畫和版畫傳統必定會被認為更加大膽。這些版畫在歐洲各地廣為流傳，尤其是在十六世紀印刷業出現後，較低階級也可以接觸到版畫，畫中描繪著一個顛三倒四的世界，所有正常的關係和階層都被翻轉。老鼠吃貓，孩子打父母屁股，野兔誘捕人類，馬車拉馬，魚把漁夫從水裡拉出來，妻子毆打丈夫，牛屠宰屠夫，窮人救濟富人，鵝把廚師放進鍋子，國王步行帶領坐馬背上的農民，魚在天上飛，還有許多看似無窮無盡的例子。印有這些圖畫的大幅圖紙是書報小販麻袋裡的標準品項，大體上，每張圖紙都翻轉了一種階層、捕食或兩者的慣常關係。[71]處於劣勢者復仇反擊，就像兔子大哥故事裡的情節。

在開始說明顛倒世界的大幅圖紙該如何詮釋的重要問題前，我必須強調這些圖紙並非獨自存在，而是鑲嵌在充滿翻轉形象的大眾文化之中。我們可以在諷刺歌曲、較低階級的小丑兼評論員（如法斯塔夫〔Falstaff〕*）和可能會和他的主人交換服裝和角色的大眾劇場、豐富的嘉年華文化（一種翻轉的儀式），以及普遍的千禧年願望中找到這類的主題。大眾文化的象徵性如此豐富，單一個象徵就能代表幾乎整個世界觀。因此，勒華拉杜里指出，嘉年華的任何一個象徵——綠樹枝、耙子、洋蔥或瑞士小號——都會被理解成是代表促進平等——無論是糧食、財產、地位、財富或權威的平等。[72]暗示平民和貴族間差異的通俗諺語頗受歡迎且廣為流傳。「昔日亞當耕田、夏娃織布，／仕紳貴族人在何處？」這段煽動性的對句通常被認為與一三八一年的約翰・波爾（John Ball）和農民起義有關，但可以在其他的日耳曼（Germanic）語言（如德文、荷蘭文和瑞典文）中找到幾乎一模一樣的版本，而在斯拉夫（Slavic）和羅曼（romance）語言中，也可以找到略微修改的版本。[73]

---

* 譯注：法斯塔夫為莎士比亞《亨利四世（第一部）》（*Henry IV, Part 1*）等四部戲劇的滑稽角色，他是位肥胖自負又愛吹牛的騎士，整日流連酒館，後被指派為王儲跟班。

當然可以認為顛倒世界傳統沒有任何政治重要性。這種傳統是種趣味想像的把戲——一段純粹的妙語——其意義可能僅止於此。更常見的情況是，這種傳統在功能主義（functionalist）方面偶爾會被視為安全閥或發洩，一如嘉年華，無害地排解社會緊張，否則可能會對現存社會秩序造成危險。這種論點稍微較不祥的版本則暗示了，顛倒世界版畫和其他翻轉的儀式是某種支配者的陰謀，實際上是他們設計來象徵性地取代真實的顛覆。我們無法直接反駁這種功能性的論點，尤其這類主張仰仗共謀，因此就有充分的理由保密。我認為，可以做的是證明這類觀點多麼不合情理，以及間接證據如何斷然呈現相反的情況。

誠然，如果一開始沒有一個正常的世界，就不可能想像一個鏡像的顛倒世界。同理可證，任何文化否定當然也是如此；嬉皮的生活方式唯有被認為反對中產階級循規蹈矩的背景，才能代表一種抗議；唯有在充滿虔誠信徒的世界，宣告自己是無神論者才有意義。然而，這類的翻轉確實具有重要的想像功能，即使這是唯一的作用。至少在思想層面，翻轉創造出想像的喘息空間，在其中正常的秩序和階層分類並非完全無可避免。支配群體並沒有明確的理由，會想要去鼓勵任何沒有徹底具體化或自然化現存社會分際的事物，畢竟他們從中獲益。如果主張這是他們為了確保秩序而必須做出的文化讓步，那麼就暗示了這類的翻轉比較不是上級者授予的，而是下級者堅持的。當我們在想像中操弄任何社會分級——由內而外或上下翻轉之——就能強而有力地提醒我們，社會分級某種程度上是武斷的人造產物。

權威當局完全沒有鼓勵生產或傳播顛倒世界的大幅圖紙，而是盡其所能限制其流通。有一系列大受歡迎的版畫名為「老鼠對抗貓的戰爭」，被認為是極具顛覆性的翻轉。一七九七年，法國革命軍剛占領荷蘭，權威當局就逮捕這類版畫的發行商，並扣押他的存貨。在彼得大帝（**Peter the Great**）的統治下，俄羅斯審查員堅持修改某些貓的版畫，以防讓人聯想到他們的沙皇。一八四二年，擁戴沙皇的官員扣押某巨幅版畫的所有已知複製畫，畫中描繪一頭公牛正在屠宰屠夫。[74]我們必然會想像，其顛覆性意義既然在負責阻止抗議的人員眼中昭然若揭，那麼偶然發現這些圖像的更廣大群眾便也不會錯過。權威當局並不滿足於僅僅約束潛在的顛覆性大眾文化，經常生產並宣傳他們認為較低階層適合的大眾文化。讓人聯想到奴隸教義問答手冊的格言書廣為流通。考量到書中的內容，例如「飢餓的代價低廉，憤怒的代價高昂。」、「貧窮對許多（所有）事有益。」、「太多正義會造成不義。」，並不意外地位更高者才更樂意閱讀之。[75]如果沒有現成的回應來應付具威脅性的大眾文化，就可能會為此委託撰寫誹謗的詩歌。一如前章所述，在十五世紀末的德國，符茲堡的主教正是如此試圖暗中破壞尼克拉斯豪森鼓手的反教士訴求。權威當局發動文化攻勢對抗威廉・泰爾（William Tell）*的反抗觀點時，生產版畫替這位農民加上動物的

---

* 譯注：威廉・泰爾為瑞士的傳說英雄，相傳這位十四世紀的農民曾因沒有脫帽對總督雕像致敬而被捕，被視為反抗哈布斯堡王朝（House of Habsburg）暴政的代表人物。

臉孔，描繪他邪惡的道德。這些簡短例證的重點在於，菁英並沒有認可顛倒世界圖像是一種文化麻醉劑，反而視之為鎮壓和反擊的對象。

然而，當翻轉圖像若非沒有明顯的社會性內容，就是實際違反自然物理定律，我們該如何理解翻轉意象之中隱含的社會批判？我們不需要在詮釋時冒險一搏，才能看見以下這類大幅圖紙的顛覆性意義：領主在餐桌旁為農民服務；窮人將他的血汗交給富人；耶穌基督戴著荊棘冠，而在他身旁的教宗卻戴著黃金三重冕；農民監督正在挖掘或鋤地的領主。然而，這類意象往往和另外兩種版畫結合。第一類的版畫會有兩隻鵝在火上烤著炙叉上的人類。雖然翻轉了正常烤肉和吃肉的角色，但其意義並不明顯。當時經常使用穀倉院地和農耕生活的類比——遠比現今更為常見——來形容人際關係，讓版畫的顛覆性詮釋變得合理許多。畢竟溫斯坦利（Winstanley）*在英格蘭內戰期間形容財產法和窮人之間的關係時，他以熟悉的用詞戲劇化地描述：「法律是狐狸，窮人是鵝；他會拔光他們的羽毛，吃他們維生。」[76]因此，當然無法否認鵝烤人肉來吃的圖像具有顛覆性意義；正是如此，才需要用模稜兩可的語彙來表達。考慮到當時流通的符碼和意象，也可以得出顛覆性的詮釋。

另一種描繪魚在空中飛、鳥在水中游等場景的版畫需要探討的問題則有些不同。在某個層面，這些版畫只是完整並擴充了一系列的翻轉意象。在另一層面，有人可能會聲稱，這些版畫的目標是嘲笑所有的翻轉意象，暗示它們至少和魚在空中飛一樣荒謬可笑。根據這種詮釋方式，顛倒世界圖紙的總體效果會象徵性地排除任何社會階層的翻轉。我認為，掩飾的元素在此扮演了重要的角色。一如公開的大眾文化，顛倒世界版畫也利用作者匿名、意義含糊，再加上顯然無害的素材來掩飾。在這樣的環境中，翻轉社會階層的願望只有在陽奉陰違的情況下才能夠公開。根據大眾文化這個類型中最尋根究底的學者大衛・昆茲勒（David Kunzle）的總結，

> 根據當下的情勢，顛倒世界本質上的矛盾讓那些滿足於現存或傳統社會秩序的人，可以將這個主題視為在嘲笑要改變翻轉秩序的理念，同時也讓那些對秩序不滿的人可以將這個主題視為在嘲諷現下的反常狀態。
>
> ……
>
> 真正不可能發生、「純粹好玩」的那些關於動物的翻轉幻想……則有**掩蓋機制的功能**，可以掩飾那些危險、報復、無政府主義又「幼稚」的慾望，這些慾望深植於難如登天的人類翻轉概念，如果沒有藉著動物意象表達，就會遭到壓抑或無法察覺。[77]

---

* 譯注：傑拉德・溫斯坦利（Gerrard Winstanley, 1609-1676）為英國的政治哲學家和社會運動家，在英格蘭內戰期間領導掘地派（Diggers），主張土地共有和共同耕作，被視為無政府主義先驅。

此外，昆茲勒的詮釋與其他關於在這個時期如何成功替異端訊息加密的解釋不謀而合。十六世紀的修道院長菲奧雷的約阿基姆（Joachim of Fiore）曾發表具有潛在煽動性的預言，有部分就是透過一系列曖昧不明的圖畫來傳播的，而他的預言將在許多千禧年運動中扮演重要角色。於是，空蕩的王位可能會被視為對隱士教宗策肋定（Celestine）*的支持，或一場宗教革命的開端；描繪教宗在一隻加冕或有角的人臉動物上方拿著他的法冠，這樣的教宗圖像可能會被視為上帝的羔羊（lamb of God）†、世俗統治者或敵基督（anti-Christ）‡。然而，瑪喬麗・里夫斯（Marjorie Reeves）主張，若放在歷史脈絡中來看，「預言的要旨十分清晰。這些約阿基姆的追隨者可以穿透這些象徵，對當代的教宗地位提出有所掩飾但尖銳的評論，接著凸顯約阿基姆派的期望。」[78]因為預言透過掩飾才可能用這種公開的方式傳播，里夫斯應該可以寫成「尖銳但有所掩飾」，這麼寫或許更加正確。[79]

如果顛倒世界圖紙要不是無害，否則就是令人昏昏欲睡，我們就不會預期在實際的反叛和叛亂分子本身的意象和行動中，這些圖紙會變得如此舉足輕重。在宗教改革和接續的農民戰爭中，版畫在傳播革命精神時所發揮的重要影響力無可否認。隨著衝突變得公開且暴力，意象也會變得更加直接：有幅路德會的漫畫描繪一名農民對著教宗法冠排泄。在關於湯馬斯・閔采爾（Thomas Müntzer）率領的農民革命分子的版畫中，「農民和博學的神學家辯論，把經書塞進教士的喉嚨裡，並拆毀暴君的城堡。」[80]有人（反）問一名被捕的反叛分子他是哪種野獸時，他回答：「我是那種通常以根和野菜維生的野獸，但當受飢餓所迫，有時會吃教士、主教和肥美的市民。」[81]這類激進理念——終結身分區別；廢除財富差距；實現大眾正義和大眾宗教；向剝削的教士、貴族或富有市民復仇——不僅在農民戰爭發揮措辭上的影響力，在某些例子中，反叛分子還會將翻轉圖像變成活繪畫（tableaux vivant）。於是一名農民領袖會把伯爵夫人打扮成乞丐，把她丟進糞肥推車；騎士如今穿著破舊的衣服，被迫在餐桌旁服侍他們的奴僕，而農民則穿著騎士的華服，嘲諷他們高尚的儀式。[82]就這麼短暫的一次，農民有機會實現他們復仇的幻想和夢想，而先前從顛倒世界版畫中就可能解讀出那些幻想。

在英格蘭內戰和法國大革命的脈絡中，可以找到許多和農奴和較低階級相同的渴望。英格蘭內戰期間群眾運動有許多廣獲支持的目標，包括企圖廢除尊稱和導致尊稱產生的身分區別，分配土地，消滅律師和教士等等。[83]法國大革命期間，走遍鄉村各地搜索糧食的下層階級偶爾會露宿在莊園中，並堅持要貴族服侍他們：「委員會強迫他們的受害者為他們煮大餐，接著他們必須站著服侍用餐，而委員自己則和當地憲兵、地方委員會的工匠成員同坐——這種關於飲食平等的受

---

* 譯注：聖策肋定五世（Sanctus Caelestinus V, 1215-1296）於一二九二年當選教宗，在他上任前教宗選舉因為派系競爭而延宕兩年之久。

† 譯注：天主教對耶穌的別稱。

‡ 譯注：指假冒基督之名宣揚教義者，或迫害信徒的惡人。

難劇在受極端革命主義控制的地區一再上演。」[84]有張革命版畫彷彿是要推廣這種新儀式，畫著農民騎在貴族身上，旁邊的題字寫著：「我知道就快輪到我們當家了。」[85]

所有這些證據都暗示，顛倒世界版畫這類的傳統代表著，對應階層體系和服從的支配文本，所做出的回應和相當符合字面意義的反主流文化公諸於世的部分。如果這類版畫溫和或含糊，那是因為必須有所迴避才可能公開。對宗教經文、民間故事和歌謠的理想化解讀，當然還有廣大且不被審查的隱藏文本領域，都強化了版畫所宣傳的願景。限制這種迴避的大眾文化的環境偶爾會鬆懈，當這種情況發生時，我們就可以預期，隨著愈來愈多隱藏文本推擠登上舞台並付諸實行，掩飾就會變得愈來愈不嚴密。

翻轉儀式：嘉年華和遊樂會

每次我聽到將軍的戰前宣言、元首和總理的演講……國歌、戒酒傳單、教宗反對賭博和避孕的通喻和講道，我都會同時聽到背景數百萬老百姓齊發的呸聲，這些高高在上的致詞對他們毫無吸引力。

——喬治・歐威爾

> 笑聲帶有某種革命元素。在教堂裡，在宮殿裡，在遊行中，在面對部門主管、警官、德國行政機關時，沒人會笑。農奴在地主面前時被剝奪了微笑的權利。只有地位相等的人可以哈哈大笑。如果下級者獲准在上級者面前大笑，如果他們無法壓抑歡鬧，這就代表著要向尊重道別。
>
> ——亞歷山大．赫爾岑（Alexander Herzen）*

若說歐威爾提到的呸聲有特許的暫時社會地點可以表達，那肯定就是大齋期（Lenten）前的嘉年華傳統。嘉年華是翻轉儀式、諷刺、諧擬和社會限制普遍暫停的場合，為分析提供了一個獨特的有利位置，可以剖析社會秩序。正是因為嘉年華帶來如此龐大且通常相當卓越的文獻資料，我們可以將嘉年華視為制度化的政治掩飾形式來評價。因為這些文獻容易取得，選擇嘉年華只是為了分析之便。還有許多節慶、集市和儀式場合具有許多和嘉年華本身相同的基本特點。愚人宴（Feast of Fools）、胡鬧遊行（charivari）†、加冕典禮、定期的集市、豐收慶典、春季的祈求豐產儀式（fertility rite）‡，甚至是傳統的選舉都和嘉年華有些共通之處。此外，我們很難

---

* 譯注：赫爾岑（1812-1870）為俄國作家和思想家。

† 譯注：胡鬧遊行為歐洲和北美的民間習俗，為了懲罰或羞辱不合群的社群成員，群眾會舉行嘲諷的遊行，彈奏刺耳難聽的夜曲或製造噪音，通常會拖著做壞事的社群成員一起遊行，或在遊行中找人模仿嘲笑他們。

‡ 譯注：指祈求自然萬物或人類生育力提升、子孫興旺的儀式。

找到任何文化的歲時儀禮中沒有類似嘉年華的儀式。因此，印度教社會有奎師那慶典（侯麗節〔Holi〕），許多東南亞本土地區有潑水節，古羅馬社會有農神節等等。

所有這些盛典似乎都有個共同點，那就是在某些重要方面，在社會上被定義為脫離日常。社會交流的正常規則並不會執行，無論是實際的喬裝或身在大批群眾中而獲得的匿名性，都強化了普遍的放縱氛圍——亦即放蕩言行。許多關於嘉年華的文字都強調放縱身體的精神，透過舞蹈、暴食、公開展現性慾和一般的無禮行為來頌揚身體。經典的嘉年華人物形象是肥胖、好色的暴飲暴食者；接續大齋期的精神象徵則是纖瘦的老婦人。

對我們的研究目標來說，嘉年華最有趣的一點是讓人可以把某些話說出口，並且行使某些在這種儀式場域以外會遭到噤聲或壓制的社會權力。比方說，嘉年華背景的匿名性，讓小型社群平常透過八卦來執行的社會制裁可以更高聲表達。此外，嘉年華是「人民非正式的法庭」[86]，在慶典中可以直接對受鄙視者和罪人唱諷刺歌曲和斥責的詩句。年輕人可以責罵老人，女人可以取笑男人，被戴綠帽和妻管嚴的丈夫會被公開嘲笑，壞脾氣和吝嗇的人會被嘲諷，壓抑的個人世仇和派系衝突可以公開表達。反對意見在其他時候吐露會造成危險或付出高昂的社會代價，但在嘉年華期間會獲得批准。這個時間和地點正好至少在口頭上解決個人和社會宿怨。

因此，嘉年華就像避雷針，排解各式各樣的社會緊張局勢和仇恨。它除了是身體的慶典外，也是憤恨和怒氣的慶典。嘉年華期間的多數社會攻擊都是針對支配的掌權人物，原因不外乎是這類人物在其他時候由於握有權力而幾乎免受公開批評。任何曾招致民怨的地方權貴——無情的放高利貸者、濫權的士兵、腐敗的地方官員、貪婪或好色的教士——都可能會發現，自己成為他們從前的下級者在嘉年華上聯合攻擊的目標。民眾可能會在他們的家門前朗誦諷刺詩，焚燒他們的肖像，蒙面威脅的群眾可能會勒索他們來分贓錢或酒，並強迫他們公開懺悔。機構和個人都會遭受攻擊。教堂尤其是嘉年華的儀式性諷刺不可或缺的一部分。事實上，任何想像得到的神聖儀式都可以在嘉年華中找到對應的諧擬：讚揚盜賊或聖鯡魚（St. Hareng）的講道，嘲弄教義問答、教條、《詩篇》（Psalms）、十誡等等。[87]在此呈現的是某種大眾異教和官方信仰階層體系之間的公開對話，而且含糊得恰到好處。嘉年華實現平等的方法幾乎沒有傷害到任何優越地位的標榜——法律知識、潮流、古典學問、高品味、軍事才能或財產。

可以合理預期，階級和政治對立也可以透過嘉年華的方法發表出來。大衛．吉爾摩曾描述在二十世紀的安達盧西亞，農工和地主間日益增長的敵意如何影響嘉年華，頗具啟發性。[88]起初，兩個階級都會參與嘉年華，地主忍受農工對他們唱著嘲笑諷刺的詩歌。當農業條件惡化，辱罵和威脅迫使地主退出，在他們的陽台上遠觀嘉年華慶典。地主已經有好一段時間會在嘉年華期間實際離開鎮上，把城鎮拋下，留給他們的反對者。這段概述有兩個面向值得強調。首先，這提醒了我們，這類儀式遠非靜止不變，而很可能會反映社會內部轉變中的結構和對立狀態。第二，嘉年華是從屬群體反責的絕佳場合，這大概是因為正常的權力關係運作會消滅**他們**的聲音。

吉爾摩指出：「窮人和無權者尤其會利用這個場合，來表達他們對富人和掌權者日積月累的怨恨，控訴社會的不公不義，同時懲戒違背村莊道德傳統、倫理和誠實準則的農民。」[89]在直接評論會被控為叛國或冒犯君主罪的社會中，嘉年華特許的暢所欲言甚至可能開始構成某種全國性政治。因此，嘉年華的肖像會做得像任何當時地方的公敵——比如馬薩林（Mazarin）[*]、教宗、路德（Luther）[†]、路易十六（Louis XVI）、瑪麗・安托內特（Marie Antoinette）[‡]、拿破崙三世（Napoleon III）。不過，這些對公開文本的突襲總是受到嘉年華放縱和匿名性的政治庇護，並且是「透過同時明顯又無害的影射，透過含糊到足以緩和或揶揄壓制行動的無禮行為，來嘲弄權威的一種方式」。[90]

巴赫汀對於嘉年華研究的巨大貢獻在於，藉由拉伯雷（Rabelais）[§]的散文，將嘉年華視為**唯**一無限制言論的儀式性地點。唯有在這個地方，**不受支配的論述**才能盛行，沒有卑躬屈膝、矯揉造作、奉承逢迎或迂迴的儀節。如果髒話和咒罵在嘉年華和市集盛行，那是因為在這些場合不需要按照官方論述要求委婉表達。如果嘉年華的絕大部分都聚焦在我們和較低等的哺乳動物共同的功能——吃喝、排便、淫亂、誇耀——那是因為在這個層次，我們全都一模一樣，沒有人可以自稱擁有更高的地位。最重要的是，在這些自由區域，人可以放鬆自在呼吸，無須擔心失禮而付出高昂代價。對較低的階級來說，他們一生中絕大多數的時間都活在從屬和監控造成的緊張狀態中，嘉年華是釋放的場域：[91]「官方上，宮殿、教堂、機構和私宅都受到階層體系和儀節的支配，但在市集可以聽到一種特別的說話方式，幾乎是自成一格的語言，與教堂、宮殿、法庭和機構的語言大不相同。也不像官方文獻或統治階級——貴族、權貴、高層教士、上流市民——的語言。」[92]巴赫汀希望我們將嘉年華的說話方式視為某種影子社會，其中支配造成的失真並不存在。相較於官方言論，這個自由言論的場域最接近蘇格拉底式對話（Socratic dialogue），或以當代社會理論的用語來說，最接近尤爾根．哈伯瑪斯設想的「理想言說情境」。[93]哈伯瑪斯主張，任何溝通行為背後必定隱含的運作假設中，有一項是說話者會直言表達且說實話。因為權力關係會助長「策略性」的操縱形式而削弱真誠的理解，受支配的論述必然是扭曲的溝通。[94]

從我們的觀點來看，將嘉年華言論視為真實言論或接近理想言說情境，是對社會現實太過理想化的解讀。無論言論出現在任何社會情境中，都會被權力關係滲透；沒有任何享有特權的有利位置可以去測量某個言說行動距離「真實」言論有多遠。簡言之，我們說話時都會有所權衡。然而，我們能做的是比較不同的言說情境，看看它們之間對彼此的相對解釋為何。就此而論，巴赫汀是在比較出現在特定場合的言論，其中的匿名性和歡慶氛圍規避了某些日常的權力關係，並替

＊ 譯注：朱爾．馬薩林（Jules Mazarin, 1602-1661）為法國國王路易十四的首席大臣和樞機主教。

† 譯注：應指於十六世紀初發起宗教改革的馬丁．路德（Martin Luther, 1483-1546）。

‡ 譯注：瑪麗．安托內特（1755-1793）為路易十六的王后，在法國大革命時被送上斷頭台。

§ 譯注：弗朗索瓦．拉伯雷（François Rabelais, c. 1493-1553）為法國文藝復興時期的人文主義作家。

換成另一種權力關係。嘉年華中的社會權力也許較為平衡，但對等權力仍是權力。

來自巴赫汀或哈伯瑪斯的看法還有另一個問題，那就是這種觀點沒有意識到，某個權力場域特有的言論有部分是源自於在另一個權力場域被封鎖或壓制的言論。因此，嘉年華的詭態、髒話、嘲笑、侵犯和人身攻擊只有在受全年其他時間權力關係影響的脈絡下才有意義。某個權力領域造成的沉默愈深，另一領域的言論可能就會愈具爆炸性。在以下某位安達盧西亞農民關於嘉年華的陳述中，誰看不出來這其中的連結呢？「我們活了過來。我們蒙住臉，沒有人認得出我們是誰，接著當心了！什麼事都可能發生。」[95]對嘉年華的期待和從中得到的喜悅，大多是因為在匿名的掩護下，可以直接對對立者一字不漏地說出整年忍住不說的話。地位和權力的極度不平等造成豐富的隱藏文本。在平等社會中，因為仍有權力關係，所以仍會有嘉年華的空間，但可以想像那裡的嘉年華不會那麼激烈，而嘉年華所帶來的喜悅不會那麼嚴格限縮在社會中的某個群體才能有所共鳴。

暫時接受被壓抑言行在嘉年華中的位置後，我們仍必須思考，嘉年華是否在儀式上排除並緩解了社會的緊張局勢，因此恢復了社會和諧。這是熟悉的安全閥理論變體——一旦民眾將隱藏文本一吐為快，他們就會更容易回歸支配的日常。比起顛倒世界版畫，在嘉年華的例子中，我們可能必須更認真看待這個論點，原因是象徵性從屬和嘉年華的制度化。我所謂的象徵性從屬的意思是，嘉年華固定會在大齋期前落幕並被取代；懺悔節（Mardi Gras）會替換成聖灰日（Ash

Wednesday）*。暴食、暢飲狂歡和酒宴會被齋戒、禱告和節制取代。在多數的嘉年華儀式中，彷彿是為了強調儀式的階層，代表嘉年華精神的人物通常會被代表大齋期的人物殺掉，幾乎宛如是在說：「既然你已經狂歡過了，我們該恢復節制虔誠的生活了。」嘉年華的制度化可能也可以用來支持安全閥理論。若說嘉年華是混亂，那就是一種規則內的混亂，甚至可能是種儀式性教訓，告誡民眾違規的後果和愚蠢。嘉年華的規則或常規——包括沒有人可以拿下別人的面具——有點像日內瓦公約（Geneva Convention）之於武裝衝突，反而讓嘉年華得以繼續下去。泰瑞．伊格頓（Terry Eagleton）曾引用莎士比亞筆下的角色奧麗維婭（Olivia）的話，「傻子有特許放肆的權利。」[96]

如果這類詮釋的議題是透過研究該主題的學者多數決來解決，那麼幾乎可以肯定安全閥理論會勝出。[97]他們大多會同意羅傑．薩爾斯（Roger Sales）的看法，認為權威者會「移除瓶塞來阻止整個瓶子粉碎」。[98]歷史上的嘉年華擁護者也樂於向他們的上級者提出這種相同的呼籲。看看這封一四四四年在巴黎神學校（Paris School of Theology）流傳的信，主張應該慶祝愚人宴：

* 譯注：「Mardi Gras」直譯為「油膩星期二」，這天是大齋期前夕，信徒會放縱飲食，同時懺悔靜心，準備進入齋戒狀態。聖灰日為大齋首日，這天教會會將前一年棕枝主日（Palm Sunday）祝聖過的棕枝燒成灰，塗抹在信徒額上，象徵悔改。

> 這麼一來愚蠢至少一年有一次可以自由發洩消耗，畢竟愚蠢是我們的第二天性，似乎是人與生俱來的特質。**如果我們沒有偶爾打開酒桶，讓一些空氣進入，酒桶就會爆炸。**我們人全都是結構鬆散的酒桶，如果裡面的智慧之酒一直處在虔誠敬神的持續發酵狀態就會爆炸。為了不要讓酒腐敗，我們必須讓一些空氣進去。**這就是為什麼我們在特定的日子允許愚行，如此一來，我們事後便能帶著更強烈的為神服務熱忱回歸常態。**[99]

這封信的作者用波伊瑟太太的水壓比喻來證明自己有理，成功巧妙地同時訴諸嘉年華的霸權價值，又暗示性地威脅如果他們的要求沒有獲准，可能會造成何種後果。

嘉年華是菁英授權的社會控制機制，這種看法並不完全錯誤，但我認為會嚴重誤導。這可能會將菁英的意圖和他們能夠達成的結果混為一談。一如我們將在後文所見，這種觀點忽略了嘉年華實際的社會歷史，但其歷史和這個議題直接相關。然而，暫且擱置社會歷史，我們也可以看出這種功能主義觀點中帶有站不住腳的本質論（essentialism）。我們無法斷言嘉年華這種複雜的社會事件就是這樣或那樣，彷彿嘉年華具有先天設計好的特定功能。將嘉年華視為各種社會衝突和象徵性操縱的儀式性場域，而且無法初步斷定任何一種占據優勢，會是遠更合理的看法。於是，我們可以預期嘉年華會隨著文化和歷史情勢變化，對參與者來說可能也具有許多功能。這讓功能主義觀點的另一個問題浮現了，那就是認定菁英具有獨特的能動性。我們肯定不能繼續認為嘉年華是支配群體專門安排來讓從屬群體玩玩叛亂的遊戲，以免他們發起真正的叛亂。嘉年華的存在和發展形式是社會衝突的結果，而非菁英單方面的創造。將嘉年華視為從屬群體從菁英手中奪取的模稜兩可的政治勝利，也同樣合理。最後，我們會納悶安全閥理論背後的心理原理為何。為什麼仿造反叛的儀式勢必會減少實際反叛的可能性？為什麼不認為這種儀式同樣可能是實際抵抗的整裝彩排或挑釁？佯裝反叛的儀式肯定比實際反叛安全，但我們有何根據可以假定這種儀式是替代品，更別說讓參與者心滿意足了呢？

至此我們可以轉而檢視嘉年華實際面臨的困難，這將帶來許多啟發。事實上，如果安全閥理論引導了菁英的行為，菁英就應該會鼓勵舉行嘉年華，尤其是在社會緊張情勢升高的時刻。實際情況幾乎相反。無論如何，就算菁英確實相信安全閥理論，他們也絕對不會有把握到假定這個理論保證會自動運作。歷史上絕大多數的時期，教會和世俗菁英都將嘉年華視為混亂和煽動叛亂可能或實際發生的場域，需要持續監控。盧德溫（Rudwin）曾以頗長的篇幅撰寫，歐洲德語地區的教會權威當局長期試圖禁止或取代無情諷刺他們的嘉年華喜劇（*ludi*）。[100]為了替代群眾的諷刺模仿和搗蛋鬼提爾的惡作劇，教會試圖提倡受難劇和聖史劇（mystery plays）直接與之競爭。在法國，教會官員和自治市原先允許或甚至支持舉行嘉年華，但在百姓將之轉作可疑用途後宣布禁止。比方說，巴赫汀曾提到，為了創作嘉年華的笑劇、丑戲（*sotie*）和諷刺劇而組成的民眾協會

（例如巴黎法律書記行會〔*Basochiens*〕和無憂孩童會〔*Enfants sans souci*〕＊）經常是「禁止和壓制的對象，巴黎法律書記行會最終被勒令暫停活動。」[101]

存活至二十世紀的嘉年華仍保有其社會影響力。西班牙內戰（Spanish Civil War）期間，法蘭西斯科．佛朗哥通過的第一批法律中，有個法案就是禁止嘉年華。接下來的戰爭期間，任何人在非共和派（Republican）掌控的地區被逮到戴著面具都會遭受嚴厲的刑罰，嘉年華大幅減少，但並未滅絕。然而，戒嚴令一解除後，「豐馬約爾（Fuenmajor）的人民不會放棄之，於是他們從獄中高唱辱罵批評。」「『沒有人可以從我們手中奪走嘉年華，教宗不行，佛朗哥不行，連耶穌本人也不行。』他們在豐馬約爾說道。」[102]正如佛朗哥的理解，嘉年華和面具一直都是潛在威脅。畢竟，就連本身是耶穌會信徒的拉伯雷，都因為關於嘉年華的作品而必須逃離法國一段時間，而他的朋友艾蒂安．多雷（Etienne Dolet）也說了幾乎一樣的話，但更不加掩飾，於是被綁在火刑柱上燒死。

最詳盡說明嘉年華和反叛之間可能的關聯的著述絕對出自勒華拉杜里之筆，他描述了一五八○年在里昂（Lyons）東南方的羅芒鎮的血腥嘉年華。[103]近期的階級和宗教鬥爭歷史餵養了嘉年華精神；羅芒在一五七二年發生了當地的聖巴托羅繆大屠殺（St. Bartholemew's Day massacre）†。新致富的都市貴族正在向破產的農民購買土地，並取得可以免稅的頭銜，導致剩下的小農和工匠稅賦負擔大增。勒華拉杜里解釋，在這個脈絡下，羅芒的嘉年華會變成衝突場域，上層商人、地主和資產階級顯貴對抗「一般工匠中等階層中擁有小額財產的群體」。[104]在鄉村地區，嘉年華則變成農民和貴族間的鬥爭。

問題的第一個徵兆是嘉年華沒有按照鎮上菁英指定的儀式路線進行。因為嘉年華慶典的各式元素都是社區精心組織而成的，財政和階級的緊張氣氛在某種程度上與嘉年華的分群一致。比方說，工匠和商人拒絕加入最初的遊行行列，該遊行的排序精準呈現出相對的地位差異。反之，他們在自己的區域舉行自己的遊行。讓・博丹曾警告，「所有階級和所有職業都走在同一隊伍時會有風險……可能導致優先順序的衝突，並且引發人民反叛。我們可別做得太過火了，……除非出現迫切需要這類儀式的情況。」[105]三個所謂的動物王國（Animal Kingdoms）——野兔（雨格諾新教徒〔Huguenots〕）、閹雞（聯盟派〔Leaguers〕或反叛分子）和鷓鴣（天主教徒和貴族）——都各分配到一天可以展現他們的儀式王國。[106]然而，在這個例子中，閹雞的隊伍別具威脅性。舞者宣告富人犧牲窮人來致富，並要求恢復挨家挨戶徵收糧食和現金，這雖然是傳統做法，但在此例中是公然威脅。在儀式上，輪到閹雞王國讓位給鷓鴣王國時，閹雞悍然繼續遊行，因此形成象徵性的宣戰。在這次儀式的違抗行動中，權威當局讀到大災變的預兆：「窮人想要奪走我

---

* 譯注：無憂孩童會為巴黎的商人、工匠和學生組成的協會。

† 譯注：法國宗教戰爭期間新舊教對立而導致的重大事件，天主教徒屠殺了大量新教徒。

們所有塵世的物品和我們的女人；他們想要殺害我們，甚至可能要吃我們的肉。」[107]菁英害怕的不只是象徵性的顛倒世界，而是顛倒世界實際來臨，於是他們先發制人，暗殺聯盟領袖波米耶，觸發了一場小規模內戰，羅芒有三十人喪命，周邊的鄉村地區則有超過千人死亡。

無論羅芒的貴族和有產階級多麼希望能夠將嘉年華精心策劃成再次肯定現存階層體系的儀式，他們都失敗了。就像任何儀式場域，嘉年華也可以注入最弱勢的參與者所帶來的符號、象徵和意義。它可能象徵混亂的愚蠢，或者如果被下級者挪用的話，也可能衝破儀式的約束衣，象徵壓迫和反抗。歷史上嘉年華引人注目的並非對維持現存階層體系貢獻良多，而是經常成為公開社會衝突的場景。柏克如此總結他自己的調查結果，「無論如何，西元一五〇〇至一八〇〇年間，反叛儀式確實與對社會、政治和宗教秩序的嚴肅質疑同時存在，而儀式有時會演變成對秩序的質疑，反之亦然。抗議會以儀式的形式表達，但儀式不總是足以容納抗議。酒桶有時會爆炸開來。」[108]

一八六一年，沙皇決定要廢除農奴制度時，敕令是在嘉年華週期間簽署的。官員因為擔心「當週村民會太頻繁狂歡，而惡化成叛亂」，於是將實際公告的時間再延後兩週，好讓這則消息不會太具煽動力。

我不是要暗示嘉年華或翻轉儀式會導致反叛；它們絕對不會。重點實際上是在於象徵和掩飾之間的關係。嘉年華因為其儀式架構和匿名性，賦予平時被壓抑的言論和攻擊行為特許的位置。

在許多社會中，嘉年華幾乎是一年中唯一一段時間，較低階級獲准戴著面具，聚集前所未有的人數，並對那些在日常生活中掌控他們的人擺出威脅的姿態。考慮到這種獨一無二的機會，以及和嘉年華相關的顛倒世界象徵，嘉年華會經常溢出其儀式的堤岸，演變成暴力衝突，也就不足為奇了。事實上，如果有人在計劃反叛或抗議，嘉年華所提供的匿名集會的合法掩護可能就在暗示自己是適合的地點。就像相對無害的空中飛魚顛倒世界版畫，嘉年華經過授權的這項要素提供了一個環境，要插入不那麼無害的訊息也相對安全。我認為，這就是為什麼除非直到相當近期，否則幾乎不可能將嘉年華和政治切割開來。[109]這就是為什麼實際的叛亂會仿造嘉年華——他們在闖入政府機構或提出政治要求時，會扮女裝或蒙面；他們的威脅會利用嘉年華的人物和象徵；他們會以群眾在嘉年華期間期望獲得禮物的方式，勒索現金和僱傭條件的讓步；他們會利用策劃儀式和嘉年華或集市的集會，來掩蓋他們的意圖。他們是在玩鬧，還是認真的？充分利用這種恰到好處的模糊情勢對他們有利。

而當然，如果成功反叛後的餘波宛如嘉年華，那也是可以理解的，因為兩者都是可以顯露隱藏文本的放縱和自由的時間，嘉年華會戴著面具，而反叛成功後的狂歡則會明目張膽地進行。如果沒有這些「瘋狂時刻」，幾乎從屬群體的所有公開行動都會充斥著掩飾。[110]

注釋

1. *Black Culture and Black Consciousness*, 358.
2. 相關例子可參見Donald Brenneis, "Fighting Words," in *Not Work Alone: A Cross-cultural View of Activities Superfluous to Survival*, ed. Jeremy Cherfas and Roger Lewin, 168-80，關於這類的模式亦可參見Roger Vailland, *The Law*, trans. Peter Wiles (New York: Knopf, 1958)，他在其中拿義大利的雷傑（*la legge*）或稱帕薩特拉（*la passatella*）喝酒遊戲來比喻弱者必備的耐心。
3. 「抗議」（voice）這個用詞是引自阿爾伯特・赫緒曼引人注目的對比消費者對某間公司產品不滿的典型經濟回應——叛離——以及對制度表現不滿的典型政治回應——抗議。赫緒曼主張，無法叛離（轉向另一陣營的背叛）或其代價太過高昂時，不滿可能會以公開投訴、憤怒和要求的形式呈現。然而，對我們的研究目標來說，抗議的形式會根據掌權者嚴懲公開抵抗的能力而有所變化。引自Albert O. Hirschman, *Exit, Voice, and Loyalty: Responses to Decline in Firms, Organizations, and States*。
4. *Body of Power, Spirit of Resistance*, 2.
5. *Whigs and Hunters*, 200.
6. 蘇珊・弗里曼在"The Return of the Repressed in Women's Narrative"一文中強而有力地提出這個論點。她引用了佛洛伊德（Freud）在《夢的解析》（*Interpretation of Dreams*）中提出的政治監控和壓制之間的類比——「監控愈嚴格，掩飾就會愈深遠」——藉此深具說服力地說明可以將女性敘事視為「一份堅持不懈的紀錄——一道痕跡、一張網、一份複寫稿、一套神祕符號、一種掩飾——記錄因為來自外部和內化的父權社會秩序審查者而未曾或無法直接表達的訊息」。
7. *The Joke*, 83-88.
8. 同前注，頁86。
9. 這起事件後續還有發展，權威當局變更了武次城宵禁的時間，讓在那個時間散步變成違法行為。作為回應，有一段時間，許多烏茲居民會恰好在政府新聞節目開始的時間，把他們的電視拿到窗邊，並將音量調到最大，對著空蕩蕩的庭院和街道播送。在這種情況下，經過的人必定是「保安部隊」的軍官，映入他眼簾的是勞動階級住家的詭異景象，幾乎每扇窗戶都有台電視對著他刺耳地播送政府的訊息。

10. *Ecstatic Religion: An Anthropological Study of Spirit Possession and Shamanism.*

11. 同前注，頁115。

12. Abu-Lughod, *Veiled Sentiments*, 102描述了一個例子，某位女子對民族誌學者聲稱，她為了逃避一樁討厭的婚事，故意假裝被附身。在此例中，這種戰術奏效了。

13. 八卦的能力比起權力、財產和收入在分配上更加民主，肯定也比公開發表言論的自由更平等分配。我不是要暗示上級者不會，也沒有用八卦來控制從屬者，而是在這個特定的鬥爭領域，資源相對對從屬者更有利。有些人的八卦會比其他人更具影響力，而只要我們沒有將地位和純粹的公開服從混為一談，便能預期個人地位崇高的人物將會是最有效的八卦傳播者。

14. *Aggression and Community: Paradoxes of Andalusian Culture*. 亦可參見J. A. Pin-Rivers, *The People of the Sierra*, chap. II的經典分析。

15. Edward B. Harper, "Social Consequences of an Unsuccessful Low Caste Movement," in *Social Mobility in the Caste System in India: An Interdisciplinary Symposium, Comparative Studies in Society and History*, *Supplement* #3, ed. James Silverberg, 50.

16. 權勢者的名望幾乎必然會有其價值，原因不外乎鄙視他的輿論氛圍往往會助長其他形式的抵抗。

17. 參見Annette B. Weiner, "From Words to Objects to Magic: 'Hard Words' and the Boundaries of Social Interaction," in *Dangerous Words: Language and Politics in the Pacific*, ed. Donald Lawrence Brenneis and Fred R. Myers, 161-91。

18. *Elementary Forms of Peasant Insurgency*, 251.

19. 同前注，頁255-59. 我們可以合理地說，謠言是引發印度兵叛變（Sepoy Mutiny）的最大起因。

20. Gordon W. Allport and Leo Postman, *The Psychology of Rumor*, esp. 75.

21. *The Great Fear of 1789: Rural Panic in Revolutionary France*, trans. Joan White. 有個和勒費弗爾的敘述出奇相似的近代例子，那就是在西奧塞古夫妻（Ceausescus）垮台後立即席捲羅馬尼亞（Rumania）的可怕謠言。有各式各樣的傳聞流傳，例如蒂米什瓦拉（Timisoara）的祕密警察（Securitate）殺害六萬人，祕密警察對當地的水源下毒，三萬名頑強的祕密警官在喀爾巴阡山區（Carpathian mountains）挖掘了廣大的地堡。參見"Whispered No Longer, Hearsay Jolts Bucharest," Celestine Bohlen, *New York Times*, January 4, 1990, p. A14。
22. 同前注，頁38。
23. 同前注，頁39，引述選舉期間索米爾村（Saumur *baillage*）的副官Desire de Debuisson。
24. 同前注，頁39-40，引述M. de Caraman（來自愛克斯地區〔Aix〕）。
25. 同前注，頁95。
26. Craton, *Testing the Chains*, 244 ff.
27. Carolyn Fick, "Black Peasants and Soldiers in the St. Domingue Revolution: Initial Reactions to Freedom in the South Province," in *History from Below*, ed. Krantz, 245.
28. *Religion as Social Vision*, esp. chap. 13.
29. Khare, *The Untouchable as Himself*, 85-86.
30. 對早期的勞動階級來說可能也是如此。伊恩．麥凱（Ian McKay）在討論布赫迪厄的著作時寫道：「布赫迪厄明顯遺憾地指出，工人因為童年深刻的條件反射，而變得無法把握住歷史契機，但他可能也考慮到了某些勞動階級的歷史案例，他們會因為感受到某種並不客觀合理的歷史可能性而受到影響。在勞動階級運動中亦曾出現過千禧年運動（millenarian movement）。」出自"Historians, Anthropology, and the Concept of Culture," 238。
31. 或說要仰賴匿名才有可能發動攻擊。莎拉．艾文斯提到，美國民權運動期間，學生非暴力協調委員會（Student Non-violent Coordinating Committee）的女性成員感覺自己被迫在提出女性待遇議題時保持匿名。她們的備忘錄明確說明了她們的擔憂：「這份報告是匿名的。想想看如果作者的身分公諸於世的話，他必須因為提出這類的討論而遭受何種對待。如果是被解雇或徹底排擠還沒有那麼無可改變，會留下永久傷痕的是影射、嘲笑、過度補償那類會毀掉內心的事情。」出自*Personal Politics*, 234。

32. "Patrician Society, Plebeian Culture," 399，粗體為作者所加。十九世紀時，農工為了達成目的養成侵略性乞討的例行公事，形成另一種大規模的掩飾和夜間勒索模式，相關細節可參見Eric Hobsbawm and George Rudé, *Captain Swing*。
33. 同前注。
34. 同前注，頁400。
35. "Babí bunty and Peasant Women's Protest during Collectivization," 39.
36. Thompson, "Patrician Society, Plebeian Culture," 401.
37. "The Textile Trade and the Language of the Crowd at Rouen, 1752-1871."
38. 我特別參考了艾瑞克．霍布斯邦的*Primitive Rebels: Studies in Archaic Forms of Social Movement in the 19th and 20th Centuries*一書。愛德華．湯普森和喬治．魯德（George Rudé）比較不這麼論述，我猜是因為他們比較不受制於對先鋒黨的信心。
39. Frances Fox Piven and Richard Cloward, *Poor People's Movements: Why They Succeed, How They Fail*是關於美國歷史上社會抗爭的開創性分析，對這些議題十分敏銳。
40. 可參見法蘭克．赫恩（Frank Hearn）的論點，他主張侵蝕這些「傳統」社會結構對英國勞動階級的政治馴化至關重要，*Domination, Legitimation, and Resistance*, 270。
41. Emile Benveniste, *Problèmes de linguistique générale*, 2:254-57.
42. "High John de Conquer," in *Mother Wit*, ed. Alan Dundas, 543，引文出自Raboteau, *Slave Religion*, 249-50。
43. Raboteau, *Slave Religion*, 245.
44. Maurice Agulhon, *La république au village: Les populations du Var de la Révolution à la seconde République*, 440.
45. "Arsonists in Eighteenth-Century France: An Essay in the Typology of Crime," from *Annales, E.S.C.* (Jan.-Feb. 1970), 229-48,

trans. Elborg Forster，再版為*Deviants and the Abandoned in French Society: Selection from the Annales*, ed. Robert Forster and Orest Ranum, 4:158。

46. Thomas L. Friedman, "For Israeli Soldiers, 'War of Eyes' in West Bank," *New York Times*, January 5,1988, p. A10. 而且這類行為本身不需要模稜兩可，所代表的意義模糊就夠了。因此，亞莉・羅素・霍希爾德曾描述一名憤怒的空服員故意把飲料打翻在一名無禮乘客的大腿上，接著道歉，把這起事件描述成一場意外——可能隱約帶有一點愉快的態度。空服員設法做出可能會被視為攻擊的行為，同時又透過聲稱她是無心的，來控制她可能面臨的後果。出自*The Managed Heart*, 114。

47. "The Nature of Deference and Demeanor," 478.

48. Dick Hebdige, "Reggae, Rastas, and Rudies," in *Resistance Through Rituals*, ed. Hall and Jefferson, 152.

49. Jack Goody, *Literacy in Traditional Societies*, 24.

50. Nagita and Scheiner, *Japanese Thought in the Tokugawa Period*, 39-62. 亦可參見Ann Walthall, "Narratives of Peasant Uprisings in Japan," *Journal of Asian Studies* 43, no. 3 (May 1983), 571-87。

51. 這部分討論的素材引自伊萊托的"Pasyon and Revolution"全文各處。

52. 有篇寶貴的文章描述了民眾能夠如何賦予儀式顛覆性的嶄新意義，但讓掌權者難以理解，參見魏樂博（Robert Weller）針對台灣在日本占領期間的中元節的分析，"The Politics of Ritual Disguise: Repression and Response in Taiwanese Popular Religion"。

53. 參見William S. Baring-Gould and Cecil Baring-Gould, *The Annotated Mother Goose: Nursery Rhymes New and Old* (New York: C. W. Potter, 1962).

54. *Lars Porsena, or the Future of Swearing and Improper Language*, 55.

55. 在有識字階級的社會中，某個版本當然可能留存下來，也可能恢復該形式。只要某個口述文本被彙整成書面版本（例如荷馬〔Homer〕的《奧德賽》〔*Odyssey*〕），可能就會呈現出截然不同的生命。

56. Burke, *Popular Culture in Early Modem Europe*, 115.

57. 口頭溝通的保密性當然也可能對菁英有利：君子協定、可以否認的口頭指示等等。馬克斯・韋伯指出，婆羅門的神聖知識數百年來都是口頭傳述，而且禁止書寫成文字，以免較低種姓會打破他們對祕傳知識的壟斷。出自Weber, *The Sociology of Religion*, 67。口頭溝通的「可否認性」無疑是當代俗語「白紙黑字寫下來」背後的原因。

58. 印尼中蘇拉威西（Central Sulawesi）的搗蛋鬼潘丹傑勒（Pantenggel）因為能夠用精細繁複、難以捉摸的意象來表達甚至最簡單的陳述，而受人敬佩，關於這個角色的描述可參見Jane Mannig Atkinson, "Wrapped Words: Poetry and Politics among the Wana of Central Sulawesi, Indonesia," in *Dangerous Words*, ed. Brenneis and Myers。

59. 引文出自Levine, *Black Culture and Black Consciousness*, 81。

60. G. O. Wright, "Projection and Displacement: A Cross-cultural Study of Folk-tale Aggression"，引文出自Berkowitz, *Aggression*, 121-23。

61. Alex Lichtenstein, "That Disposition to Theft with which they have been Branded: Moral Economy, Slave Management, and the Law," 418.

62. Levine, *Black Culture and Black Consciousness*, 111-16.

63. 德蒂安（Detienne）和韋爾南（Vernant）曾花費很大的篇幅解釋，古希臘人非常欣賞這個特質，他們稱之為「mêtis」，這個詞「融合了天賦、智慧、遠見、心思敏銳、矇騙、足智多謀、警戒、投機、各種技巧和多年來累積的經驗。這種特質會應用在瞬息萬變、令人倉皇失措和曖昧不明的情況，也就是精確衡量、精密計算或縝密邏輯派不上用場的情況。」參見Marcel Detienne and Jean-Pierre Vernant, *Cunning Intelligence in Greek Culture and Society*, trans. Janet Lloyd, 3-4和頁44。十三世紀有本阿拉伯文著作彙整了數千個已知曾成功用來以智戰勝敵人的機智妙計，參見René B. Khawam, trans., *The Subtle Ruse: The Book of Arabic Wisdom and Guile*。

64. Hurston, "High John de Conquer," 541-48.

65. Osofsky, *Puttin' on Ole Massa*, 32-33.

66. 同前注，頁166，威廉・威爾斯・布朗的敘述。

67. 同前注，頁363所羅門・諾薩普（Solomon Northrup）的敘述。

68. 柏克指出，十五世紀末的天主教禁書目錄（Catholic Indexes）禁止公開發表某些民謠和小冊子，尤可參見*Till Eulenspiegel and Reynard the Fox. Popular Culture in Early Modern Europe*, 220。

69. 延續這個脈絡，可以參見萊拉・阿布—盧戈德對貝都因女性詩歌的傑出分析，她主張女性詩歌是官方男性榮譽觀經掩飾的對比。她指出：「詩歌在套語、習俗和傳統的遮掩下掩飾陳述，因此適合用來傳達表述與官方文化理想牴觸的自我。」「如前述，金納瓦短詩（ghinnawa）是高度公式化和風格化的口語文類。」「套語讓內容變得與個人無關或非個人，讓人可以將自我與他們表達的情感劃清界線，如果暴露給錯誤的觀眾，就能聲稱『那只是一首歌』。」出自*Veiled Sentiments*, 239。

70. 從屬者表達抵抗精神最有效和常見的方法之一，是將之植入更大的象徵性順服脈絡中。這個模式和前文關於霸權使用價值的討論直接相關，但值得將之視為一種掩飾形式來簡短評論。我想喚起讀者注意的模式在某個例子中表露無遺，那就是在布宜諾斯艾利斯（Buenos Aires）五月廣場（Plaza de Mayo），每週都會有阿根廷（Argentine）的母親抗議，呼籲軍政府為她們的孩子失蹤負責。這實際上是公開違抗行動，反抗這個壓迫政權在司法程序外謀殺數千名反對者。然而，抗議持續進行，並茁壯成關鍵的反政權儀式。我認為，她們之所以相對免除即時的暴力對待，是因為她們在結構上只訴諸那些宗教、家庭、道德和陽剛的父權價值，而這個右翼政權不斷在口頭上強調這些價值。當地的公共意識形態絕對尊重女性尤其身為母親或貞潔女兒的角色，而這些婦女是以代表她們孩子的母親身分在示威集會。婦女以這種特定的身分資格展開行動，並否認任何其他的動機，如果公開攻擊她們，該政權的公開立場就會變得相當尷尬。一如許多支配的意識形態，這個意識形態不僅將特定活動形式視為非法而排斥之，還會創造出小小的機會利基——儘管可能不是故意的——為失蹤者（*desaparecidos*）的母親利用。透過將她們的違抗披上霸權的外衣，這些婦女可以在其他方面挑戰政權。

71. 我在這裡的討論大部分都是取自David Kunzle, "World Upside Down"一文的優秀分析。關於大約同一時期的性別角色翻轉，可參見Natalie Zemon Davis, "Women on Top: Symbolic Sexual Inversion and Political Disorder in Early Modern Europe," in *The Reversible World: Symbolic Inversion in Art and Society*, ed. Barbara A. Babcock, 129-92引人入勝的敘述。

72. *Carnival in Romans*, 77.

73. Burke, *Popular Culture in Early Modern Europe*, 53-54.

74. Kunzle, "World Upside Down," 78.

75. 同前注，頁74。

76. Burke, *Popular Culture in Early Modern Europe*, 160.

77. "World Upside Down," 82, 89，粗體為作者所加。

78. Reeves, "Some Popular Prophesies from the 14th to 17th Centuries," in *Popular Belief and Practice: Papers Read at the 9th Summer Meeting and 10th Winter Meeting of the Ecclesiastical History Society*, ed. G. J. Cuming and Derek Baker, 107-34.

79. 日本似乎也有相當於顛倒世界的傳統。奈地田（Nagita）和舒納（Scheiner）寫道：「比方說，在江戶時代，『世直し』（佛教的嶄新世界——也是種千禧年願景）的精神和對富人的敵意被與『なまず』（鯰魚）聯想在一起。一八五五年江戶大地震後，馬上出現一系列未署名的版畫，描繪撐起世界的鯰魚向富人和剝削窮人的狡詐之人復仇。……在這時期的版畫中，鯰魚撐起富人的身體，強迫他們排出和吐出錢幣和珠寶給窮人。這類的版畫也描繪『家壊し』（破壞富人或官員的住家）的場景。……其中一幅版畫下方的說明寫道：『我們人民藉此實現我們懷抱的渴望。』」出自*Japanese Thought in the Tokugawa Period*, 58。

80. Kunzle, "World Upside Down," 64.

81. 同前注，頁63。

82. 同前注，頁6。

83. 關於這場運動最詳盡的描述，可參見克里斯多福．希爾的傑作*The World Turned Upside Down*全書各處。

84. Cobb, *The Police and the People*, 174-75.

85. Burke, *Popular Culture in Early Modern Europe*, 189 and pl. 20.
86. Gilmore, *Aggression and Community*, 99.
87. Burke, *Popular Culture in Early Modern Europe*, 123.
88. *Aggression and Community*, chap. 6.
89. 同前注，頁98。在這個脈絡中，值得回想一下一個重點，那就是在嘉年華期間，對自己階級成員施行社會制裁的目的，可能是要懲戒犧牲同儕、巴結菁英的那些人。
90. Yves-Marie Berée, *Fêtes et révolte: Des mentalités populaires du XVIe au XVIIIe siècles*, 83.
91. 正如嘉年華本身，巴赫汀在書寫對拉伯雷的研究時，也在和高層的史達林主義（Stalinism）玩貓捉老鼠的遊戲。不需要太多推論，就可以把官方虛偽表象和受支配論述的場域和史達林政府劃上等號，並且把拉伯雷筆下的嘉年華視為相當於不會被壓制打敗的幕後否定和懷疑態度。可是，再次如同嘉年華，因為巴赫汀的文本也具有完全無害的意義，也就有機會逃過一劫，至少不是明目張膽的叛國。
92. Mikhail Bakhtin, *Rabelais and His World*, trans. Helene Iswolsky, 154.
93. *The Theory of Communicative Action*. 亦可參見Thomas McCarthy, *The Critical Theory of Jürgen Habermas*, 273-352大有助益的解釋。
94. 哈伯瑪斯主張，策略性說謊和欺騙是寄生在「真誠」的言說行動上，因為只有在某人的對話者信以為真時，欺騙和謊言才會奏效。
95. Gilmore, *Aggression and Community*, 16.
96. *Walter Benjamin, Towards a Revolutionary Criticism*, 148，引文出自Stallybrass and White, *Politics and Poetics of Transgression*, 13.
97. 相關例子可參見Max Gluckman, *Order and Rebellion in Tribal Africa*; Victor Turner, *The Ritual Process: Structure and Anti-Structure*；以及Roger Sales, *English Literature in History, 1780-1830: Pastoral and Politics*。
98. *English Literature in History*, 169.

99. Bakhtin, *Rabelais and His World*, 75，粗體為作者所加。
100. 參見 *The Origin of the German Carnival Comedy*。宗教改革前的教會權威也反對嘉年華中的異教祈求豐產儀式，而宗教改革後的新教地區權威則將嘉年華和羅馬異教信仰連結在一起。兩者都認為嘉年華有可能顛覆公共秩序。在地方自治的城市，中產市民掌控的嘉年華可能會諷刺農民。
101. *Rabelais and His World*, 97. 關於遠更晚期英格蘭試圖禁止集市這種嘉年華和混亂場所的過程，可參見 R. W. Malcolmson, *Popular Recreations in English Society, 1700-1850*。
102. Gilmore, *Aggression and Community*, 100, 99.
103. *Carnival in Romans*.
104. 同前注，頁19。
105. 引文出自同前注，頁201。
106. 將階層和宗教教派畫上等號是相當粗略的劃分，但對我們在此的目的已經足夠。
107. 同前注，頁163。
108. *Popular Culture in Early Modern Europe*, 203.
109. 同前注，頁chap. 8。
110. Zolberg, "Moments of Madness."

第七章　從屬群體的底層政治

文化形式可能不會表達其所知，也不知其所表達的意涵，但至少在其實踐的邏輯過程中，其所作所為傳達出真正的心聲。

——保羅．威利斯《學做工》（*Learning to Labour*）

（對拾穗的監督）將士氣激怒到極致；但在被激怒的階級和受威脅的階級之間存在著如此鴻溝，言語永遠無法穿越；唯有從結果才知道發生了什麼事；（農民）像鼴鼠一樣在地底下工作。

——巴爾札克《農民》

在已經充斥著新詞——有些人可能會說是新詞密布——的社會科學中，要貢獻另一個新詞會令人猶豫不決。然而，「底層政治」一詞似乎是個適切的簡略表達方式，來表示我們正在處理的是一個低調的政治鬥爭領域。當前的社會科學習慣探討自由民主國家相對公開的政治，以及會成為新聞頭條的高調抗議、示威和反叛行動，因此從屬群體日常進行的謹慎鬥爭就像紅外線，超出了可見的光譜。如我們將在後文所見，這些鬥爭之所以難以看見，大多是蓄意所為——這是在精明地意識到權力平衡後所誕生的戰術選擇。我在此提出的主張類似於列奧．施特勞斯（Leo Strauss）在主張迫害的現實必定會影響我們對經典政治哲學的解讀：「迫害就連公開表達異端真相也無法阻止，因為獨立思考之人只要小心行事，就能公開說出他的想法而毫髮無傷。只要他能夠**寫出帶有言外之意的文字**，他甚至可以在出版的著述中表達這些想法，而不會招致任何危險。」[1]我們在此要詮釋的文本不是柏拉圖（Plato）的《會飲篇》（*Symposium*），而是從屬群體掩飾的文化鬥爭和政治表達，他們具有充分的理由要對冒險毫無防備地表達意見感到害怕。無論是哪個例子，文本的意義都鮮少直截了當；它們經常是意圖要對知情的人傳達一件事，而對局外人和權威當局傳達另一件事。如果我們可以取得隱藏文本（類似於哲學家的祕密筆記或對話）或較魯莽表達的意見（類似於後續在較自由的環境下產出的文本），詮釋的任務就會簡單一些。如果沒有這些文本可以比較，我們就必須利用我們的文化知識，去探尋不單純的意義——幾乎就像一名經驗老到的審查者會採用的方式！

我認為底層政治一詞還有另一點非常適切。當我們提到商業的基礎建設（infrastructure）*，我們會想到讓這類貿易得以進行的設施，例如運輸、銀行業、貨幣、財產法和契約法。同理，我想要表示我們研究的底層政治替我們一般聚焦的、更外顯的政治行動，提供了許多文化和結構基礎。這章的絕大部分篇幅都投注在證明這項主張。

首先，我會短暫回到許多人抱持的立場，無權者的幕後論述若非空洞的裝腔作勢，就是更糟糕的真正抵抗的替代品。指出這種推理方法的一些邏輯問題後，我將試圖說明具體和象徵性抵抗都是同一套互相支持的做法的一部分。這就必須重新強調，支配菁英和從屬者間的關係無論其他可能為何，但絕大部分都是雙方持續刺探弱點和利用小幅優勢的具體鬥爭。透過概述部分的論點，我最後會試圖說明，為何每個公開抵抗支配的領域，都籠罩在底層政治的孿生姊妹的陰影之下，其策略性目標雖然相同，但低調的特性更適合抵抗在任何公開對峙都八成會獲勝的對手。

隱藏文本是在裝腔作勢？

懷疑論者可能很樂意接受目前的許多論點，但低估了其對政治生活的重要性。就算巧妙滲入公開文本，但難道所謂的隱藏文本不就是鮮少真正付諸行動、空洞的裝腔作勢嗎？這種安全表達攻擊某個支配人物的看法是認為，這麼做是用來替代真正的行動：直接攻擊——儘管這只是次佳的替代品。最好的情況是幾乎沒有後果，最糟的情況也是逃避的藉口。花時間夢想出獄生活

---

* 譯注：「infrastructure」的字面意義為底層結構。

的囚犯，或許反而應該挖掘地道；歌頌解放和自由的奴隸，或許反而應該逃跑。如巴林頓・摩爾寫道：「就連解放和復仇的幻想，也透過相對無害的措辭和儀式耗盡集體的精力，有助於維持支配。」[2]

如前文所述，以水壓比喻來詮釋安全場域內的戰鬥言論，這種論據最有力的時候可能是那些戰鬥言論大多看似是受支配群體精心策劃或安排的情況。嘉年華和其他儀式化、因此本來就有所克制的翻轉儀式是最明顯的例子。直到最近，支配方仍將儀式化攻擊或翻轉詮釋為藉由採取行動，去解除階層化社會關係所導致的緊張局勢，便有助於鞏固現狀。從黑格爾到托洛斯基（Trotsky）等各式各樣的人物都將這類儀式視為保守力量。馬克斯・格拉克曼（Max Gluckman）和維克多・特納（Victor Turner）具有影響力的分析主張，這類儀式因為凸顯了社會中所有成員必要但短暫的平等，也因為說明了混亂和無政府狀態的危險——即使只透過儀式演示——其作用是要強調制度化秩序的必要性。[3]對拉納吉特・古哈來說，翻轉儀式之所以有利於維持秩序，正是因為是上級授權並規定的儀式。[4]准許從屬群體在精確的規則和時間內玩反叛遊戲，有助於避免更危險的攻擊形式。

自己是前奴隸的弗雷德里克・道格拉斯在描述美國內戰前南方奴隸間的節日慶典時，也訴諸相同的比喻。然而，他的推論有些許不同：

> 在節日前，期待會讓人快樂；在節日後，就會變成回憶的快樂，用來抵擋較危險性格的思想和願望產生……這些節日是避雷針或安全閥，去對付人類在被迫奴役時，心中必定存在的易爆元素。但對那些人而言，艱苦和束縛會變得太過嚴峻而無法忍受，奴隸將被迫陷入危險的絕望境地。[5]

道格拉斯在此的主張並非某種仿造的反叛取代了真實的叛亂，而只是節日的緩解和縱容提供了剛好的快樂，足以削弱初期的反叛。彷彿主人曾計算過多少壓力會導致孤注一擲的行動，並謹慎調整他們的壓制程度，以利正好在爆發點前踩下煞車。

安全閥理論在諸多偽裝之下，最有趣的一點可能是最容易忽略的。這些理論全都始於共同的假設，假定系統性的從屬在下級者間造成某種壓力。此外更進一步假設，如果沒有做任何事去釋放這股壓力，就會日漸累積，最終導致某種爆炸。不過，這股壓力確切是如何產生的，又是由什麼組成，卻很少有人具體說明。對於那些擁有這類從屬經歷的人來說，無論是弗雷德里克·道格拉斯或虛構的波伊瑟太太，這股壓力是無法對強勢的壓迫者（肢體或口頭）反擊而感到挫折憤怒後理所當然的結果。我們已經證明，感受到不義卻沒有報應，如此產生的那股壓力會在隱藏文本中找到出口——表現出壓力的規模、嚴重性和象徵的豐富性。換言之，安全閥觀點隱約接受了我們更廣泛、關於隱藏文本的主張的某些關鍵要素：系統性從屬會引發反應，而這種反應牽涉到對支配者反擊或回嘴的渴望。安全閥理論的不同之處在於，假設這種渴望基本上可以被滿足，無論是透過幕後的對話、受監督的翻轉儀式，或偶爾澆熄怨恨之火的慶典。

安全閥觀點的邏輯仰賴的是一項社會心理學主張：在共同的幻想、儀式或民間故事中安全表達攻擊，和直接攻擊失望的對象所帶來的滿足（因此紓壓）程度相等，或幾乎相等。關於這點的社會心理學證據並不確鑿，但多數的研究發現並不支持此一邏輯。反之，這類研究結果指出，遭受不義挫折的受試者除非能夠直接傷害令人挫敗的起因本身，否則幾乎無法降低他們挫折和憤怒的程度。[6]這樣的結果並不令人驚訝。一般會認為，實際影響到不義起因的報復，會比讓憤怒來源毫髮無傷的攻擊形式，宣洩效果遠遠更好。當然，還有許多實驗證據證明，攻擊遊戲和幻想會增加，而非減少實際攻擊的可能性。波伊瑟太太直接對地主出氣時深感解脫，但她在他背後排演的演說和立下的誓言大概並未讓她有所發洩——或發洩得不夠。因此，我們就有同等、甚至更多理由將波伊瑟太太幕後的憤怒視為她最終爆發的準備，而非視之為令人滿足的替代方案。

如果說社會心理學證據幾乎無法證明可以透過替代來宣洩情緒，那麼此一主張的歷史論據甚至尚未提出。我們是否可能證明，在其他條件不變的情況下，如果支配菁英提供或允許更多出口，讓從屬者對他們進行相對無害的攻擊，就比較不會遭受從屬群體的暴力和反叛？如果要進行這樣的比較，首要任務就是要區分替代攻擊本身和這類慶典固有的較實質的讓步，兩者的效果有何差異，後者包括飲食、慈善救濟、擺脫工作和紀律。換言之，「麵包和馬戲」這類的小恩小惠改善壓迫的效果可能和儀式化的攻擊大不相同，而且有有力證據可以證明，那些小恩小惠經常是從屬階級爭取來的政治讓步。[7]類似的主張也必須解釋一種重大的異常現象。如果儀式化的攻擊事實上可以轉移真正攻擊的明顯目標，那麼為什麼這麼多奴隸、農民和農奴的反叛，就是在這類設計來避免反叛發生的季節性儀式（例如勒華拉杜里描寫的羅芒嘉年華）期間開始的呢？[8]

作為實踐的隱藏文本

安全閥立場最大的缺點是體現出一個根本的理想主義謬誤。認為幕後或掩飾的攻擊形式提供一種無害的宣洩管道，有助於維持現狀，這種主張假設了我們是在檢視一方失能、頗為抽象的辯論，而非具體實質的鬥爭。可是，主人和奴隸、婆羅門和賤民之間的關係不只是尊嚴和統治權的觀念衝突，而是牢牢扎根在具體實踐之中的從屬過程。幾乎所有個人支配的例子都和占用的過程密切相關。支配菁英會以勞力、穀糧、現金和服務的形式榨取實質稅賦，除此之外，還會以服從、舉止、姿態、口頭套語和謙恭行為的形式榨取象徵性稅賦。當然，在實際情況中，這兩者緊密相連，以致於所有公開的占用行為在象徵上都是從屬的儀式。

支配和占用息息相關，這意味著不可能將從屬的概念和象徵，與實質剝削的過程區隔開來。完全同理，也不可能將有所掩飾、對支配概念的象徵性抵抗，與為了阻止或減少剝削的實際鬥爭區隔開來。一如支配，抵抗也是在打一場有兩大前線的戰爭。隱藏文本不只是幕後的牢騷和嘟噥，還在許多實際且低調的策略中實行，目標將占用的程度減至最低。舉例來說，就奴隸而言，這些策略通常包括竊盜、偷竊、裝傻、偷懶或怠工、拖延、私下交易和生產買賣、破壞作物、家畜和機械、縱火、逃跑等等。就農民而言，常見的策略有盜獵、非法占居、違規拾穗、以次級品代償租金、開墾祕密農地和拖欠封建稅金。

以奴隸偷竊的問題為例，我們該如何判斷這個做法對奴隸有何意義？[9] 拿走穀糧、雞、豬等等只是深受飢餓之苦的反應、為了冒險的樂趣[10]，還是意圖懲罰惹人厭的主人或監工？任何這些原因和更多其他原因都有可能。當然，在公開領域，主人對偷竊的定義至上。然而，我們所知已足以推測，偷竊在幕後會被視為純粹是在拿回個人勞動的成果。我們也知道，奴隸的半祕密文化鼓勵並頌揚對主人偷竊，並在道德上譴責任何膽敢揭露這類偷竊的奴隸：「不被發現的偷竊是（奴隸）之中的功績。……而他們最憎恨的惡行是互相告發。」[11] 我們的重點不是這種顯而易見的道理：在人類行動者賦予意義前，行為是難以理解的。重點反而在於，隱藏文本的論述不僅說明或解釋行為，還有助於構成行為本身。

十八和十九世紀歐洲的森林罪案例因為歷史證據相對豐富，提供了我們可以更進一步說明抵抗的實踐和抵抗的論述如何相互支持。那個時期正在強制施行財產法和國家控制，直接主張反對通常非常危險。然而，因為要有效監管森林極為困難，低度的抵抗形式有可能成功，而且風險相對較低。莫里斯・亞古隆（Maurice Agulhon）指出，法國大革命後，瓦赫地區（Var）的農民利用政治真空，升級他們對抗森林法的違法行為。[12]按照慣例的主張來判斷，儘管新頒布的國家法律禁止這些行為，但在更不容易受罰的情況下，他們行使他們認為自己擁有的特權——取用枯木、製作木炭、放牧動物、採集蘑菇等等。亞古隆精準捕捉了這些作為隱含的意義，而且事實上是源自於無法安全公開主張的森林權利意識：「從那時起，在底層政治的層級正在發生一些轉變，從森林權利的意識演變成鄉村的違法行為，接著面臨起訴，這相應又導致對憲兵、法警和地方行政長官的仇恨，這股民怨最終演變成渴望一場多少傾向自由意志主義（libertarian）的新革命。」[13]

有份極具洞察力的研究是關於十八世紀初英格蘭森林盜獵和為了約束之而嚴格實行的死刑，其中揭示了無法公開主張的大眾正義觀，以及許多策劃來祕密行使那些權利的實踐作為之間相同的連結。[14]在這段期間，名義上的地主和君主開始認真限制地方的傳統權利，諸如森林放牧、打獵、陷阱捕獵、捕魚、割草皮和低矮灌木、採集柴薪、割茅草、焚燒石灰，以及採掘他們如今堅持是他們獨占的財產。自耕農、佃農和工人顯然認為這種違反習慣法的做法是不公義的。因此，湯普森寫道自耕農擁有「對權利和習俗的頑強記憶傳統……並且認為他們和這些富有侵入者以外的人才是森林的主人。」[15]「不法之徒」（outlaws）一詞被用來指稱那些持續行使這些如今被宣布禁止的權利的人，但當我們想起他們肯定是在規範內行動，因而獲得他們社群大多數人的支持時，這個詞便顯得有些古怪。

然而，我們無法直接得知佃農在準備陷阱或分享燉兔肉時的隱藏文本。在所有條件都不利於村民展開任何持續公開對抗的政治環境中，當然也就沒有公開的抗議，或公然宣告自古以來便擁有的森林權利。在檯面上，我們面對的是幾乎鴉雀無聲——平民百姓遭到噤聲。然而，他們表達的場域是日常的抵抗形式，日益強力且積極主張擁有這些權利，經常是在夜間或掩飾身分的狀態下進行。因為在法律或政治上對抗爭奪森林財產權對他們弊遠大於利，他們選擇逐步且默默行使他們的權利，以取得法律拒絕給予但他們實質擁有的財產權利。當時的權威當局並非沒有注意到公開靜默和祕密違抗之間的對比，其中的特雷勞尼主教（Bishop Trelawny）曾提到「一群危害社會的惡人……會做出諸如對政府宣誓但祕密策劃顛覆這類的事情。」[16]

如果沒有價值觀、共識和眾怒等活躍的幕後文本支持，如此大規模的群眾盜獵幾乎不可能發生。但那套隱藏文本大多必須透過實踐的舉措來推論——而且是祕密實踐。偶爾會出現一些事件暗示可能隱藏在公開論述表象之下的意見，例如某個獵物管理員不斷限制大眾習俗時收到一封匿名威脅信，或是某個地方鐵匠遭控破壞新近建成的水壩來建造魚池時，檢察當局在方圓五英里內找不到任何人願意作證告發他。還有更罕見的情況，當公開宣告權利並不會造成更多損失，隱藏文本的標準內容就可能會展現出來。因此，有兩位即將被處以絞刑的定罪「盜鹿人」冒險主張，「鹿是野生動物，無論貧富都可以合法取用之。」[17]

如此簡短討論盜獵案例的重點在於，任何人只要假設掩飾的意識形態異議或攻擊是種會削弱「真正」抵抗行動的安全閥，都忽略了最重要的事實，那就是以低調重新協商權力關係為目標的舉措幾乎總是在表達這種意識形態異議。我們討論的自耕農和佃農不只是在幕後針對他們認定自己的財產權，提出滿足情緒的抽象論據，而是日復一日都在森林裡盡可能行使那些權利。隱藏文本和實際抵抗之間存在重要的辯證關係。[18]關於傳統權利和憤怒的隱藏文本是引發群眾盜獵的原因之一，但我們必須意識到，同一時間，森林裡的實際鬥爭也是形成關於習俗、英勇事蹟、復仇和正義的幕後論述的原因。如果幕後的談話令人滿足，那麼有很大一部分是因為爭奪森林的日常衝突中獲得的實際收益令人滿足。任何其他的公式都蘊含著一道無法讓人採信的高牆，將一方的群眾思維和言論以及另一方他們的實際行動區隔開來。

幕後的論述實踐遠非取代實際抵抗的釋壓閥，反而是在維繫抵抗，而其運作方式與工廠工人間非正式的同儕壓力阻礙任何個別工人超標勞動、成為高產工人的方式如出一轍。從屬者可以說是在兩個世界間來回遊走：主人的世界和從屬者的幕後世界。這兩個世界都具有制裁力量。從屬者通常可以監控其他從屬者的公開文本表現，但支配者鮮少能夠完全監控隱藏文本。這意味著任何從屬者如果試圖討好上級者來獲得特權，當他回到同儕的世界時，就必須為那個行為做出交代。在系統性從屬的情況下，這類制裁很可能會超越責罵和辱罵，採取肢體脅迫，例如囚犯群起毆打告密者。然而，同儕間的社會壓力本身就是從屬者的強大武器。工業社會學者很早就發現，同事的譴責經常會戰勝對更高收入或升遷的渴望。在這方面，我們可以將隱藏文本的社會面向視為一個政治領域，儘管困難重重，仍努力在面對與支配者的關係時，堅持某種行為和抵抗形式。**簡言之，更正確的思維是將隱藏文本視為實際抵抗的一項條件，而非替代品。**

可能有人會主張，即使是這類的實際抵抗，就像抵抗所表現出來、同時維繫抵抗的論述，也不過是瑣碎的應對機制，無法實質影響整體的支配情況。他們可能會繼續論稱，這不是真正的抵抗，就像有所掩飾的象徵性反對不是真正的意識形態異議一樣。這個說法在某個層面完全正確，但無關緊要，因為我們的重點在於，這是在權力現實阻礙正面攻擊時所採取的政治鬥爭形式。在另一層面，值得記住的一點是，數以千計這種「微小」抵抗行動的聚合會造成劇烈的經濟和政治影響。在生產過程中，無論是在工廠廠區或種植園，這都可能導致工人表現沒有糟到會招致懲罰，但也沒有好到讓企業可以成功。這類行為大規模重複後，促使吉拉斯寫道：「冷漠的數百萬人一事無成地緩慢工作……是可計算且無形的龐大浪費，至今所有共產主義政權都無法避免。」[19]大規模的盜獵和非法占居可以重新建立對財產的控制。農民大規模逃稅曾引發威脅國家存亡的撥款危機。應徵入伍農奴或農民大量逃兵曾推翻不只一個古代政權。在適切的條件下，微小行動的累積就像陡峭山坡上的雪花，可以引發雪崩。[20]

極限測試

在任何階層化的社會中，都有一套界限規範著……支配和從屬群體可以做什麼事。……然而，總會出現某種持續試探的行動，試圖找出做哪些事能夠僥倖逃過懲罰，並查明服從和不服從的界限何在。

——巴林頓．摩爾《不義》

我們很少能夠說某個個別的奴隸、賤民、農奴、農民或工人——更不用說是一群——是完全順從或完全不服從的。然而，在什麼條件下，經掩飾的意識形態反對和低調的實質抵抗會膽敢冒險挺身而出，公開表示他們的身分呢？反之，公開抵抗如何被迫愈來愈偷偷摸摸且祕密表達？

讓我們可以最透澈了解這個過程的比喻是游擊戰。在支配關係中就像處於游擊戰，雙方陣營都了解敵人的相對實力和能力，因此也了解攻擊行動可能會引發何種回應。不過，最攸關我們的研究目標的是，雙方永遠無法確知實際的力量平衡，他們大多是透過先前試探和衝突的結果來估算可能的情況。假設雙方都希望獲勝——我們必須這麼做——就很可能會不斷測試平衡。一方會以突出部進軍，看看是否能夠存活或遭受攻擊，而如果是後者，攻擊的強度有多大。戰場通常都位在這種佯攻、小規模攻擊、試探弱點的真空地帶，而非罕見的正面襲擊。除非遭遇決定性的即刻反擊，成功的進攻——無論是否面臨反對和挑戰——很可能會導致更大量、更具侵略性的進攻。唯有透過探索和試探的實驗過程，才能觸及可能的極限。[21]

應該顯而易見的是，這個過程的動態唯有在某些情況下才能夠成立，也就是假定多數的從屬者之所以遵從和服從，**不是**因為他們將支配者的規範內化，而是因為監控和獎懲結構促使他們謹慎遵守。換言之，這假設了支配者和從屬者的目標基本上是對立的，而規訓和懲罰的關係抑制了這種對立狀態。我認為，我們可以照例假定，這樣的假設在奴隸制度、農奴制度、種姓制度的支配中是成立的，在占用和身分貶抑息息相關的農民和地主關係中亦然。在特定的機構背景下，這樣的假設可能也成立，例如典獄長和囚犯、醫療人員和精神病患、教師和學生、雇主和工人。[22]

獵物管理員及森林看守員與盜獵者之間的關係變化是個絕佳的例子，可以說明他們如何試探、測試並偶爾違反限制。湯普森對十八世紀初盜獵情況的描寫，詳述了平民侵占和蠶食私人和君主所有地時盜獵的逐步進展。[23]一旦某個做法確立後，就會被視為習俗，而習俗若穩定實行，就幾乎和法律權利一樣有效。然而，在唯恐挑起公開對立的一般情況下，這個過程幾乎無法察覺。舉例來說，村民可能會祕密環割地底下的樹皮，接著等到那棵樹必然枯死後，再公開拿走他們有權使用的枯木。或者，他們可能會把活樹枝藏在一捆枯木中。如果沒有被制止，他們可能就會逐步增加活木的比例，直到占據一批木材的絕大部分。只要森林執法一鬆懈，這種遞增的過程就可能加速，那些原本退縮的人如今都會急忙開始取用他們一直以來都自認有權使用的木材、獵物、牧草和泥煤。因此，當某個有大量林地的主教轄區「無人管轄……六個月時，佃農……似乎積極侵占木材和鹿。」[24]整體勢力的優勢顯然都掌握在君主和大地主手中，但盜獵者並不是完全沒有資源可用。地形對他們的那種底層政治有利，而他們經常能夠用匿名威脅、毆打、縱火等手段，來威嚇治安官員和獵物管理員。當盜獵變得愈來愈普遍、具侵略性且公開，問題就不再只是關於獵物和木材的實際財產控制，而是下級者公開違抗所隱含的挑釁意義。正如湯普森的說明：

> 造成「緊急情況」的是他們一再公開羞辱權威當局、同時攻擊皇家和私人財產，感受到某種結盟運動正在擴大其特殊訴求……還有一些類似階級衝突的徵兆，保皇派仕紳在動盪地區淪為攻擊目標，試圖強制管理秩序時遭到可憐地孤立。……在政府眼中，構成緊急情況的是這種權威遭到取代的現象，而非偷鹿這種由來已久的陋習。[25]

《黑匪法》（Black Acts）是政府果斷機敏反擊的舉措之一，這項法令規定，被發現在夜晚塗黑臉部外出的人都會遭判死刑。

盜獵等底層政治的抵抗形式背後的動力，不只受權威當局所施加的監控和懲罰的反制力影響。另一個造成深遠影響的因素是從屬人口中需求和憤慨的程度。馬克思早期在《萊茵報》

（*Rheinische Zeitung*）的某些文章中指出，十九世紀中葉德國的偷竊木材行為是一種階級鬥爭形式。[26]違法行為的整體數量會隨著人民的維生需求和執法力度而有所改變。當糧食昂貴，薪資低落，寒冬嚴峻，遷徙困難，以及在土地畸零貧瘠的地區，侵占森林的舉措便會激增。在歉收的一八三六年，普魯士（Prussia）總共二十萬七千起起訴案件中，十五萬起是森林罪。單單一八四二年，巴登州（Baden）的每四名居民中就有一人犯下森林罪。[27]實際入侵森林的風潮一度癱瘓了該州的執法機關。

儘管推動日常抵抗的壓力會隨從屬群體的需求而異，但幾乎不可能會完全消失。重點在於監控和執法的任何弱點都可能迅速為人利用；任何沒有設防的陣地都可能淪為失土。這個模式最明顯的例子莫過於重複占用租金或稅金的行為。比方說，勒華拉杜里等人曾詳細記錄過去近四百年徵收到的什一稅（原則上是農民穀糧收成的十分之一）巨款。[28]因為什一稅很少按照其最初的用意，奉獻給地方的宗教和慈善用途，讓民眾對之深惡痛絕。然而，儘管偶爾會爆發，但我們比較少會看到公開抗議、請願、暴動和起義的抵抗，大多都是透過不張揚但大規模的逃稅來反抗。農民會在什一稅收稅員抵達前祕密採收穀糧，開墾未登記的農地，間作可收取和不可收取什一稅的作物，並採取各式各樣的舉措，以確保什一稅員收到的穀糧品質較差且少於十分之一的作物。壓力持續存在，但在那些執法放寬的罕見時刻，農民會迅速利用機會。戰爭導致某個省分的地方駐軍調離後，徵收到的什一稅量就會暴跌；農民會徹底利用不熟悉一切逃稅手段、新派來的什一稅收稅員。目前所知利用時勢最引人注目的例子，是法國大革命後提供給教士階級的贖回土地費用，以利逐步廢除什一稅。農民意識到政治契機和革命政府無法強制支付，於是非常有效地逃避付款，即刻廢除什一稅。[29]

意識形態和象徵性異議遵循大同小異的模式。我認為，我們可以說隱藏文本是持續在對幕前允許範圍的極限施壓，宛如水體在對水壩施壓。壓力的分量自然會隨著從屬者經驗到的共同憤怒和憤慨程度而變化。壓力的背後是渴望可以直接對支配者不受拘束地表達在隱藏文本中訴說的意見。測試極限的過程並沒有徹底決裂，而是比如包含從屬者特別大膽、憤怒、冒險且無防備地表示，或發表稍微打破限制的言論。如果這種不服從行動（不敬、無禮）沒有遭到責難或懲罰，其他人就會利用那個破口，新的管理言論的實質限制於焉確立，並併入新的領地。成功的一小步可能會激勵其他人進一步冒險，這個過程就會迅速擴大。反之，支配者也可能會破壞限制，往反方向推進，壓制先前容許的公開表示。[30]

拉納吉特．古哈極具說服力地主張，去神聖化和不敬的公開行動經常是實際反叛的第一個徵兆。[31]就連看似微不足道的行動——例如較低種姓穿戴纏頭巾和鞋子、拒絕鞠躬或做出得體的致意舉動、兇狠的眼神、反抗的姿態——也表示公開打破了儀式性的從屬。只要菁英將這種對他們尊嚴的攻擊視為等同於公開反叛，象徵性的違抗和反叛也將等同於公然造反。

象徵性違抗的運作邏輯因此和日常抵抗形式的邏輯出奇相似。兩者原來都審慎保持低調且有所掩飾，可以說是否認任何對具體或象徵秩序的公開違抗。然而，當壓力上升或阻擋的「擋土牆」出現弱點，盜獵就可能升級成土地入侵，逃漏什一稅變成公開拒絕繳稅，謠言和笑話變成公開辱罵。因此，民眾在幕後對西班牙教會階層體系的鄙視，在內戰前僅限於有所掩飾的八卦和幽默，但在戰爭伊始就變成更戲劇性的方式，他們從大教堂的地下室公開挖掘大主教和修女院院長的遺體殘骸，接著將之無禮地丟棄在前門階梯上。[32]**寓言式的語言演變成直接辱罵的過程，和日常抵抗形式演變成公然集體違抗的過程大同小異。**

持續測試極限的邏輯提醒我們注意，從支配者的角度來看，殺雞儆猴非常重要。就像公開打破限制會刺激其他人以同樣的方式違規，透過公開嚴懲來堅決維護象徵性領域也會勸阻其他人冒險公開違抗。射殺一名逃兵，鞭打一名有主見的奴隸，訓斥一名不守規矩的學生，這些舉措都是目的要給從屬者觀眾看的公開活動。其目的是某種先發制人的攻擊，防患於未然，以免發生任何更進一步對現存邊界（如同法國人所說的「殺一儆百」〔pour encourager les autres〕）或可能要占領新領土的挑戰。

最後，權力關係包含「微小」推擠的這種明確觀點，會讓任何自然化和正當化的靜態觀點站不住腳，在以占用和永久從屬為核心的權力關係中尤其如此。在這種形勢下，支配菁英要不停努力維持和擴張其實質的掌控和象徵性的勢力範圍。從屬群體會相應構思策略去阻撓和翻轉菁英的占用，同時採取更多象徵性的逾矩行動。對奴隸和農奴來說，對占用過程施加實質壓力幾乎是不得不為的行動，而回嘴的渴望也有其難以抗拒的理由。在這個領域內沒有永遠的勝利：在遠未塵埃落定前，奪回失土的試探很可能就開始了。支配的自然化總是會遭遇小規模但重要的測試，尤其是在行使權力的時候。[33]

界線下的抵抗

我們現在可以來總結一部分的論據了。直到相當近期，許多從屬群體的活躍政治生活都因為發生在我們鮮少認定為政治的層面中，而遭到忽視。為了強調大體上忽視的程度多麼嚴重，我想要將公開宣告、吸引到較多注意的抵抗形式，以及掩飾低調、沒有宣告的抵抗區分開來，後者構成了底層政治的領域（見後頁表格）。對西方的當代自由民主國家而言，單單關注公開政治行動可以捕捉絕大部分重要的政治生活。政治言論和結社自由的歷史成就大大降低了公開政治表達的風險和困難。然而，在不久之前的西方，甚至對現今許多弱勢少數和被邊緣化的窮人而言，公開政治行動幾乎無法呈現絕大部分的政治行動。單單關注公開宣告的抵抗也無法幫助我們了解，新的政治勢力和訴求在突然出現之前是如何萌芽的。舉例來說，如果不了解黑人學生、教士和他們的教區居民間的幕後論述，我們該如何理解一九六〇年代民權運動或黑人權力運動所象徵的公開決裂呢？

綜觀歷史，我們會發現相對安全公開的政治對抗是既罕見又新近的奢侈享受。絕大多數人過去和至今都不是公民，而是臣民。只要我們將「政治」概念限縮在公開宣告的活動，就會被迫歸納出從屬群體基本上缺乏政治生活，或他們擁有的政治生活僅限於那些群眾爆發的特殊時刻等這類的結論。這麼做就錯過了介於靜默和反叛之間的廣大政治領域，而這個領域無論好壞都是從屬階級的政治環

附表：支配與抵抗

	物質支配	地位支配	意識形態支配
支配舉措	占用穀糧、稅金、勞力等等	羞辱、剝奪權利、辱罵、攻擊尊嚴	統治群體正當化奴隸制度、農奴制度、種姓和特權
公開宣告抵抗形式	請願、示威、抵制、罷工、入侵土地、公開反叛	透過姿態、穿著、言論和／或公開褻瀆支配者的地位象徵來公開主張價值	公開對立的意識形態，宣傳平等和革命思想或否定統治意識形態
掩飾、低調、祕密的抵抗形式，底層政治	日常抵抗形式，如盜獵、非法占居、逃兵、逃稅、拖延掩飾抵抗者的直接抵抗，如蒙面占用和威脅、匿名威脅	憤怒、侵略和關於尊嚴的掩飾論述的隱藏文本，如侵略儀式、復仇故事、利用嘉年華象徵、八卦謠言、創造能夠維護尊嚴的自主社會空間	發展異議次文化，如千禧年宗教、奴隸「僻靜所」、民間宗教、社會型盜匪和階級英雄神話、顛倒世界意象、「好」國王或「諾曼桎梏」（Norman Yoke）前時代的神話

境。這等同於聚焦在可見的政治海岸線，卻遺漏了海岸線外的大陸。

每種掩飾的抵抗形式、每種底層政治形式都是高聲的公開抵抗形式的沉默伙伴。因此，逐步占居等同於底層政治版本的公開入侵土地：兩者的目標都是抵抗土地占用。前者無法公開承認其目標，而且是沒有政治權利的臣民的絕佳策略。因此，謠言和復仇的民間故事等同於底層政治版本的公開鄙視和褻瀆姿態：兩者的目標都是要抵抗對從屬群體地位和尊嚴的否認。前者無法直接行動並公開申明其意圖，因此也是非常適合沒有政治權利的臣民的象徵性策略。最後，民間宗教的千禧年意象和象徵性翻轉等同於底層政治版本的公開激進的對立意識形態：兩者的目標都是要否定意識形態支配的公開象徵。那麼，底層政治基本上是臣民在高度危險的形勢下抵抗時，必須採取的策略性形式。

底層政治必須採取的策略使之不只是在程度上和現代民主國家的公開政治不同，而是採行一種截然不同的政治行動邏輯。不公開聲明，不公然劃定象徵性的界線。所有政治行動採取的形式都是設計來隱藏其意圖，或在表面意義背後尋求掩護。幾乎沒有人以自己的名義、為公開承認的目標行動，因為這麼做會適得其反。正是因為這種政治行動蓄意保持匿名或否認其目標，底層政治需要許多詮釋。實情不完全如表面所見。

底層政治遵循的掩飾邏輯延伸影響到其組織和本體。再次強調，組織的形式既是政治必要性的產物，也是政治選擇的產物。因為公開的政治活動幾乎完全遭受阻礙，抵抗僅限於非正式的親屬、鄰居、朋友和社群網絡，而非正式組織。就像民間文化形式中的象徵性抵抗可能帶有無害的意義，底層政治的基本組織單位也有另一種無害的存在。市集、鄰居、家族和社群的非正式集會因此同時提供了抵抗的結構和掩護。因為抵抗是小群體個別進行的，如果規模較大時，則會利用民間文化的匿名性或實際的掩飾，所以非常適合阻礙監控。沒有領導人可以圍捕，沒有成員名單可以調查，沒有宣言可以譴責，沒有公開活動可以吸引注意。或許可以說，這些是政治生活的基本形式，可以在其上建立更精細、公開、制度化的形式，也可能是他們仰賴的活力來源。這種基本形式也有助於解釋為什麼底層政治經常可以逃過眾人的目光。如果說正式的政治組織是菁英（如律師、政治人物、革命人士、政治大老）、書面紀錄（如決議、宣言、新聞報導、請願書、訴訟）、公開行動的領域，反之，底層政治就是非正式領導和非菁英、對話和口頭論述、祕密抵抗的領域。底層政治的邏輯是要船過水無痕。透過掩蓋其痕跡，底層政治不僅可以將實踐者的風險降至最低，也消除許多可以說服社會學者和歷史學者真正的政治正在運作的紀錄證據。

底層政治肯定是真正的政治。在許多方面，底層政治的運行都比自由民主國家的政治生活更認真嚴肅、風險更高、面對的情勢更加不利。過程中會實際失去和獲得土地。底層政治的逃兵會導致軍隊毀滅並促進革命。實際上的財產權被建立和挑戰。當臣民積沙成塔的微小策略拒絕提供勞動力和稅金，政權就會面臨財政危機或占用措施的危機。底層政治會創造和滋養關於尊嚴和報復夢想的抵抗次文化。反霸權論述也會受到詳盡闡述。因此，如前文所強調，底層政治總是在施壓、測試、試探許可的界線。任何監控和懲罰的鬆懈與拖延行為都可能會變成公開宣告的罷工，拐彎抹角攻擊的民間故事可能會變成面對面違抗的蔑視，夢想可能會變成革命政治。從這個角度觀之，可以將底層政治視為政治的基礎形式——亦即根本形式。底層政治是更精細且制度化的政治行動的基本要素，如果沒有底層政治，這類政治行動便無法存在。在歷史上多數臣民生活的暴政和迫害情勢下，這**就是**政治生活。而公開政治生活中罕見的禮貌意見表達遭到限制和破壞時——這是經常發生的情況——底層政治的基礎形式始終是弱勢者的深層抵禦防線。

注釋

1. *Persecution and the Art of Writing*, 24. 應該非常清楚，我的分析從根本上就牴觸當代哲學和政治分析中所謂「施特勞斯主義」（Straussianism）的許多其他部分（例如他們毫無根據地主張某些享有特權的人才能真正詮釋經典，以及他們對「粗俗大眾」和愚蠢暴君的鄙視）。施特勞斯主義者對非哲學家的態度給我的印象，就像列寧在《怎麼辦？》（*What is to Be Done*）一書中對勞動階級的態度。然而，我認為具有啟發性的是其前提，亦即西方政治哲學寫作的政治環境鮮少允許透明地表達意義。
2. *Injustice*, 459n.
3. Max Gluckman, *Rituals of Rebellion in South-East Africa*，以及Turner, *The Ritual Process*，尤其是第二章。
4. *Aspects of Peasant Insurgency*, 18-76.「正是為了避免這類翻轉在真實生活中發生，所有傳統社會的支配文化都會**允許**民眾固定每年隔一段時間就模擬這些情形。」引自頁30，粗體為作者所加。

5. 引自*My Bondage and My Freedom*，由William L. Andrews編輯作序，頁156。
6. Berkowitz, *Aggression*, 204-27. 例如，在其中一次實驗中，兩個群體的受試者都遭到權威人物以相似的方式辱罵。部分的「受害者」接著獲准電擊他們的加害者，而其他人則無法這麼做。那些反擊的人對他們加害者的敵意會降低，血壓也會下降。那些沒有獲准反擊的人，即使他們可以間接在詮釋主題統覺測驗時，完整表達他們攻擊的幻想，血壓卻沒有下降。因此，間接攻擊似乎難以替代直接的報復。
7. 這個觀點是保羅．韋納（Paul Veyne）的巨著*Le pain et le cirque*所提出的。韋納將古羅馬的麵包和馬戲視為某種從菁英那裡強行爭取的東西，也是菁英給予來中和憤怒的東西。他主張，「政府不是為了將人民去政治化才提供馬戲表演，但如果拒絕提供他們馬戲表演，他們肯定會政治化並反對政府。」（頁94）。
8. 當然，這個巧合本身無法證明這類儀式作為儀式本身刺激了反叛。在此，我們必須區分儀式象徵和從屬者群眾集會兩者效果有何不同。
9. 在此我大大受益於Alex Lichtenstein的"That Disposition to Theft, with which they have been Branded"一文。
10. Charles Joyner在*Down by the Riverside*的頁177指出，非裔美國人的民間故事中的搗蛋鬼特別喜歡從更強勢的動物手中取得他的食物。引文出自同前注，頁418。
11. Charles C. Jones, *The Religious Institution of the Negroes in the United States*, 131, 135，引文出自Lichtenstein, "That Disposition to Theft," 422。
12. *La république au village*, 81.
13. 同前注，頁375。
14. Thompson, *Whigs and Hunters*.
15. 同前注，頁108。
16. 同前注，頁124。
17. 同前注，頁162。

18. 此外，還有類似的辯證關係將支配舉措和隱藏文本連結在一起。更早期的森林權利遭到限制的平民的標準論述中，會陸續出現獵物管理員的掠奪、逮捕和起訴、新法律和警告、失去維生資源等內容。

19. *The New Class*, 120. 也別忘了東歐的俗語，「他們假裝付我們薪水，而我們假裝工作。」

20. 我的著作*Weapons of the Weak*的第七章用遠遠更長的篇幅撰寫此一主張。

21. 我們可以用類似的方式理解某些形式的反叛的起因。舉例來說，想像一群從屬的農民，從他們的恭敬舉止來判斷，其領主看似有效地威嚇他們。如果更仔細檢視，可能就會發現下級者偶發但罕見的攻擊行動（例如某個佃農在工作太繁重、租金太貴，或尊嚴遭受太嚴重的羞辱時發火反擊）。這些行動通常會迅速遭到嚴重制裁（例如毆打、監禁、燒毀住屋），因此建立了恐嚇的邊界。現在再想像數年後，一起遙遠的政治事件（例如同情改革的政府執政）讓實施這些制裁的鄉村警方失去效力。在這個情況下，下級者偶發但罕見的攻擊行動可能在記憶以來首次並未遭受懲罰。當愈來愈多人意識到，比方某個佃農打了地主一巴掌卻沒有受罰，我猜想其他佃農也會想要冒險為自己的怒氣採取行動。假設這種對權力平衡的新預期獲得證實，就不難理解公開的攻擊行為會如何迅速普及，就像謠言傳播的過程。下級者的攻擊普及後，也會徹底改變先前占上風的權力平衡。

22. 這種假設最明顯的實驗測試方法，是去觀察監控或懲罰放寬時會發生什麼事。

23. *Whigs and Hunters*, chaps. 1, 2.

24. 同前注，頁123。

25. 同前注，頁190。

26. Peter Linebaugh, “Karl Marx, the Theft of Wood, and Working-class Composition: A Contribution to the Current Debate.”

27. 同前注，頁13。

28. 關於這份文獻的評論和這種抵抗形式的重要性主張，參見我的論文”Resistance without Protest and without Organization”，頁417至452。

29. 不只一群農民如此從革命的真空狀態中獲益。在布爾什維克掌權後、鄉村地區尚未感受到新政府的存在前的幾個月內，俄國農民擴大了他們一直以來小規模的行動。他們在過去是林地、仕紳牧草地和國有土地的區域開墾新農地，而且沒有通報；他們灌水地方人口數，並低報可耕地面積，藉此盡可能讓村莊看起來貧窮又無稅可收。奧蘭多．費吉斯（Orlando Figes）關於這時期的傑出研究指出，因為這些自助舉措，一九一七年的普查將俄國可耕地面積低估了百分之十五。參見*Peasant Revolution, Civil War: The Volga Countryside in Revolution*第三章。

30. 小學和中學教師都共享同樣的認知，建立堅定的界線至關重要，而且要強力執行，以免失禮的口語模式成為常態，可能導致更大膽的冒犯師長行為。同理，籃球比賽的裁判在比賽一開始可能會連瑣碎的犯規都加以處罰，只為了建立界線，好讓他們後續可以放鬆一些。

31. *Elementary Forms of Peasant Insurgency*, chap. 2.

32. Bruce Lincoln, “Revolutionary Exhumations in Spain, July 1936.”

33. 我認為這就是約翰．加文塔著作*Power and Powerlessness*中正當化理論所缺失的部分，尤其是第一章，但其他部分的論述具有洞察力。亦可參見Lukes, *Power: A Radical View*。

第八章 權力的狂歡：首次公開宣告隱藏文本

總之，這艱困時期對卡姬雅（Kazia，近期陷入困境的家族的家僕）來說反而是狂歡時刻：她可以任意斥責她的上級者而不受懲罰。

——喬治・艾略特《弗洛斯河上的磨坊》（*The Mill on the Floss*）

你很快就會讓我說出不能說的話。

——索福克里斯《安蒂岡妮》

最精采刺激的角力比賽……是源自於不義、背叛和傷害的歷史，而且有望讓對方得到報應。一如角力選手常掛在嘴邊，以及他們的狂熱支持者所學會期待的，「種什麼因，得什麼果。」

——唐納德・諾尼尼（Donald Nonini）和亞琳・亞悉子・寺岡（Arlene Akiko Teraoka）〈角力場上的鬥爭〉（Class Struggle in the Squared Circle）[1]

在這最後一章中，我們將繼續探討當隱藏和公開文本之間的邊界遭到決然破壞時會發生什麼事。我們特別關注的是隱藏文本首次公開宣告時可能引起激烈反應的政治影響。如果這些特殊時刻的分析取代了我們先前的討論，那會令人相當遺憾。目前為止，我論據的要旨是要說明，理解支配者和弱者的公開和幕後文本可以讓我們以嶄新的方式闡釋權力關係。既然我們現在轉為關注更罕見的公開對抗時刻，就會有些危險，可能會有人認為從屬群體的隱藏文本只有在是公開衝突、社會運動和反叛的序幕時，才具有重要意義。若是如此，我一直堅持主張多數從屬群體的政治鬥爭都是在遠更曖昧不明的領域中進行的，就白費力氣了。

記住這個必要的先決條件後，隱藏文本的分析仍顯然可以告訴我們具有政治突破跡象的時刻的某些意涵。理解這類時刻的第一步，是要將那些首次反抗發聲的人所體驗到的氛圍和心情置於我們分析的核心。只要他們的激動和能量是推動事件的部分原因，他們就同時是情勢的一部分，也是結構的變數。此外，他們是政治突破不可或缺的一股力量——社會運動的資源動員理論*完全無法捕捉到這股力量，更別說是公共選擇理論†了。說明完違抗行動最初引發的歡欣情緒（混雜著恐懼）後，我會試著解釋，公開羞辱的翻轉如果要讓對方徹底感受到，也必須公開行動。這就會引發我們思考，魅力型行動如何憑藉在某個從屬群體的隱藏文本中的根源，獲得社會力量。正是這樣的背景讓魅力型行動得以發生，並幫助我們理解政治突破如何能夠擴大得如此快速，就連革命菁英也會被超越並拋在後頭。

拒絕複製霸權表象

對抗權力時，只要公開拒絕說出某些言論、擺出某些姿態和做出其他常規的順從表示，通常都會被視為違抗行動——而且通常是蓄意所為。**實際沒有順從規範和宣告拒絕**順從之間存在著至關重要的差異。前者不一定會破壞支配的常規秩序；後者則幾乎總是會破壞之。

當實際沒有順從規範和具有針對性的公開拒絕同時發生，就會構成挑戰，也就是象徵性的宣戰。沒有用適當的套語和上級者打招呼是一回事。沒有做到這件事可能會被視為粗心的一時疏忽，沒有象徵性意義。但大膽拒絕和上級者打招呼是另一回事。從某些角度來看，兩者在行為可能幾乎相同，但前者若非無害，就是含糊的行動，後者則無疑是對支配關係本身的威脅。因此，撞上某人和公然推他，偷竊和公然奪取貨物，沒有唱國歌和公開在其他人站著演唱期間坐下，八卦和公然辱罵，可能粗心弄壞機器和明顯惡意破壞機器，都可能是天地之別。舉例來說，天主教的階層體系明白，如果大量信徒選擇同居不婚，這個選擇無論多麼令人遺憾，對制度比較沒有重

---

* 譯注：資源動員理論認為，社會中弱勢群體的不滿一直存在，但因為他們缺乏資源，需要外在資源的挹注和菁英的協助才能發起社會運動。

† 譯注：公共選擇理論認為，政客、官僚、選民都是理性自利的行動者，都會企圖將自己的利益最大化，因此需要嚴格管制國家機關才能維護公共利益。

大影響，但如果同樣這批信徒公然拒絕婚姻聖事本身和教會授予婚姻的權威，後果就會比較嚴重。

支配菁英之所以可能會區分從屬者不恰當的表現和公然宣告違反規範，並不是因為過度敏感的榮譽感。這反而是因為他們了解公開違抗可能造成的後果。只要沒有實際撕裂霸權的公開結構，許多權威形式可以容忍格外高度的實際不順從行為。維托爾德·貢布羅維奇（Witwold Gombrowicz）非常精準地捕捉到這兩者的差異，他曾在小說中描述，當某個學生在文學課上公開宣告所有人都知道的實情——他在閱讀這些權威認可的詩人作品時，沒有感受到任何公認應有的情緒——其他學生典型的普遍冷淡和拖延態度如何立即轉變。當時，「對一切都無能為力的可怕陰影……籠罩在班上；老師感覺除非他注入雙倍劑量的信念和信心立即抵消，否則他自己就會屈服了。」[2]只要不信任組織的看法脫離隱藏文本，變成公開事實，就會威脅到其正當性，而光靠幕後的異議不可能造成如此威脅。

當原先被精心安排成大規模公開展示支配和熱烈同意的表象爆發，變成下級者公開表達否認態度，在這類非常罕見的時刻，從「對一切無能為力的可怕陰影」演變而來的情形，唯有象徵性潰敗能夠形容。一九八九年十二月二十一日，在由總統尼古拉·西奧塞古（Nicolae Ceausescu）策劃並透過電視播送的布加勒斯特（Bucharest）集會中，數百萬羅馬尼亞人（Rumanian）目睹的正是這種劃時代的時刻，總統的目的是要在蒂米什瓦拉發生史無前例的示威遊行後，展示他仍握有掌控權。

> 年輕人開始發出噓聲。總統沿路喋喋不休地譴責反共部隊，似乎仍沒有注意到即將大難臨頭時，他們高聲嘲笑他。噓聲愈來愈大，電視機前的觀眾也短暫聽見了，技術人員隨即接手，用罐頭喝采音效的聲軌蓋過現場的聲音。
>
> 就在這個時刻，羅馬尼亞人意識到他們無所不能的領導人事實上非常脆弱。這引發了首都一整個下午的示威抗議，以及第二晚的流血衝突。[3]

正因如此，複製霸權表象對於行使支配至關重要，就連在遭受脅迫時也不例外。於是，對於以教條為身分認同核心的機構來說，比起異端和宣告放棄信仰的真誠聲明，反而經常更在乎公開展示他們所提供的全體一致表象。個人的懷疑和對內的譏諷言詞是一回事；公開質疑和對外否認機構及其所代表的意義又是另一回事。

因此，公開拒絕遵從霸權的表演是種特別危險的不服從形式。事實上，「不服從」一詞在此相當適當，因為任何特定的拒絕遵從行為都不只是輕微破壞象徵性的高牆，還必然會讓人質疑所有其他這種服從形式所必需的行為。一名拒絕在領主面前鞠躬的農奴為何還需要繼續提供糧食和勞力服務？單一的服從失誤可以被彌補或原諒，對支配制度造成的後果無足輕重。然而，一項成功公開的不服從行動會刺穿看似同意的平靜表面，而這表面本身就是對背後所蘊含的權力關係的一種明確提醒。因為象徵性違抗的行動會對權力關係造成如此不祥的後果，韋納提醒我們，羅馬人對待「不服從」（*indocilité*），比對待純粹的違法行為更為嚴厲。[4]

某個特定行動的意義並非既定，而是在社會上建構而成，因此是否發生明確的不服從行動並不是個簡單的問題。如果是極端狀況，詮釋的自由空間就比較小。當某個奴隸在其他奴隸面前襲擊他的主人，就是在相當明確地公開挑戰。當小偷或盜獵者在夜晚偷偷摸摸行動，就可以相當肯定他們沒有公開挑戰財產關係。在這兩個極端之間，存在大量的詮釋自由。如果符合他們的利益，支配者可能會選擇忽略某個象徵性的挑戰，假裝他們沒有聽到或看到，或可能將挑戰者定義為精神錯亂，藉此剝奪他行動原先具有的重要性。拒絕認定挑戰可能也是種策略，意圖再給挑戰者機會重新思考他的行動（例如「我會忽略這次的違規，只要你……」）。出於同樣的原因，支配者也可能選擇將某個模糊的行動解釋成直接的象徵性挑戰，藉此公開殺雞儆猴。弗雷德里克·道格拉斯指出，奴隸主可能會或多或少武斷地將奴隸的答覆語氣、沒有答覆、臉部表情或點頭詮釋為傲慢無禮，藉此毆打奴隸。[5]

這種行動如何被詮釋，不只是支配者的心情、脾氣和覺察力問題，很大程度上也是政治問題。比方說，將游擊隊員或叛亂分子視為盜匪，通常會對統治菁英有利。透過否認反叛分子期望在公共論述中占據的地位，權威當局選擇將他們的行動歸類為對政府造成的政治挑戰最輕微的那種。這個策略在底層也會找到其鏡像，農民會將某些盜匪轉化成神話英雄，如羅賓漢（Robin Hood）那般劫富濟貧，執行粗暴的正義。大部分會採用某些標籤的情況是基於習慣或習俗，但同樣可能是措辭策略的一部分。菁英散播的定義是否在更廣泛的觀眾間盛行是另一回事，但幾乎可以肯定把革命分子視為盜匪、把異議人士視為精神錯亂、把反對者視為叛徒等標籤，往往對菁英有利。因此，拒絕複製霸權表象的行為並不完全直截了當。定義某個行動並維持其效力的政治鬥爭經常至少和行動本身一樣重要。

打破沉默：政治激情

> 結果這種官方詮釋與現實融合在一起。普遍且包羅萬象的謊言開始占據主導地位；人民開始適應之，所有人在生活的某些部分都向這個謊言妥協，或與之共存。在這些條件下，主張真相，突破無所不包的謊言之網來真實表現——不顧一切，包括可能會發現自己要對抗全世界的風險——都是極具政治重要性的行動。
>
> ——捷克劇作家瓦茨拉夫・哈維爾[6]

讀者或許可以想起波伊瑟太太對地主爆發後振奮人心的影響力。在此我想要聚焦在首次公開宣告公開文本的那個特定的政治時刻。關於這類時刻需要了解的最重要的一點，是其通常會對宣告者個人（或多人），也經常對見證的觀眾造成巨大影響。要傳達這種時刻的主觀力量，就必需聆聽一些第一手描述，並召集目擊者提供個人證詞。

里卡多．拉哥斯（Ricardo Lagos）是在受奧古斯托．皮諾契將軍（General Augusto Pinochet）獨裁統治的智利（Chile）中，數十位謹慎反對派的政治人物之一。一切都在一九八八年六月時改變了，這位時年五十五歲的經濟學者在一個現場轉播的一小時智利電視節目中打破沉默。這段新聞報導精準捕捉了這個時刻的戲劇性：

> 在這長一小時的現場訪談節目中，他看向攝影機，手指指向鏡頭，以堅定的演說嗓音，直接對皮諾契將軍說話。他提醒他，他曾在八年前公投時表示，他沒有打算要在這次連任。「如今，」拉哥斯先生似乎仍直接對皮諾契將軍說，「你承諾這個國家要再經歷虐待、暗殺和違反人權的八年。對我來說，一個如此野心勃勃、渴望權力的智利人自稱掌握國家二十五年，似乎令人難以接受。」……三名採訪者一再試圖打斷，但他忽視他們並說：「你們得原諒我。我要為沉默的十五年說話。」[7]

如記者強調，造成的衝擊具有「地震般的震撼力」。「這令某些人震驚，令某些人激動，也激怒了奧古斯托．皮諾契將軍。」「這個時刻也創造出一位政治明星，人民普遍視他為最有能力復興社會主義的人物。」[8]里卡多．拉哥斯爆發造成的政治衝擊和波伊瑟太太演說的效果具有家族相似性。無論是哪個例子，演說帶來的政治震撼都絕非源自於聽者對其資訊或情緒感到新奇。我們必定可以想像，在智利的例子中，拉哥斯所說的內容事實上是在相當節制地表達長期以來朋友、同志和政治至交間分享的意見——從基督教民主主義派（Christian Democrats）到極左派皆然。因此，當拉哥斯說「我要為沉默的十五年說話」，顯然意味著他當下直接對皮諾契表達的，多少是數以千計的智利公民十五年來在較安全環境中的所思所言。他打破的沉默是公開文本中違抗的沉默。這個時刻部分的政治激情、振奮人心的戲劇性，也是拉哥斯在打破沉默時所招致的嚴重個人風險。波伊瑟太太冒著失去租佃土地的風險對抗地主，為教區的許多人說話，而里卡多．拉哥斯冒著生命危險，公然反抗獨裁者，為許多智利人民說話。隱藏文本的意義跨越門檻、成為公開抵抗的時刻，總是政治敏感時機。

儘管經常冒著實際的風險——個人解放、滿足、驕傲和歡欣的感覺是這種初次公開宣告明確無誤的部分感受。雖然我們已經特意避免使用「真相」一詞來形容隱藏文本，但顯然對說話者與那些和他或她處境相同的人來說，在對抗權力時公開宣告隱藏文本往往是終於說出真相、取代含糊其詞和謊言的時刻。認為任何輕易聲稱的真相十分空洞無力，如果這種後現代觀念促使我們避免使用這個詞，那麼這絕對不會阻止我們認定——一如瓦茨拉夫．哈維爾——那些跨出這大膽一步的人會感覺這是真相時刻和個人的證明。

我們從奴隸敘事中獲得的證據在這方面相當明確。比方說，奴隸經常被期待要在他們的主人或監工逝世時嚎啕大哭，並公開說他「要回天堂的家了」。在幕後，奴隸顯然經常會在自己人之間說，某個討人厭的主人會下地獄，「就像裝在一只布滿釘子的木桶中」。然而，某次某個特別殘忍可憎的監工過世時，喜悅之情太過不由自主且強烈，而外溢到公開文本中。奴隸群起高唱，「約翰·貝爾（John Bell）死得好，走得妙；祝他下地獄無處逃。」另一名奴隸描述當時的場景，「那是我唯一一次在那座種植園的黑人屈服後，看到他們開心地笑。」[9]這些描述明白提到的快樂不只源自於敵人的死，還源自於集體公開表達歡慶所體驗到的解放之感。透過這類違抗來證明個人最知名的例子，或許是弗雷德里克·道格拉斯描述他用身體對抗他的主人的過程。冒著生命危險的道格拉斯不僅對他的主人回嘴，還不讓自己被毆打。出於自尊和憤怒，道格拉斯擊退他的主人，但不至於還手毆打他。那次對峙僵持不下，而道格拉斯奇蹟似地逃過懲罰。然而，攸關我們的研究目標的是這次經驗對他的意義：「以前我**什麼都不是；現在我是個男人了**。……抵抗他之後，我的感受前所未有。**就像復活了一樣**。……我已經到了不怕死的境界。儘管我在形式上仍是奴隸，但這樣的精神讓我在事實上已經是自由民。當一名奴隸無法被鞭打，他已經大半自由了。」[10]對多數奴隸而言，大多時候生存的關鍵是嚴密控制衝動，無論是口頭或肢體違抗的衝動。在那些奴隸確實違抗主人的例外場合，其行動釋放出一種為自己終於按真心行動而興奮的情緒，可以想像也會混雜著對後果的致命恐懼。

就算將立即造成身體危險的元素從方程式中移除，不再需要假裝服從一名備受鄙視的主人，仍能帶來強烈的成就感和滿足感。所羅門・諾薩普原先是自由民，後來遭綁架奴役長達十年才成功逃脫，令人動容地描寫他受奴役時的行為舉止：「十年來我對他說話時都被迫垂下目光和脫帽——採行奴隸的態度和語言。……（如今他重獲自由後）……我可以再次在人群中抬頭挺胸。我可以談論我承受的不義行為，以及那些目中無人、令我受苦的人。」[11]我們從所羅門・諾薩普的其他敘事中得知，他確實曾在奴役期間和其他奴隸談論他所遭受的虐待。因此，差別不在於他沒有可以抬頭挺胸和表達真實感受的場域，而是在於如今他可以直說，不只是在幕後對其他奴隸，更能直接對支配者表達。

首次對權威公開表達長久壓抑的回應時所引發的興奮感受，在其他從屬形式中也十分常見。莎拉・艾文斯在研究一九六〇年代美國的民權運動和女性主義意識成長之間的關聯時，描述了達琳・史提爾（Darlene Stille）的經驗。她是名受過教育的女性，被困在一份沒有出路的工作中，因為女性身分而無法獲得管理職，她終於鼓起勇氣，和其他女性一起罷工反抗她的雇主。對我們當前的研究目標來說，比起她設法採取該行動的過程，她對這個過程的心理影響描述更為重要：「那感覺實在太棒了，如今終於可以一吐一切在我內心累積的怒氣，**我可以用某種方式反吠回去**……我可以在更廣大的女性社群中找到我的聲音。」[12]在閱讀這類自我描述時，很難不被重獲為人尊嚴的強烈感受打動。因此，達琳．史提爾會提到反吠回去，彷彿她以前是條狗，又提到她和其他人一起找回她的「聲音」。道格拉斯提到「復活」，而諾薩普提到抬頭挺胸和誠實表達。公開宣告隱藏文本因為展現了先前安全隱藏起來的部分性格，似乎也會恢復自尊和人格的感受。

是否有勇氣冒險表達部分或全部長久壓抑的文本，很大程度上取決於個人的性情、憤怒和逞能。然而，有些歷史情勢突然大幅降低了直言表達的危險性，足以鼓舞先前膽怯退卻的人。一九八八年戈巴契夫總書記的開放政策運動，在蘇聯引發了前所未有的一連串公開宣言。據傳有個頗具代表性的例子，雅羅斯拉夫爾鎮（Yaroslavl）的許多公民非常不滿某個眾人唾棄的政客獲選為莫斯科政黨大會的地方代表，於是動員大規模公開集會，要求撤銷派任。他們在新社會氛圍中獲得的成功顯然令人陶醉。瓦連廷．謝米諾夫（Valentin Sheminov）是黨員兼地方教育機構的黨史教師，他獲得的勇氣足以讓他採取前所未聞的行動，他以自己的名義寄給戈巴契夫一封電報，宣稱戈巴契夫結合地方蘇維埃（soviet）和黨中央領導階層的概念是錯誤的。同理，值得注意的不是他申訴的內容，而是以他自己的名義寫信批判所引發的興奮之情：

> 謝米諾夫將他的想法發送到莫斯科後的數小時內，顯然仍因為他「參與」了政黨大會，因為他分享了開放政策仍在茁壯的自由而大受激勵。他從他的口袋取出一張仔細折好的電報單據，驕傲地展示那張紙。「**這是我第一次做這種事。**」他說。「**我感覺就像移除了卡在我**

靈魂上的一顆小石子。」[13]

比起單獨個人公開宣告先前隱藏文本的主觀經驗，我們的分析更聚焦在共享多少有些相似的從屬地位，因此也多少共享隱藏文本的群體的集體經驗。在開始分析這種集體經驗的重要性前，簡短描述當整個階層的人突然發現其公開發言權不再被扼殺時所產生的社會氛圍，將大有助益。近期有個紀錄詳盡且非常戲劇性的例子是一九八〇年八月波蘭的全國動亂，當時在格但斯克（**Gdansk**）列寧造船廠（**Lenin Shipyard**）的一場罷工促成名為團結工聯（*Solidamosc*）的全國勞工運動，以及活躍的新公共生活。當時的氛圍若非嘉年華式的狂歡，也有如節日般歡慶。比方說，工人用經理的豪華轎車去載回受人愛戴的起重機工人安娜・瓦倫第諾維茨（**Anna Walentynowicz**），她才剛因為被控偷竊而遭到解雇；她在附近的墓園蒐集殘存的蠟燭，來製作一九七〇年政權殺害的罷工者週年紀念活動上的蠟燭。[14]整體的情勢就是一場儀式性的翻轉。動員的勞動階級公開對抗官方的無產階級政黨。如某段陳述所言：「統治政黨被帶到階級的法庭審判，該黨自稱出身此一階級，並以他們的名義佯裝治理。」[15]對掌權者公開宣告隱藏文本不只是象徵性行動。在工人的堅持下，副總理被迫來到造船廠和工人協商；會議經過透過擴音器直接廣播給數以千計聚集的船廠工人和其他工廠的代表。透過先前隔絕在隱藏文本安全範圍內的抗議和訴求，公開對抗權威當局的社會影響力極大。勞倫斯・古德溫描寫了這個時刻的重要意義：

這裡存在著某種必要的人性節律——他們終於能夠訴說，而且檢查長在場，被迫聆聽。這是歷史上的美好時刻，在任何社會或任何失衡的人際關係中都不曾發生類似的事情。第一次出現時似乎總是明顯有些過度；這個時刻的存在證實了過去的羞辱和悲劇，並預示著某些基本的調整正在醞釀，或可能發生，或至少民眾強烈渴望之。[16]

多數這個時期的評論者都強調，一旦有機會公開對話，民眾的言論就會激增。這種情況宛如貯存隱藏文本的水壩突然裂開了。提摩西・賈頓・艾許（Timothy Garton Ash）的詮釋將這種民眾的激情置於三十年在公共領域沉默不語的脈絡中，和前文提出的分析非常相似：

> 要了解這種「靈魂革命」的特質，就必須知道長達三十年，多數的波蘭人都過著雙面的生活。他們成長過程中有兩套行為準則、兩套公開和私下的語言、兩套官方和非官方的歷史。他們在求學階段不僅學到要在公開場合隱瞞他們的個人意見，還要機械式地模仿另一套統治意識形態所規定的意見。……對無數的個人來說，**這種雙面生活的終結對心理健康有著深遠的益處**。如今他們終於可以公開說出自己的心聲，在工作地點和他們關起門來的家中都可以暢所欲言。**他們不再需要字斟句酌**，害怕祕密警察。而如今他們也非常肯定地發現，幾乎他們身邊的所有人實際上對體制的想法都和他們一樣。這會帶來莫大的慰藉之感。詩人斯

> 坦尼斯瓦夫・巴蘭查克（Stanislaw Barańczak）將之比擬為多年生活在水下後，終於浮上水面呼吸。能夠公開說出真相是重獲尊嚴感的一部分——尊嚴是另一個關鍵字——就連偶然的訪客也很難不在罷工者的表情和舉止上注意到這一點。[17]

只要我們意識到存在著活躍的社會性場域，民眾在這段期間內都在其中闡述和孕育隱藏文本，而一九八〇年以前也有許多波蘭工人的公開行動，那全人民浮出水面呼吸的形容就並非誇大之詞。一九八〇年新出現的現象是群眾運動的成功變得較為長久，而非其風氣。一九七〇年曾是工人群眾的一分子，在波羅的海（Baltic）城市格丁尼亞（Gdynia）劫掠黨部的那些民眾的情緒大致可相比擬。有人說明自己經驗到

> 某些難以言喻的事。你必須親身經歷才能理解我們如何在那群人之中感受到我們的力量。我們人生中第一次採取反對政府的立場。這在過去是禁忌，是絕對做不到的事。……儘管這是導火線，但我不認為我只是在抗議物價上漲。這絕對和推翻我們所憎恨的一切有關，至少也要推翻其中的一部分。[18]

於是，在一九八〇年之前就已經存在長久的背景，有人創作歌曲、大眾詩歌、笑話、街頭智

慧、政治諷刺，更別說關於更早期群眾抗議中英雄、烈士和反派角色的群眾記憶。[19]每次失敗都累積了另一層的群眾記憶，將會滋養一九八〇年代的運動。

尋求群眾的滿足感

我想當面告訴你，以顯其分量。

——帕斯卡《思想錄》（*Pensées*）

打破沉默的心理釋放和社會意義都值得強調。有各式各樣的實驗數據指出，實驗對象只要發現自己遭受不義對待，但除非付出可觀的代價，否則無法以同樣方式回應，就可以預期只要機會一出現，他們就會展現出侵略性行為的跡象。因此，受威權領導支配的兒童若對其領導者的敵意遭到壓制，往往會在這些壓迫條件終於鬆綁時，展現出大量的侵略行為。[20]

支配造成的挫折有兩個面向。第一個面向當然是行使權力導致的羞辱和強迫。第二個面向是為了避免甚至更糟糕的結果，持續控制怒氣和攻擊性而帶來的挫敗感。這可能就是為什麼證明壓抑的攻擊性可能會轉移到其他對象上的證據鮮少主張，這種轉移的攻擊性可以有效取代直接對抗挫折的起因。無論再怎麼轉移，受支配者仍每天都必須在支配者面前箝制自己憤怒的言論。因此，當某人終於冒險做出公開的違抗行動，其所帶來的滿足感也有兩個面向。除了抵抗支配，終於表達出先前忍住的回應同時也會引發解脫的感受。於是，持續警戒和自我審查所導致的緊繃狀態放鬆之後，必定就會帶來莫大的滿足感。[21]

事實上，有些證據可以證明自我控制和最終的侵略程度之間存在系統性的關聯。菲利普・津巴多（Philip Zimbardo）如此描述其中的關聯：

> 具有潛在攻擊性且過度控制的人與眾不同的模式是外在順從加上內在異化。這個模式可能是源自於將順從誇大為社會體系規則的社會化過程：為了要贏得父母的歡心，這樣的個人必須否認或壓抑所有敵意，無論是多麼微小的敵意，……證據顯示，這種人就連面對最極端的挑釁通常也沒有反應；但當他們真的終於攻擊時（這顯然是事後要將他們定義為過度控制所必要的一項準則），他們的行動往往攻擊性極強，某些輕微的挑釁若剛好成為最後一根稻草，也會引發他們的反應。[22]

津巴多在此確立的關聯完全是以個人心理學和嬰兒社會化的語彙來敘述。因此，這些關聯無法直接應用到從屬群體所面對的社會和文化處境。儘管如此，在此所描述的部分邏輯可以讓我們更了解支配的社會心理學。如果我們想像一整個階層的從屬者，公開服從和順從掌權者期望是他們絕對必要的生存技巧，那就可能合理談論到在隱藏文本中或許可以察覺到的「異化」、「過度控制」和攻擊傾向。舉例來說，可以比較津巴多的個人邏輯和左拉（Zola）小說中關於法國農民這個階級的偏頗描述：

> 於是，當苦難變得難以承受，賈克．波農（Jacques Bonhomme）會挺身反抗。他背負著數百年的恐懼和臣服，他的雙肩因毆打而變得堅硬，他的靈魂破碎到無法意識到自己的屈辱。你可以毆打他，讓他挨餓，剝奪他的一切，年復一年，直到他將放棄他的謹慎和愚蠢，他的腦中充滿各式各樣他無法確切理解的混亂想法；這個狀態持續直到不義和苦難的顛峰促使他襲擊他的主人，就像某種承受過多鞭打的憤怒家畜。[23]

如果說津巴多對攻擊的描述侷限在個體人格的心理學，那麼左拉筆下的普通農民幾乎不是個人，而是由內臟控制行動的愚蠢畜生。然而，在這兩個例子中，都有某種過度自制終於失效，而無法掌控暴力衝動的元素。如果我們能夠替換成一種對這個過程的社會性描述，可以將這些看似無法解釋的爆發，與隱藏文本、與有所掩飾的實際和象徵性抵抗的日常形式連結在一起，我們或許就可以讓關於從屬群體政治的描述變得不那麼費解。

無論初次的拒絕或違抗行動再怎麼令人滿足，我們絕對不能忽略這種滿足感是取決於公開宣告的事實。從屬的服從、奉承和屈辱被迫成為公開文本的一部分。如果提到失去尊嚴和地位，那必然就是在談論公開的失去。我認為，由此可見，公開羞辱只能透過公開報復才能完全報答。公開受辱可能會引發幕後的尊嚴論述和祕密的復仇儀式，但這些行為在恢復地位的效力上，都難以媲美公開主張榮譽或公開翻轉形勢，如果能在同一群觀眾面前執行，效果就更好了。

公開拒絕複製霸權表象的重要性，有助於解釋為什麼首次公開宣告隱藏文本的方式往往是公然破壞已經確立的公開從屬儀式。比方說，高度引人注目的表示是蓄意挑釁，例如一九三六年時，革命分子從多座西班牙大教堂掘屍並褻瀆神聖遺骸。他們並沒有採取任何行動改善革命群眾的物質情況，但很難想像有比這更戲劇化或更具煽動性、徹底挑戰教會這個機構的象徵了。這樣的行動達成了至少三個目標。對於先前不敢公然反抗強勢教會的反教權民眾來說，這類行動或許帶給他們莫大的滿足感；這傳達了群眾並不害怕教會的性靈或世俗力量的訊息，並顯現出教會無能保護其最神聖的教堂周邊地區；最後，這向廣大的觀眾暗示任何事情都可能發生。成功公開打破支配者所強加的禁忌——拒絕致敬、俯首、使用敬稱等行動——是刺激違抗衝突極度有效的手段。[24]

公開打破同意表象的最初行動之所以具有戲劇性的力量，有部分是因為這通常是無可挽回的一步。踏出這一步的從屬者已經象徵性地自斷退路。再次強調，這個行動的公開性質是其煽動力量必不可少的一部分。幕後的辱罵，或就此而言稍加掩飾的辱罵都有機會挽回。可是，在一群觀眾面前直接公然辱罵實際上是種挑戰。如果沒有遭到反擊，便將從根本改變那些關係。就算遭到反擊而被迫轉為地下活動，無論如何仍發生了某些無可挽回的事。如今已眾所皆知，從屬關係無論在實行上多麼不可撼動，都不是完全正當的關係。奇特的是，所有人在某種程度上都知道的某件事在大膽登上舞台的那一刻之前，都只是模糊的存在。[25]比方說，奴隸或僕人也可以經常在幕後和間接的公開行動中否定他們的從屬。與此同時，主人可能會懷疑或甚至偶然聽到在他們背後發表的部分言論。然而，當這種共同的認知終於戳破支配的公開假象，就會以一種截然不同的形式呈現。舉一個具體的歷史案例，多數波蘭人、他們的領袖和俄國官員都知道蘇聯軍隊是卡廷大屠殺（Katyn Forest Massacre）的罪魁禍首。不過，公開宣告這個已知事實又是另一回事。打破所有陣營都知道其虛假的公開謊言，等於是主張公開真相，代表著直接的挑戰。可能是因為法國大革命初期這類主張激增，有份報紙就取名為《值得傳達的真相》（*Réaltiés bonnes à dire*）。某些違抗行為的犯行者可能會被鎮壓，但無法從大眾的記憶中抹除他們的言論和行動。[26]

公開宣告違抗所採行的確切形式，自然會取決於其所意圖挑戰的支配形式造成的侮辱和壓迫的嚴重程度。然而，我們可以探討一下，左拉會想形容為盲目狂怒的反抗事件最有可能在何種情況下爆發。借用李維史陀（Lévi-Strauss）的用詞，我們可以將公開宣告違抗的行為區分為相對較「生」和相對較「熟」兩種。[27]「熟」的宣告因為源自於從屬群體在幕後擁有大量自由的情況，比較可能細微精巧，讓他們得以分享豐富深刻的隱藏文本。就某種意義而言，這類從屬群體的隱藏文本已經是互相溝通後的產物，已經是半公開的存在。反之，「生」的宣告最可能源自於那種不僅承受著無法回應的侮辱，更在支配過程中相對原子化的從屬群體。無論是基於嚴密監控、地理區隔、語言差異或恐懼，原子化的影響都會阻礙他們發展精細共享的隱藏文本。其中一個結果是，爆炸性的公開違抗領域幾乎是從屬者間唯一可以溝通的社會性場域。另一個結果是，雖然政權系統性將受支配者原子化，藉此剝奪他們可以闡述異議次文化的多數社會空間，或許能夠將大規模違抗行動的可能性降至最低，但也矛盾地提高了另一種情況的可能性，那就是如果這類違抗真的發生，就會採取相對沒有組織的報復行動。從屬者從來沒有得到機會可以在幕後建立集體文化，因此真正占領舞台時別無選擇，只能即興發揮，而未串連、被壓制的渴望將會構成這種即興演出的一大部分。[28]因此，最高壓的政權最容易面臨來自底層最暴力的憤怒表達，畢竟他們已經非常成功地消滅了任何其他的表達形式。

時機：自願主義與結構

誰會是公開宣告隱藏文本的第一人，以及確切會如何、何時發生，這些問題已經大大超過社會科學方法的範疇。考慮過所有可能可以說明這個問題的結構性因素後，仍會剩下自願主義（voluntarism）這個無法分析的龐大因素。變化多端的性格、個人處境和個人社會化程度，確保了即使在相同的情況下，我們也可以預期會出現各式各樣對系統性從屬的回應。然而，就某方面來說，可以將公開宣告隱藏文本視為常數，而非變數。因此，無禮的農奴、「壞透的黑鬼」、反抗的賤民和大膽無恥的僕人一直都存在。我猜想，他們之所以沒有顯得特別重要，是因為在一般情況下，他們都會遭受嚴重且立即的懲罰，藉此嚇阻其他從屬者，事情就這麼結束了。

我們永遠無法預測為什麼遭到辱罵時，某個員工會辭職，另一人卻不會；為什麼某個奴隸會默默承受毆打，另一人卻會反擊；為什麼某個僕人會反駁辱罵，另一人卻迴避不語。比方說，我們該如何理解西蒙・韋伊（Simone Weil）*對一九三六年人民陣線（Popular Front）組成時政治「膽量」的描述：「在始終忍受一切，日久月深默默接受一切後，這是攸關終於膽敢挺身而出的問題。要把握機會發聲。要活得像個人，至少幾天。」[29]我們可以如何解釋突然獲得膽量的現象呢？我們可以用類似於左拉的描述來解讀韋伊的陳述：這純粹是傷害和羞辱累積到變得難以承受的問題。這種描述暗示著穩定上升的怒氣終於戰勝人的謹慎和自制力。儘管這種描述可能非常符合主觀經驗，但除非我們也違背一切證據，去假設所有人承受羞辱或壓抑憤怒的能力都是一樣的，否則用處不大。就算是在主觀經驗的層面，這可能也會賦予終於挺身而出的決定遠遠太過審慎的調性。當事人可能較常感覺這類的爆發事件是發脾氣的經驗，一陣怒氣突然壓倒審慎的自我，而非算計過的憤怒行為。我們或許會想要將這類行為歸類為自願主義，但絕對不能忘記，對當事人而言，我們所形容的行為在本質上往往是非自願的。如果行為者無法理性描述他們的行動，這會對外界的分析者造成額外的困難。

然而，要理解這個現象，社會分析可以發揮作用。公共衛生醫師可能無法預測特定的個人是否會生病，但他或她或許能夠針對會引發傳染病的條件提出一些有益的看法。政治勇氣、公開宣告隱藏文本的傳染病確實會發生，而其部分的解釋完全是結構性的。因此，胡安·馬提尼茲—阿列爾再討論安達盧西亞農工的價值觀和行動時指出，幾乎所有工人都相信分配（*reparto*）的正義，亦即將土地重新分配給耕作者。[30]在佛朗哥的統治下，民眾多半不會公開談論這個信仰，這顯然是因為如此表明意見的後果很可能是監禁、開除和列入黑名單。在公開場合，工人會表現得彷彿他們接受目前的土地租佃制度。然而，我們知道在佛朗哥上任前和他逝世後的共和政府執政下，公開擁護這個看法的危險大幅減低時，民眾就會公然表達之。否則就會一直隔絕在工人間的隱藏文本中。因此，每當政府或菁英對這類主張的敵意似乎不那麼強烈，我們就可以看到底層人民公開主張的合理變化。就這點而言，政治勇氣或膽量的程度變化並不是問題，行為者認定表明意見的危險程度才是。舉奴隸為例，在美國內戰的最後幾個月，美國南方顯然經歷了類似的公開違抗傳染病，當時南方邦聯即將戰敗的跡象已經愈來愈明顯。除了勝利的北方軍隊即將到來，助長奴隸開始偷懶和逃跑外，奴隸對主人無禮、謾罵和攻擊的例子也大增。白人奴隸主對於家奴逃

* 譯注：西蒙·韋伊（1909-1943）為猶太裔法國哲學家、和平主義者和宗教思想家。

跑和他們的自信特別驚訝，畢竟在這之前，他們都表現出忠誠忠實的樣子。其中有人寫道：「我到家時，驚訝地聽到我們的黑奴昨晚全都逃跑投奔北方人陣營的消息，或至少有一部分人跑走了。……伊麗莎（Eliza）一家肯定跑了。她沒有隱藏她的想法，而是用她的行為——無禮又出言不遜——清楚表明她的意見。」[31]情勢翻轉時，這類短暫的權力狂歡並不足為奇。事實上，那些一直受雇於他們從前的男女主人的奴隸，如今知道離開的可能性已經開啟，必定會表現得有所不同。

如果我們回到前文中水壓壓迫水壩的比喻，削弱支配群體權力的事件就像是在削弱水壩的牆，因此會讓更多隱藏文本漏出，增加徹底破裂的可能性。出於相同的原因，任何數量的事件都有可能導致水壩的水壓增加，到達威脅其（不變的）貯水能力的程度。因此，經濟或政治變化導致從屬群體承受的屈辱和占用情況增加時，如果其他條件不變，就會增加更多公開違抗行為發生的可能性——無論是象徵性或實質的違抗都會增加。[32]

這種水壓的結構概念至少有兩個問題。第一個問題是太過粗糙：這等同於在說，如果承擔的風險降低，或驅動他們的憤怒和憤慨增加，就會發生更多違抗行為。這或許足夠準確，但沒什麼意思。第二個問題是這種結構概念暗指這些變數是客觀事實，但其實當然是社會事實。只要我們只將之視為客觀事實，客觀地去理解，就會遺漏要實際公開宣告隱藏文本所仰賴的社會邏輯的一大部分。比方說，純客觀主義觀點絕對無法讓我們理解首次違抗行為所產生的刺激和興奮之情。

單就這一點來看，對相同處境的其他人而言，這類行為是某種煽動，刺激他們做出相同的行動或與其情感共鳴。客觀主義的觀點也會促使我們假定，測定支配者權力是件簡單的事，就像在讀一枚精確的壓力計。然而，我們已經了解到，判斷支配者的意圖和權力是詮釋的社會性過程，其中充滿了渴望和恐懼。否則我們該如何解釋有無數的例子顯示，奴隸、賤民、農奴和農民會將最微小的證據碎片——一段演說、一則謠言、一個自然徵候、一點改革的跡象——視為他們即將獲得解放，或他們的敵人即將屈服的徵兆？我不是要主張從屬群體就是會相信他們想要相信的關於權力關係的一切，我只是要說明，證據從來都不明確，而從屬群體的主觀性也和如何解讀證據有關。如果並非如此，如果證據一清二楚，而且群眾總是能正確理解之，那麼所有的違抗和反叛行為都必將成功。如果有任何抵抗失敗，我們就不得不視之為瘋狂舉動，或是在完全理解其徒勞無益的狀態下，採取具有自我意識的「姿態」，而撇除這些例子。[33]

此處的核心議題或許是巴林頓．摩爾所謂的「征服必然性」。[34]只要某個支配結構被認為是必然且不可翻轉的，那麼所有「理性」對抗都會採取底層政治的形式，亦即完全避免公開宣告其意圖的抵抗。公開違抗會完全侷限於那些情緒失控，或對於故作姿態擁有費解興趣的人。我們已經指出，任何社會秩序都不可能被視為完全必然且不可撼動。我們尚未解釋的是，可能源自於逞能、憤怒或故作姿態的最初違抗行為，為何偶爾能夠引發一連串的反抗。

魅力與隱藏文本的結構

怎麼可能有這麼多人立刻了解該做些什麼，而沒有人需要任何建議或指導呢？

——瓦茨拉夫・哈維爾，捷克斯洛伐克共和國（Czechoslovak Republic）總統一九九〇年元旦演說

一項罪行對社會體（social body）所造成的傷害是它在其中引起的失序；它所激起的憤慨，它所帶來的的示範作用，如果沒受到懲罰就會導教再度發生的鼓動效果及擴大的可能性。

——米歇爾・傅柯《監視與懲罰》

如果目前為止我們論據的要點都是正確的，這些要點可能有助於揭開許多重要的魅力和群眾行動形式的神祕面紗。讓我們最後一次回到波伊瑟太太的例子，來解釋其中的關聯。

波伊瑟太太那段對地主的演說明確引發的激情實際上是如何產生的呢？雖然她是位強而有力的女性，但沒有跡象顯示，她在爆發前曾在村民和佃農間享有任何特別崇高的地位。要造成如此效果，也不完全是單靠那段演說的言詞和情感，畢竟一如艾略特所指，全教區都在地主背後談論類似的內容。波伊瑟太太加入「文本」的是她個人敢於在權勢面前表明那些內容的勇氣。這次衝突的消息立即歡欣鼓舞地傳遍整個教區時，強調的是「她對地主說了些什麼」，文本和對象對當

下的激情來說都必不可少。更籠統地說，我們可以合理主張，如果波伊瑟太太變成教區的魅力女英雄，那是因為她是公開以隱藏文本對抗權勢的第一人。

按照一般理解的定義，魅力具有某種操縱的可疑氛圍。在平常的用法中，這個字代表某人擁有某種個人特質或氣場，可以觸動祕密的神經，讓其他人放棄自己的意志並追隨他。「個人吸引力」(personal magnetism) 一詞經常被使用，彷彿魅力型人物有力量可以吸引追隨者，就像許多被困在他們力場中的鐵屑。我不是想要否認有類似的魅力案例存在，但我認為，完全放棄個人意志、臣服於某個強大個人是相對罕見且稀少的現象。

每當我們堅持隱藏文本對社會性產生魅力至關重要，對我來說就像是恢復了這個概念核心的相互性。社會學者熱愛指出，魅力的關係性質意味著一個人「具有魅力」的多寡僅僅取決於其他人賦予他的魅力程度；建立此一關係的是他們魅力的歸因。我們也知道，這種關係經常高度特定且和人際關係密切相關。對某群觀眾具有魅力的事物，另一群人卻不受吸引；在某個文化中奏效的事物，在另一個文化卻沒有預期的效果。

從這個角度觀之，是追隨者的文化和社會期待，控制或至少限制影響了可能成為的魅力型人物。一如我們在一開始的篇章所提到的，在隱藏文本的領域中，已經為波伊瑟太太寫好了她的基本演說稿。在這個例子中的女英雄角色，很大程度上是所有從屬群體成員事先在幕後塑造而成的，而扮演那個角色的個人是以某種方式聚積必要的資源，去代表他人向權勢發言。如波伊瑟太太那樣的演說所提供的震撼程度，很大一部分取決於演說多麼成功地表達所有人共有的隱藏文本。她的勇氣和獨特的口才當然至關重要；如果她表達得不好，影響力就會受損。然而，重點在於波伊瑟太太身為女英雄的地位主要取決於她代表所有地主的佃農發言——幾乎就是實質的代言。佃農並沒有指派她擔任發言人，但他們定義了她的角色。

那些隨後歌頌波伊瑟太太的民眾遠非單純的操縱對象。**他們非常真誠地在她的演說中發現自己的影子，而她非常真誠地為他們說話**。就此而言，歷史上往往被視為權力、操縱和臣服關係的魅力型關係，變成了真誠相互依存的社會紐帶。用盧梭的話來說，波伊瑟太太「用意志促成了共同意志」（wills the general will）。我認為，魅力型演說或行動對從屬群體造成的強大情感力量——他們興高采烈、歡欣解放的感受——取決於能否在隱藏文本中找到共鳴。

公開宣告隱藏文本所引起的一觸即發氛圍，可能會造成帶有集體瘋狂特徵的社會影響。如果初次的違抗行動成功，而許多其他人自發效仿，旁觀者就很可能會斷定，這是群沒有個人意志或價值觀的牛群，被意外或蓄意刺激而衝動行事。然而，當從屬群體從一起突破事件中發現，他們如今可以比較安全地冒險公開違抗，也可能會產生相同的行動模式。從屬群體中的任何成員幾乎都可以代替波伊瑟太太，因為佃農的集體性類似於沙特（Sartre）所謂的「團結的融合群體」：「比方說，如果某人喊出一段口號（*mot d'ordre*）就會奏效……每個人都認為自己和所有其他人都是潛在的領導者，但沒有人取得支配他人的權威。每個人都能夠在行動中表達群體的意見，有助於達成群體的目標。」[35]這裡形容的關係紐帶不是某種人類團結的神祕連結。這是隱藏文本的共同論述，在社會秩序的角落和裂縫中誕生和成熟，從屬群體在其中可以更自由地發表言論。如果目標似乎會即時互通和同步，他們肯定是取自於隱藏文本。這類目標的共同性並不一定光彩體面；舉例來說，在蘇聯開放政策後的時期，先前遭到壓抑的大眾反猶太主義（anti-Semitism）似乎就是如此。

初次公開揭露隱藏文本時，經常會促使公開行動以驚人的速度成形。我認為，這一點也可以透過將之與隱藏文本發展的環境連結在一起，用絕非虛構的觀點來表述。對大多數的從屬群體而言，能夠真正安全發言的社會地點都受到嚴密的限制。一般來說，群體愈小、愈緊密，自由表達的可能性就愈安全。支配群體愈能有效防止一定數量的從屬者聚集且不受監控，發展隱藏文本的社會範疇就會愈小。因此，舉例來說，在正常情況下，隱藏文本有效的社會影響範圍可能不會擴展得太遠，比如不會超過一座種植園、一座賤民村、一間街坊酒館，或可能僅限於一個家族之內。**唯有公開宣告此一隱藏文本時，從屬者才能完整認知到其他過去和他們沒有直接聯繫的從屬者，其實共享其主張、夢想和憤怒的全貌。**一旦違抗實際發生，原先成功原子化許多從屬者的菁英便會讓自己陷入違抗迅速成形的窘境，這個過程當然帶有一點報應的意味。佐爾伯格如此描述公開行動所促成的共同認知：「『話語的洪流』牽涉到某種密集的學習經驗，最初由小圈子、宗派等提出的新觀念，變成遠更廣大的群眾廣泛共享的信念。」[36]只要我們非常廣泛地理解何謂

「密集的學習經驗」，亦即只要我們了解無論社會環境多麼受限，有多少事前的「學習」已經在幕後發生，這段表述就會成立。所以，這個過程比較像是在辨認自己隱藏文本的至親，而不是以新穎的觀念填滿本來空洞的腦袋。

就此而言，特定的魅力型行動或言論的社會影響範圍會變成某種經驗問題。有鑑於許多人的從屬情況都相對一致，我假設他們的隱藏文本會具有可比較的家族相似性。假設他們都是在某種更大的關係框架（諸如國籍、母語、宗教等等）內行動，他們就可能會容易受到相同類型的公開行動、相同形式的象徵性主張和拒絕、相同的道德主張影響。如果我們回到初次公開宣告隱藏文本所造成的社會激情問題，並將激情比喻為電流，那麼我們就可以將那些在某個社會中擁有類似隱藏文本的人，想像成他們構成了同一張電網。在同一張電網內，隱藏文本的細微差異可以比喻為造成電流損耗的電阻。這並不是在說每次宣告隱藏文本都會傳導遍及整張電網，而是要表示，隱藏文本所界定的電網本身限制了這類行動可能的象徵性影響範圍，亦即這類行動對哪些人具有相似的意義。[37]

打破魔咒

如今家僕會抬頭挺胸。樓梯下方的八卦閒話已經出現。如今庶民因為（一名僕人打了一名仕紳一巴掌）道德敗壞，變得更傲慢無禮……開始嘲笑他們的主人，百姓的批評如潮水般高漲。

——維托爾德．貢布羅維奇《費爾迪杜凱》（*Ferdydurke*）

社會學者經常會因為看似恭敬、沉默且忠誠的從屬群體突然大規模反抗的速度而感到驚訝，更別說是統治菁英了。統治菁英之所以會對這類的社會突發事件猝不及防，有部分是因為無權者平常的姿態讓他們誤以為自己很安全。此外，無論是社會學者或統治菁英，因為都不可能真正察覺到提供激勵能量的隱藏文本，也就不可能完整體會一次成功違抗行動的激勵對從屬群體的意義。甚至更令人驚訝的是，我們會發現革命菁英和政黨多麼頻繁因為他們過去追隨者的激進作為而感到震驚。

在勒華拉杜里研究的羅芒嘉年華中，最終叛亂的雙方陣營的菁英都對都市平民和農民的熱情感到措手不及。微小的象徵性違抗行為——看似瑣碎但證明政治空間已經擴大——觸發了一連串的大膽訴求和主張。一如最終出現的叛亂領袖寫道：「村民大受鼓舞，以致於他們做出一開始想都不敢想的事。」[38]當羅芒的徵稅抗議取得部分成果，而都市貴族因為擔心自己的人身安全逃到其他會比較安全的城鎮，許多百姓都認為這是他們可能獲勝的徵兆。當時的情勢看起來有機會突破。徵兆本身已經足夠挑起愈來愈大膽的無禮和違抗行為。平民中一位突出的反對者描述：「對貴族、甚至對現存的土地所有制度的口頭或不只口頭傷害迅速擴展到羅芒各地：在上述的城鎮和周邊村莊，**最卑賤的不良少年也認為自己和他的領主一樣偉大。**」[39]在這些關於羅芒事件的敘述中，很難不去注意到整套關於平等、正義和復仇的論述在正常情況下暫時擱置，但一旦權力關係貌似改變就會釋放出來。讓權威當局如此震撼的大膽傲慢行為在公開舞台上或許是即興發揮，但早已在民間文化和習俗的隱藏文本中做好充分準備。

英格蘭內戰期間激進的群眾運動的情況也大同小異。如果沒有檢視較低階層先前在幕後的文化和抵抗，就不可能理解這些運動特有的激情和活躍爆發的現象。克里斯多福・希爾極具說服力地說明，克倫威爾（Cromwell）*釋放又擊潰的群眾革命的每個面向，早在公開表現出來以前的低調大眾文化和習俗中，都可以找到對應的面向。[40]因此，掘地派（Diggers）和平等派冒險公開主張與當時公開盛行的版本截然不同的財產權制度。他們的聲望和道德主張的力量源自於幕後的大眾文化，過去從未接受圈地是正當行為，並透過盜獵、拆除新圍籬等行動來表達意見。因為內戰爆發及其所帶來的革命希望，這套隱藏文本在某種程度上能夠自我宣告，並按照其最熱切的正義和復仇夢想來行動。掘地派的意識形態發言人溫斯坦利完成的行動，可以被視為波伊瑟太太的行動更精細持久的版本。他提出要將買賣土地視為死罪時，並沒有說出任何新穎的概念。他只是汲取了隱含在一套至今無法完整表達的信仰和實踐中的群眾能量。他的訴求之所以能夠產生力量，仰賴的是隱藏文本的電網。

同一時期爆發的慕道派（Seekers）、喧囂派和早期貴格會的異端宗教實踐，也是在公開表達過去存在於地下的信仰和實踐。[41]許多地方都可以看見他們的蹤影，諸如羅拉德派的迴避實踐、希爾所謂喀爾文主義（Calvinism）的「另我」的大眾反律法主義（antinomianism）、大眾在啤酒酒館和小酒館對教士和正式宗教律法的質疑，以及大量的大眾異教。因為既定宗教權威（和後來的喀爾文主義）的監控，過去民間宗教暫時存在於公共生活的邊緣。內戰揭開帷幕，讓民間異端終於能夠發展到新的層次，成為官方教義和宗教實踐大膽直言、騷動喧囂的競爭者。[42]

在社會運動的開端，只要特定口號人人都掛在嘴邊，而且能夠捕捉眾人的心境，這句口號的力量可能就是源自於它濃縮了隱藏文本中部分最深刻感受的觀點。在一九七〇年波蘭波羅的海城市的勞動階級暴動和示威中，「打倒紅色資產階級」就是這樣的一句口號。除了形容詞「紅色」修飾名詞「資產階級」的修辭力量外，更重要的是，我們可以想見這句口號捕捉了數以千計的人民在廚房餐桌邊、工人的小團體中、啤酒館裡和密友之間，所累積的尖刻笑話、怨恨和憤怒的精髓。[43]無產階級代表的舒適生活——他們專屬的商店、度假溫泉浴場和狩獵小屋、黨用醫院、特權的住宅和耐用消費品、子女的教育優勢、傲慢態度和社會距離、占用政府預算、貪汙腐敗——必定助長了安全場域內龐大的道德憤怒和權力論述。正是這種早在一九七〇年前就已經在幕後形成的社會積累，解釋了這句看似簡單的口號背後蘊藏的力量。

---

* 譯注：奧立佛・克倫威爾（Oliver Cromwell, 1599-1658）為英格蘭內戰期間議會派的領袖，擊敗保皇派。

因此，隱藏文本的首次公開宣告有其背景，可以解釋其創造政治突破的能力。當然，如果初次的違抗行動遭遇決定性的挫敗，就不可能會有其他人仿效。然而，挫敗者的勇氣可能會為人注意和讚賞，甚至在英勇、社會型盜匪（social banditry）*和高貴犧牲的故事中成為神話。他們自己也成為了隱藏文本的一部分。

首次公開宣告隱藏文本成功時，這個象徵性行動的動員力量可能相當可畏。在戰術和策略層面，這是強而有力的信號。這預示了情勢可能翻轉。如某位社會學家所述，關鍵的象徵性行動是「整個互相疑懼的制度能否支撐下去的測試」。[44]在政治信仰、憤怒和夢想的層面，這是一場社會性的爆炸。那初次為無數他人代言的宣告，高喊出在歷史上必須低語、控制、隱忍、掩蓋和壓抑的話語。如果結果看似引發瘋狂時刻，如果導致的政治既混亂、狂熱、亢奮又偶爾暴力，那大概是因為無權者鮮少能夠站上公開舞台，而他們終於登台時，會有好多話想說，有好多事想做。

---

* 譯注：「社會型盜匪」為霍布斯邦提出的概念，意指廣獲受壓迫的普羅大眾支持的非法犯罪行為。

注釋

1. 即將刊登在*Critical Anthropology: The Ethnology of Stanley Diamond*, ed. Ward Gailey and Viana Muller。
2. *Ferdydurke*, trans. Eric Mosbacher, 61.
3. "Ceausescu's Absolute Power Dies in Rumanian Popular Rage," *New York Times,* January 7, 1990, p. A15.
4. Veyne, *Le pain et le cirque*, 548.
5. *My Bondage and My Freedom*, 61.
6. 引文出自*Times Literary Supplement*, January, 1987, p. 81的一段訪問。我應該指明，這段引言是出自哈維爾找到穩定、官方且安穩工作前九個月的手稿中。
7. Shirley Christian, "With a Thunderclap, Leftist Breaks Chile's Silence," *New York Times*, June 30, 1988, p. A4.
8. 同前注。
9. Raboteau, *Slave Religion*, 297.
10. *My Bondage and My Freedom*, 151-52. 第一段粗體為原文所加，第二段為作者所加。道格拉斯等人描寫奴隸以某種方式經歷肢體衝突後倖存，並說服他們的主人，他或許可以射殺他們，但不能鞭打他們。主人接著面臨全有或全無的抉擇。在沒有有效法律機構的社會中，男子氣概的邏輯大同小異；如果可以相信某人會為了報復辱罵而甘冒生命危險，那他的對手就會在辱罵前謹慎三思。嚇阻理論（Deterrence theory）的學者曾仔細探討這種情形，但精準程度可能比不上小說家約瑟夫・康拉德（Joseph Conrad），他曾描寫一名易怒的無政府主義者在腰上綁著炸彈，在倫敦四處走動，導致警察都和他保持安全距離。出自*The Secret Agent: A Simple Tale*。
11. 引文出自Osofsky, *Puttin' on Ole Massa*, 324。
12. Evans, *Personal Politics*, 299.
13. Esther B. Fein, "In a City of the Volga, Tears, Anger, Delight," *New York Times*, July 7, 1988, P. 7.

14. Timothy Garton Ash, *The Polish Revolution: Solidarity*, 38-39.

15. 同前注，頁37.

16. "How to Make a Democratic Revolution," 31.

17. *The Polish Revolution*, 281.

18. Roman Laba, "The Roots of Solidarity: A Political Sociology of Poland's Working Class Democratization," 45-46. 有段出奇相似的報導是在描述一九八九年十月中，在教堂舉行的大規模東柏林（East Berlin）抗議集會。「這類的笑話並不新穎，抗議也不是新鮮事，尤其是在教堂的庇護之下。可是他們未加修飾的直接態度，激進譴責體制和不願改變之的領導人，以及群眾歡呼時的熱忱都是前所未有，導致許多人驚訝得倒抽一口氣，用不敢置信的眼神看著彼此。」粗體為作者所加。參見Henry Kamm, "In East Berlin, Satire Conquers Fear," *New York Times*, October 17, 1989, p. A12。

19. 同前注，頁179。

20. Berkowitz, *Aggression*, 87. 在另一系列的實驗中，實驗者一再要求幾個團體執行屈辱的任務，接著鼓勵他們控訴並堅決要求更好的對待；如果他們獲得部分成功，就會變得更具侵略性，暗示著先前壓抑的敵意如今有了安全的出口。參見Thibaut and Kelley, *The Social Psychology of Groups*, 183。

21. 就某種意義而言，從屬群體的負擔之一，是他們對完整性和真實性的渴望經常違背他們保持安全的本能——至少在公開文本中如此。

22. *The Cognitive Control of Motivation*, 248.

23. *The Earth (La Terre)*, trans. Douglas Parmée, 90-91.

24. 在某種程度上，私下打破禁忌可以說是並沒有實際違反禁忌。在所有那些沒有完全決裂的情況下，公開宣告隱藏文本可能會比在幕後表達時更加慎重。只要從屬者認為事後從屬關係仍會以某種形式繼續存在，就連大膽表達異議也經常會對支配者的觀點有些讓步。

25. 許多慣常的社會生活，可能都要仰賴將這類共同的認知排除在公開文本之外，才得以成立。所有人可能都知道老闆酗酒，但在這件事公開以前，都可以繼續假裝實際情況並非如此。或假設兩段婚姻關係的實際情況相同；但其中一對是以和諧的外在表象著稱，另一對則經常公開爭執和吵架。後者「失敗」的公開標誌會造成比幕後實際情況更嚴重的危機。

26. 我們或許可以這麼形容戈巴契夫的開放政策時代：就算開放政策時期可能終結，但在這個時期變得廣為人知的事實、書籍、揭露的真相無法輕易抹去或遺忘。

27. 「相對」一詞在這裡絕對不可省略，因為嚴格來說沒有所謂「未社會化」、純個人、「生」的隱藏文本，同時也沒有一個抽象的個人行為者不是特定文化歷史的產物。

28. 勞倫斯·古德溫也曾做出類似的區分，他稱之為「無政府」群眾和「民主」群眾，參見"How to Make a Democratic Revolution"，頁74。另一方面，我總是會留意到，在沒有敵人作為明確威脅的情況下，「群眾暴力」能維持的時間比較短，就連革命的例子也是如此。革命後的大屠殺發生時，似乎較常是政府官僚機構所為，而非群眾運動。

29. L. Bodin and J. Touchard, *Front Populaire*, 112，引文出自Zolberg, "Moments of Madness," 183。

30. *Labourers and Landowners*, 202-06, 314-15.

31. Genovese, *Roll, Jordan, Roll*, 109，更普遍的情況可見頁97至112。亦可參見Armstead L. Robinson, *Bitter Fruit of Bondage: Slavery's Demise and the Collapse of the Confederacy*, chap. 6。

32. 在這個脈絡中，必須將「屈辱」理解成包括集體羞辱。因此，比方說，茱蒂絲·羅林（Judith Rollin）在關於波士頓（Boston）地區家庭幫傭（多為黑人）的研究中提到一個案例，在重新接管紐約阿蒂卡監獄（Attica）期間遭屠殺的囚犯幾乎都是黑人，這引發某個管家平常沉默拘謹的態度改變。她的雇主描述：「我不知道她為什麼這麼生氣。但在阿蒂卡監獄事件期間，這情況愈來愈明顯。她無法控制她自己。她滔滔不絕說著白人對黑人做了些什麼事。……她真的氣炸了。」在這個例子中，導火線顯然是這名女士代表她的同胞發怒。出自*Between Women*, 126。

33. 要說明的是，這種違抗行為事實上的確會發生：華沙猶太區（Warsaw ghetto）起義就是個明顯且感人的例證。不過這些是極為罕見的集體行動形式。

34. *Injustice*, 80ff.
35. *The Critique of Dialectical Reason*, trans. Alan Sheridan-Smith, 379. 我要感謝安傑伊．泰莫夫斯基關於沙特著述的傑出論文，幫助我找到兩者的關聯。
36. "Moments of Madness," 206.
37. 在這個基礎上，可以想像會有分析試圖去解釋，為什麼許多真正的關注都沒有誕生成為組織運動。除了壓制和原子化妨礙闡述和表達那些關注的效果外，許多真正的關注都不夠具有凝聚力或普及，而無法創造出魅力型動員所仰賴的潛在電網。
38. Ladurie, *Carnival in Romans*, 99.
39. 同前注，頁130，粗體為作者所加。
40. *The World Turned Upside Down*, chap. 7.
41. 同前注，頁chaps. 8, 9，下一句的引文出自頁130。
42. 在識字率更高的社會，我們可能會想要提出部分相同的聯想，將書面文本在大眾想像中的重要性，和書面文本體現目標受眾的隱藏文本的程度連結在一起。因此，克里斯多福．希爾曾寫道，以下的事實解釋了托馬斯．潘恩（Thomas Paine）作品中展現的英格蘭的龐大訴求：「他們沉重的腳步聲（工匠和流離失所的鄉民）和他們非法論述的咕噥聲是潘恩作品不可或缺的背景。」出自*Puritanism and Revolution: The English Revolution of the Seventeenth Century*, 102。
43. Goodwyn的*How to Make a Democratic Revolution*一書的第三章也提到大致相同的觀點。
44. Collins, *Conflict Sociology*, 367.

參考書目

Abbiateci, André. 1970. "Arsonists in Eighteenth-Century France: An Essay in the Typology of Crime." Translated by Elborg Forster and reprinted in *Deviants and the Abandoned in French Society: Selections from the Annales*, edited by Robert Forster and Orest Ranum. Baltimore: Johns Hopkins University Press.

Abbot, Jack Henry. 1982. *In the Belly of the Beast*. New York: Vintage.

Abercrombie, Nicholas, Stephen Hill, and Bryan S. Turner. 1980. *The Dominant Ideology Thesis*. London: Allen and Unwin.

Abu-Lughod, Lila. 1986. *Veiled Sentiments: Honor and Poetry in a Bedouin Society*. Berkeley: University of California Press.

Adas, Michael. 1979. *Prophets of Rebellion: Millenarian Protest Movements against European Colonial Order*. Chapel Hill: University of North Carolina Press.

Adriani, N., and Albert C. Kruyt. 1951. *De barée sprekende torajas van Midden-Celebes*. Amsterdam: Nord:

Hollandische Vitgevers Maatschappig.

Agulhon, Maurice. 1970. *La république au village: Les populations du Var de la revolution à la seconde république*. Paris: Plon.

Alcoff, Lind?. 1988. "Cultural Feminism versus Post-structuralism: The Identity Crisis in Feminist Theory." *Signs: Journal of Women in Culture and Society* 13 (3): 405-36.

Allport, Gordon W., and Leo Postman. 1947. *The Psychology of Rumor*. New York: Russell and Russell.

Althusser, Louis. 1970. *Reading Capital*. London: New Left Books.

Ardener, Shirley, ed. 1977. *Perceiving Women*. London: J. M. Dent and Sons.

Ash, Timothy Garton. 1983. *The Polish Revolution: Solidarity.* New York: Charles Scribner's Sons.

Atkinson, Jane Mannig. 1984. "Wrapped Words: Poetry and Politics among the Wana of Central Sulawesi, Indonesia." In *Dangerous Words: Language and Politics in the Pacific*, edited by Donald Lawrence Brenneis and Fred B. Myers. New York: New York University Press.

Babcock, Barbara, ed. 1978. *The Reversible World: Symbolic Inversion in Art and Society*. Ithaca: Cornell University Press.

Bachrach, Peter, and Morton S. Baratz. 1970. *Power and Poverty: Theoy and Practice*. New York: Oxford University Press.

Bakhtin, Mikhail. 1984. *Rabelais and His World*. Translated by Helene Iswolsky. Bloomington: Indiana

University Press.

Balzac, Honoré de. 1949. *Les paysans*. Paris: Pleiades.

______. 1970. *A Harlot High and Low [Splendeurs et misères des courtisanes]*. Translated by Reyner Happenstall. Harmondsworth: Penguin.

Bauman, Zygmunt. 1976. *Socialism, the Active Utopia*. New York: Holmes and Meier.

Belenky, Mary, et al. 1986. *Womens' Ways of Knowing: The Development of Self, Voice, and Mind*. New York: Basic Books.

Bell, Colin, and Howard Newby. 1973. "The Sources of Agricultural Workers' Images of Society." *Sociological Review* 21 (2): 229-53.

Benveniste, Émile. 1974. *Problèmes de linguistique générale*, vol. 2. Paris: Gallimard.

Berée, Yves-Marie. 1976. *Fêtes et révolte: Des mentalités populaires du XVIe au XVIIIe siècle*. Paris: Hachette.

Berkowitz, Leonard. 1962. *Aggression: A Social Psychological Analysis*. New York: McGraw Hill.

Bernstein, Basil. 1971. *Class, Codes, and Control*. London: Routledge and Kegan Paul.

Berreman, Gerald D. 1959. "Caste in Cross Cultural Perspective." In *Japan's Invisible Race: Caste in Culture and Personality*, edited by George DeVos and Hiroshi Wagatsuma. Berkeley: University of California Press.

Bloch, Marc. 1970. *French Rural History: An Essay on Its Basic Characteristics*. Translated by Janet

Sondheimer. Berkeley: University of California Press.

Bodin, L., and J. Touchard. 1961. *Front Populaire*. Paris: Armand Colin. In "Moments of Madness," by Aristide R. Zolberg. *Politics and Society* 2 (2): 183-207.

Boulle, Pierre. 1985. "In Defense of Slavery: Eighteenth-Century Opposition to Abolition and the Origins of a Racist Ideology in France." In *History from Below: Studies in Popular Protest and Popular Ideology in Honour of George Rudé*, edited by Frederick Krantz. Montreal: Concordia University.

Bourdieu, Pierre. 1977. *Outline of a Theory of Practice*. Translated by Richard Nice. Cambridge: Cambridge University Press.

______. 1984. *Distinction: A Social Critique of the Judgement of Taste*. Translated by Richard Nice. Cambridge: Harvard University Press.

Brehm, Sharon S., and Jack W. Brehm. 1981. Psychological Reactance. *A Theory of Freedom and Control*. New York: Academic Press.

Brenneis, Donald. 1980. "Fighting Words." In *Not Work Alone: A Cross-cultural View of Activities Superfluous to Survival*, edited by Jeremy Cherfas and Roger Lewin. Beverly Hills: Sage.

Brown, R., and A. Gilman. 1972. "The Pronouns of Power and Solidarity." In *Language and Social Context*, edited by Pier Paolo Giglioli. Harmondsworth: Penguin.

Brun, Viggo. 1987. "The Trickster in Thai Folktales." In *Rural Transformation in Southeast Asia*, edited by C.

Gunnarsson et al. Lund: Nordic Association of Southeast Asian Studies.

Burke, Peter. 1978. *Popular Culture in Early Modern Europe*. New York: Harper and Row.

______, 1982. "Mediterranean Europe, I 500-1800." In *Religion and Rural Revolt: Papers Presented to the Fourth Interdisciplinary Workshop on Peasant Studies*, University of British Columbia, edited by Janos M. Bak and Gerhard Benecke. Manchester: Manchester University Press.

Campbell, Colin. 1971. *Toward a Sociology of Irreligion*. London: Macmillan.

Chakrabarty, Dipesh. 1983. "On Deifying and Defying Authority: Managers and Workers in the Jute Mills of Bengal circa 1900-1940." *Past and Present* 100: 124-46.

Chanana, Dev Raj. 1960. *Slavery in Ancient India*. New Delhi: People's Publishing House.

Chesnut, Mary. 1949. *A Diary from Dixie*. Boston: Houghton Mifflin.

Christian Shirley. 1988. "With a Thunderclap, Leftist Breaks Chile's Silence." *New York Times*. June 30.

Cobb, R. C. 1970. *The Police and the People: French Popular Protest, 1789-1820*. London: Oxford University Press.

Cocks, Joan Elizabeth. 1989. *The Oppositional Imagination: Adventures in the Sexual Domain*. London: Routledge.

Cohen, Abner. 1974. *Two-Dimensional Man: An Essay on the Anthropology of Power and Symbolism in Complex Society*. Berkeley: University of California Press.

Cohen, Robin. 1980. "Resistance and Hidden Forms of Consciousness among African Workers." *Review of African Political Economy* 19: 8-22.

Cohn, Bernard. 1959. "Changing Traditions of a Low Caste." In *Traditional India: Structure and Change*, edited by Milton Singer. Philadelphia: American Folklore Society.

Cohn, Norman. 1957. *The Pursuit of the Millennium*. London: Seeker and Warburg.

Collins, Randall. 1975. *Conflict Sociology: Toward an Explanatory Science*. New York: Academic Press.

Comaroff, Jean. 1985. *Body of Power, Spirit of Resistance: The Culture and History of a South African People*. Chicago: University of Chicago Press.

Conrad, Joseph. 1953. *The Secret Agent: A Simple Tale*. Garden City, N.Y., Doubleday.

Coser, Lewis. 1974. *Greedy Institutions: Patterns of Undivided Commitment*. New York: Free Press.

Crapanzano, Vincent. 1985. *Waiting: The Whites of South Africa*. New York: Vintage.

Craton, Michael. 1982. *Testing the Chains*. Ithaca: Cornell University Press.

Dahl, Robert A. 1961. *Who Governs? Democracy and Power in an American City*. New Haven: Yale University Press.

Dance, D. C., ed. 1978. *Shuckin' and Jivin': Folklore from Contemporary Black Americans*. Bloomington: University of Indiana Press.

Davis, Natalie Zemon. 1978. "Women on Top: Symbolic Sexual Inversion and Political Disorder in Early

Modern Europe." In *The Reversible World: Symbolic Inversion in Art and Society*, edited by Barbara A. Babcock. Ithaca: Cornell University Press.

Detienne, Marcel, and Jean-Pierre Vernant. 1978. *Cunning Intelligence in Greek Culture and Society*. Translated by Janet Lloyd. Atlantic Highlands, N.J.: Humanities Press.

Djilas, Milovan. 1957. *The New Class*. New York: Praeger.

Douglass, Frederick. 1987. *My Bondage and My Freedom*. Edited and with an introduction by William L. Andrews. Urbana: University of Illinois Press.

Dournes, Jacques. 1973. "Sous couvert des maîtres." *Archives Europénnes de Sociologie* 14: 185-209.

Du Bois, W. E. B. 1969. "On the Faith ofthe Fathers." In *The Souls of Black Folks* by W. E. B. Du Bois. New York: New American Library.

Eagleton, Terry. 1981. *Walter Benjamin: Towards a Revolutionary Criticism*. London: Verso. Quoted in *Politics and Poetics of Transgression* by Peter Stallybrass and Allon White. Ithaca: Cornell University Press, 1986.

Edelman, Murray. 1974. "The Political Language of the 'Helping Professions.' " *Politics and Society* 4 (3): 295-310.

Elias, Norbert. 1982. *Power and Civility*. Vol. 2 of *The Civilizing Process*. Translated by Edmund Jephcott. New York: Pantheon.

Eliot, George. 198l. *Adam Bede*. Harrnondsworth: Penguin.

Elliot, J. H. 1985. “Power and Propaganda in the Spain of Philip IV.” In *The Rites of Power: Symbolism, Ritual, and Politics since the Middle Ages*, edited by Sean Wilentz. Philadelphia: University of Pennsylvania Press.

Ellison, Ralph. 1952. *Invisible Man*. New York: New American Library.

Evans, Sara. 1980. *Personal Politics: The Roots of Women's Liberation in the Civil Rights Movement and the New Left*. New York: Vintage Books.

Fein, Esther B. 1988. “In a City of the Volga, Tears, Anger, Delight.” *New York Times*. July 7.

Fick, Carolyn. 1985. “Black Peasants and Soldiers in the St. Domingue Revolution: Initial Reactions to Freedom in the South Province.” In *History from Below: Studies in Popular Protest and Popular Ideology in Honour of George Rudé*, edited by Frederick Krantz. Montreal: Concordia University.

Field, Daniel. 1976. *Rebels in the Name of the Tsar*. Boston: Houghton Mifflin.

Figes, Orlando. 1989. *Peasant Revolution, Civil War: The Volga Countryside in Revolution*. Oxford: Clarendon Press.

Finlay, M. I. 1968. “Slavery.” In *International Encyclopedia of the Social Sciences*, vol. 14, edited by D. Sills. New York: Macmillan.

Foucault, Michel. 1979. *Discipline and Punish: The Birth of the Prison*. Translated by Alan Sheridan. New York: Vintage Books.

______. 1979. *Michel Foucault: Power, Truth, Strategy*. Edited by Meaghan Morris and Paul Patton. Sydney:

Feral Publications.

______. 1980. *The History of Sexuality. An Introduction*. Vol. I. Translated by R. Hurley. New York: Vintage Books.

Freeman, James M. 1979. *Untouchable: An Indian Life History*. Stanford: Stanford University Press.

Friedman, Susan. 1989. "The Return of the Repressed in Women's Narrative." *The Journal of Narrative Technique* 19: 141-56.

Friedman, Thomas. 1988. "For Israeli Soldiers, 'War of Eyes' in West Bank." *New York Times*. January 5.

Gaventa, John. 1980. *Power and Powerlessness: Quiescence and Rebellion in an Appalachian Valley*. Urbana: University of Illinois Press.

Geisey, Ralph E. 1985. "Models of Rulership in French Royal Ceremonial." In *The Rites of Power: Symbolism, Ritual, and Politics since the Middle Ages*, edited by Sean Wilentz. Philadelphia: University of Pennsylvania Press.

Genovese, Eugene. 1974. *Roll, Jordan, Roll: The World the Slaves Made*. New York: Pantheon.

Giap, Nguyen Hong. 1971. *La condition des paysans au Viet-Nam à travers les chansons populaires*. Paris, thèse 3ème cycle, Sorbonne.

Giddens, Anthony. 1975. *The Class Structure of Advanced Societies*. New York: Harper.

______. 1979. *Central Problems in Social Theory: Action, Structure, and Contradiction in Social Analysis*.

Berkeley: University of California Press.

Gilman, Sander. 1968. *Jewish Self-Hatred: Anti-Semitism and the Hidden Language of the Jews*. Baltimore: Johns Hopkins University Press.

Gilmore, Al-Tony. 1975. *Bad Nigger!: The National Impact of Jack Johnson*. Port Washington, N.J.: Kennikat Press.

Gilmore, David. 1987. *Aggression and Community: Paradoxes of Andalusian Culture*. New Haven: Yale University Press.

Glass, James M. 1985. *Delusion: Internal Dimensions of Political Life*. Chicago: University of Chicago Press.

Gluckman, Max. 1954. *Rituals of Rebellion in South-East Africa*. Manchester: University of Manchester Press.

______. 1970. *Order and Rebellion in Tribal Africa*. London: Allen Lane.

Goffman, Erving. 1956. "The Nature of Deference and Demeanor." *American Anthropologist* 58 (June).

______. 1971. *Relations in Public: Microstudies of the Public Order*. New York: Basic Books.

Gombrowicz, Witwold. 1966. *Ferdydurke*. Translated by Eric Mosbacher. New York: Harcourt, Brace, and World.

Goodwin, Lawrence. "How to Make a Democratic Revolution: The Rise of Solidarnosc in Poland." Book manuscript.

Goody, Jack. 1968. *Literacy in Traditional Societies*. Cambridge: Cambridge University Press.

Gramsci, Antonio. 1971. *Selections from the Prison Notebooks*. Edited and translated by Quinten Hoare and Geoffrey Nowell Smith. London: Wishart.

Graves, Robert. n.d. *Lars Porsena, or the Future of Swearing and Improper Language*. London: Kegan Paul, Trench, Trubner and Co.

Greene, Graham. 1966. *The Comedians*. New York: Viking Press.

Guha, Ranajit. 1983. *Elementary Aspects of Peasant Insurgency*. Delhi: Oxford University Press.

Guillaumin, Emile. 1983. *The Life of a Simple Man*. Edited by Eugen Weber, revised and translated by Margaret Crosland. Hanover, N.H.: University Press of New England.

Habermas, Jürgen. 1975. *Legitimation Crisis*. Boston: Beacon Press.

______. 1984. *The Theory of Communicative Action*. Vol. I of *Reason and the Rationalization of Society*. Translated by Thomas McCarthy. Boston: Beacon Press. Hall, Stuart, and Tony Jefferson. 1976. *Resistance Through Rituals: Youth Subcultures in Post-war Britain*. London: Hutchinson.

Halliday, M. A. K. 1978. *Language as Social Semiotic*. London: Edward Arnold.

Harper, Edward B. 1968. “Social Consequences of an Unsuccessful Low Caste Movement.” In *Social Mobility in the Caste System in India: An Interdisciplinary Symposium, Comparative Studies in Society and History, Supplement* #3, edited by James Silverberg. The Hague: Mouton.

Havel, Václav. 1987. In *Times Literary Supplement*. January 23.

Hearn, Frank. 1978. *The Incorporation of the 19th-Century English Working Class. Contributions in Labor History*, no. 3. Westport, Conn.: Greenwood Press.

Hebdige, Dick. 1976. "Reggae, Rastas, and Rudies." In *Resistance Through Rituals: Youth Subcultures in Post-war Britain*. London: Hutchinson.

Heusch, Luc de. 1964. "Mythe et société féodale: Le culte de Kubandwa dans le Rwanda traditional." *Archives de Sociologie des Religions* 18: 133-46.

Hill, Christopher. 1958. *Puritanism and Revolution: The English Revolution of the Seventeenth Century*. New York: Schocken.

______. 1972. *The World Turned Upside Down*. New York: Viking.

______. 1982. "From Lollardy to Levellers." In *Religion and Rural Revolt: Papers Presented to the Fourth Interdisciplinary Workshop on Peasant Studies*, University of British Columbia, edited by Janos M. Bak and Gerhard Benecke. Manchester: Manchester University Press.

______1985. "The Poor and the People in Seventeenth-Century England." In *History from Below: Studies in Popular Protest and Popular Ideology in Honour of George Rudé*, edited by Frederick Krantz. Montreal: Concordia University.

Hirschman, Albert O. 1970. *Exit, Voice, and Loyalty: Responses to Decline in Firms, Organizations, and States*. Cambridge: Harvard University Press.

Hobsbawn, Eric. 1965. *Primitive Rebels: Studies in Archaic Forms of Social Movement in the 19th and 20th Centuries*. New York: Norton.

______, and George Rudé. 1968. *Captain Swing*. New York: Pantheon.

______. 1973. "Peasants and Politics." *Journal of Peasant Studies* I (I): 13.

Hochschild, Arlie Russell. 1983. *The Managed Heart: The Commercialization of Human Feeling*. Berkeley: University of California Press.

Hoggart, Richard. 1954. *The Uses of Literacy: Aspects of Working Class Life*. London: Chatto and Windus.

Huang, Ray. 1981. *1571: A Year of No Significance*. New Haven: Yale University Press.

Hurston, Zora Neale. 1973. "High John de Conquer." In *Mother Wit*, edited by Alan Dundes. Englewood Cliffs: Prentice Hall.

Ileto, Reynaldo Clemeña. 1975. "Pasyon and the Interpretation of Change in Tagalog Society." Ph.D. dissertation, Cornell University.

Isaac, Rhys. 1985. "Communication and Control: Authority Metaphors and Power Contests on Colonel Landon Carter's Virginia Plantation, 1752-1778." In *The Rites of Power: Symbolism, Ritual, and Politics since the Middle Ages*, edited by Sean Wilentz. Philadelphia: University of Pennsylvania Press.

Jayawardena, Chandra. 1968. "Ideology and Conflict in Lower Class Communities." *Comparative Studies in Society and History* 10 (4): 413-46.

Jones, Charles C. 1842. *The Religious Institution of the Negroes in the United States*. Savannah.

Jones, Edward. 1964. *Ingratiation: A Social Psychological Analysis*. New York: Appleton-Century-Crofts.

Joyner, Charles. 1984. *Down by the Riverside*. Urbana: University of Illinois Press.

Jürgensmeyer, Mark. 1980. "What if Untouchables Don't Believe in Untouchability?" *Bulletin of Concerned Asian Scholars* 12 (I): 23-30.

______. 1982. *Religion as Social Vision: The Movement against Untouchability in 20th Century Punjab*. Berkeley: University of California Press.

Kamm, Henry. 1989. "In East Berlin, Satire Conquers Fear." In *New York Times*, October 17.

Kanter, Rosabeth Moss. 1972. *Commitment and Community: Communes and Utopias in Sociological Perspective*. Cambridge; Harvard University Press.

Kardiner, Abram, and Lionel Ovesey. 1962. *The Mark of Oppression: Explorations in the Personality of the American Negro*. Cleveland: Meridian Books.

Kerr, Clark, and Abraham Siegel. 1954."The Inter-Industry Propensity to Strike: An International Comparison." In *Industrial Conflict*, edited by Arthur Kornhauser et al. New York: McGraw-Hill.

Khare, R. S. 1984. *The Untouchable as Himself: Ideology, Identity, and Pragmatism among the Lucknow Chamars*. Cambridge Studies in Cultural Systems, #8. Cambridge: Cambridge University Press.

Khawam, René B., trans. 1980. *The Subtle Ruse: The Book of Arabic Wisdom and Guile*. London: East-West

Press.

Klausner, William J. 1987. "Slang Miang: Folk Hero." In *Reflections on Thai Culture*. Bangkok: The Siam Society.

Kolchin, Peter. 1987. *Unfree Labor: American Slavery and Russian Serfdom*. Cambridge: Harvard University Press.

Kundera, Milan. 1983. *The Joke*. Translated by Michael Henry Heim. Harmondsworth: Penguin.

Kunzle, David. 1978. "World Upside Down: The Iconography of a European Broadsheet Type." In *The Reversible World: Symbolic Inversion in Art and Society*, edited by Barbara A. Babcock. Ithaca: Cornell University Press.

Laba, Roman. Forthcoming. "The Roots of Solidarity: A Political Sociology of Poland's Working Class Democratization." Princeton: Princeton University Press.

Ladurie, Emmanuel Le Roy. 1979. *Carnival in Romans*. Translated by Mary Feeney. New York: George Braziller.

Lakoff, Robin. 1975. *Language and Women's Place*. New York: Harper Colophon.

LeBon, Gustav. 1895. *La psychologie des foules*. Paris: Alcan.

Lefebvre, Georges. 1973. *The Great Fear of 1789: Rural Panic in Revolutionary France*. Translated by Joan White. New York: Pantheon.

Levine, Lawrence W. 1977. *Black Culture and Black Consciousness*. New York: Oxford University Press.

Lewis, I. M. 197 I. *Ecstatic Religion: An Anthropological Study of Spirit Possession and Shamanism*. Harmondsworth: Penguin.

Lichtenstein, Alex. 1988. "That Disposition to Theft, with which they have been Branded: Moral Economy, Slave Management, and the Law." *Journal of Social History* (Spring).

Lincoln, Bruce. 1985. "Revolutionary Exhumations in Spain, July 1936." *Comparative Studies in Society and History* 27 (2): 241-60.

Linebaugh, Peter. 1976. "Karl Man, the Theft of Wood, and Working-class Composition: A Contribution to the Current Debate." *Crime and Social Justice* (Fall-Winter), 5-16.

Livermore, Mary. 1889. My Story of the War. Hartford, Conn. In Albert J. Raboteau. 1978. *Slave Religion: The "Invisible Institution" of the Antebellum South*. New York: Oxford University Press.

Lockwood, P. 1966. "Sources of Variation in Working-class Images of Society." *Sociological Review* 14 (3): 249-67.

Lukes, Steven. 1974. *Power: A Radical View*. London: Macmillan.

McCarthy, John D., and William L. Yancey. 1970. "Uncle Tom and Mr. Charlie: Metaphysical Pathos in the Study of Racism and Personality Disorganization." *American Journal of Sociology* 76: 648-72.

McCarthy, Thomas. 1989. *The Critical Theory of Jürgen Habermas*. London: Hutchinson.

McKay, Ian. 1981. "Historians, Anthropology, and the Concept of Culture." *Labour/Travailleur*, vols. 8-9: 185-241.

Malcolmson, R. W. 1973. *Popular Recreations in English Society 1700-1850*. Cambridge: Cambridge University Press.

Marriott, McKim. 1955. "Little Communities in an Indigenous Civilization." In *Village India*, edited by McKim Marriott. Chicago: University of Chicago Press.

Martinez-Alier, Juan. 1971. *Labourers and Landowners in Southern Spain*. St. Anthony's College Oxford Publications, no. 4. London: Allen and Unwin.

Mathiesen, Thomas. 1965. *The Defenses of the Weak: A Sociological Study of a Norwegian Correctional Institution*. London: Tavistock.

Melville, Herman. 1968. "Benito Cereno." In *Billy Budd and Other Stories*. New York: Penguin.

Milgram, Stanley. 1974. *Obedience to Authority: An Experimental View*. New York: Harper and Row.

Miliband, Ralph. 1969. *The State in Capitalist Society*. London: Weidenfeld and Nicholson.

Moffat, Michael. 1979. *An Untouchable Community in South India: Structure and Consensus*. Princeton: Princeton University Press.

Moore, Barrington, Jr. 1987. *Injustice: The Social Bases of Obedience and Revolt*. White Plains, N.Y.: M. E. Sharpe.

Mullin, Gerard W. 1972. *Flight and Rebellion: Slave Resistance in 18th Century Virginia*. New York: Oxford University Press.

Najita, Tetsuo, and Irwin Scheiner. 1978. *Japanese Thought in the Tokugawa Period, 1600-1868: Methods and Metaphors*. Chicago: University of Chicago Press.

Newby, Howard. 1975."The Deferential Dialectic." *Comparative Studies in Society and History* 17 (2): 139-64.

Nietzsche, Friedrich. 1969. *On the Genealogy of Morals*. Translated by Walter Kaufman and F. J. Hollingsdale. New York: Vintage.

Nicholls, David. 1984. "Religion and Peasant Movements during the French Religious Wars." In *Religion and Rural Revolt: Papers Presented to the Fourth Interdisciplinary Workshop on Peasant Studies*, University of British Columbia, edited by Janos M. Bak and Gerhard Benecke. Manchester: Manchester University Press.

Nonini, Donald, and Arlene Teroka. Forthcoming. "Class Struggle in the Squared Circle: Professional Wrestling as Working-class Sport." In *Dialectical Anthropology: The Ethnology of Stanley Diamond*, edited by Christine W. Gailey and Stephen Gregory. Gainesville: University of Florida Press.

O'Donnell, Guillermo. 1986. "On the Fruitful Convergences of Hirschman's Exit, Voice, and Loyalty and Shifting Involvements: Reflections from Recent Argentine Experience." In *Development, Democracy and the Art of Trespassing: Essays in Honor of Albert Hirschman*, edited by Alejandro Foxley et al. Notre Dame: Notre Dame University Press.

Orwell, George. 1962. *Inside the Whale and Other Essays*. Harrnondsworth: Penguin.

Osofky, Gilbert, ed. 1969. *Puttin' on Ole Massa: The Slave Narratives of Henry Bibb, William Wells, and Solomon Northrup*. New York: Harper and Row.

Owen, Robert. 1920. *The Life of Robert Owen*. New York: Alfred Knopf.

Parkin, Frank. 1971. *Class, Inequality and the Political Order*. New York: Praeger.

Patterson, Orlando. 1982. *Slavery and Social Death: A Comparative Study*. Cambridge: Harvard University Press.

Piven, Frances Fox, and Richard Cloward. 1977. *Poor People's Movements: Why They Succeed, How They Fail*. New York: Vintage.

Poulantzas, Nicos. 1978. *State, Power, Socialism*. London: New Left Books.

Polsby, Nelson. 1963. *Community Power and Political Theory*. New Haven: Yale University Press.

Pred, A. 1989. "The Locally Spoken Word and Local Struggles." *Environment and Planning D: Society and Space* 7: 211-33.

______. 1989. *Lost Words and Lost Worlds: Modernity and the Language of Everyday Life in Late Nineteenth-Century Stockholm*. Cambridge: Cambridge University Press.

Raboteau, Albert. 1978. *Slave Religion: The "Invisible Institution" of the Antebellum South*. New York: Oxford University Press.

Reddy, William M. 1977. "The Textile Trade and the Language of the Crowd at Rouen, 1752-1871." *Past and Present* 74: 62-89.

Reeves, Marjorie E. 1972. "Some Popular Prophesies from the 14th to 17th Centuries." In *Popular Belief and Practice: Papers Read at the 9th Summer Meeting and 10th Winter Meeting of the Ecclesiastical History Society*, edited by G. J. Cuming and Derek Baker. Cambridge: Cambridge University Press.

Rhys, Jean. 1974. *After Leaving Mr. McKenzie*. New York: Vintage.

Rickford, John R. 1983. "Carrying the New Wave into Syntax: The Case of Black English BIN." In *Variation in the Form and Use of Language*, edited by Robert W. Fasold. Washington: Georgetown University Press.

Robinson, Armstead L. Forthcoming. *Bitter Fruit of Bondage: Slavery's Demise and the Collapse of the Confederacy*. New Haven: Yale University Press.

Rogers, Susan Carol. 1975. "Female Forms of Power and the Myth of Male Dominance: A Model of Female/Male Interaction in Peasant Society." *American Ethnologist* 2 (4): 727-56.

Rollins, Judith. 1985. *Between Women: Domestics and Their Employers*. Philadelphia: Temple University Press.

Rosengarten, Theodore. 1974. *All God's Dangers: The Life of Nate Shaw*. New York: Knopf.

Rothkrug, Lionel. 1984. "Icon and Ideology in Religion and Rebellion, 1300-1600: Bayernfreiheit and Réligion Royale." In *Religion and Rural Revolt: Papers Presented to the Fourth Interdisciplinary Workshop on Peasant Studies*, University of British Columbia. Manchester: Manchester University Press.

Rudé, George. 1959. *The Crowd in the French Revolution*. Oxford: Clarendon Press.

______. 1964. *The Crowd in History: A Survey of Popular Disturbances in France and England, 1730-1848*. New York: Wiley.

Rudwin, Maximillian J. 1920. *The Origin of the German Carnival Comedy*. New York: G. E. Stechert.

Sabean, David Warren. 1984. *Power in the Blood: Popular Culture and Village Discourse in Early Modem Europe*. Cambridge: Cambridge University Press.

Sales, Roger. 1983. *English Literature in History, 1780-1830: Pastoral and Politics*. London: Hutchinson.

Sartre, Jean-Paul. 1976. *The Critique of Dialectical Reason*. Translated by Alan Sheridan-Smith. London: New Left Books.

Scheler, Max. 1961. *Ressentiment*. Translated by William W. Holdheim and edited by Lewis A. Coser. Glencoe, Ill.: Free Press.

Schopenhauer, Arthur. 1891. *Selected Essays of Arthur Schopenhauer*. Translated by Ernest Belfort Bax. London: George Bell. In Sander Gilman, *Jewish Self-Hatred: Anti-Semitism and the Hidden Language of the Jews*. 1968. Baltimore: Johns Hopkins University Press.

Scott, James C. 1977. "Protest and Profanation: Agrarian Revolt and the Little Tradition." *Theory and Society* 4 (1): 1-38, and 4 (2): 211-46.

______. 1985. *Weapons of the Weak: Everyday Forms of Peasant Resistance*. New Haven: Yale University

Press.

______. 1987. “Resistance Without Protest and Without Organization: Peasant Opposition to the Islamic *Zakat* and the Christian Tithe.” *Comparative Studies in Society and History* 29 (3).

Searles, Harold F. 1965. *Collected Papers on Schizophrenia and Related Subjects*. New York: International Universities Press.

Sennett, Richard, and Jonathan Cobb. 1972. *The Hidden Injuries of Class*. New York: Knopf.

______. 1977. *The Fall of Public Man*. New York: Knopf.

Sharpe, Gene. 1973. *The Politics of Nonviolent Action*, part I of *Power and Struggle*. Boston: Porter Sargent.

Skinner, G. William. 1975. *Marketing and Social Structure in Rural China*. Tucson: Association of Asian Studies.

Slamet, Ina E. 1982. *Cultural Strategies for Survival: The Plight of the Javanese*. Comparative Asian Studies Program, monograph #5. Rotterdam: Erasmus University.

Stallybrass, Peter, and Allon White. 1986. *The Politics and Poetics of Transgression*. Ithaca: Cornell University Press.

Stinchcombe, Arthur. 1970. “Organized Dependency Relations and Social Stratification.” In *The Logic of Social Hierarchies*, edited by Edward O. Laumann et al. Chicago: Chicago University Press.

Strauss, Leo. 1973. *Persecution and the Art of Writing*. Westport, Conn.: Greenwood Press.

Taal, J. F. 1963. “Sanskrit and Sanskritization.” *Journal of Asian Studies* 22 (3).

Thibaut, John, and Harold Kelley. 1959. *The Social Psychology of Groups*. New York: Wiley.

Thompson, E. P. 1966. *The Making of the English Working Class*. New York: Vintage.

______. 1974. “Patrician Society, Plebeian Culture.” *Journal of Social History* 7 (4).

______. 1975. *Whigs and Hunters: The Origin of the Black Act*. New York: Pantheon.

Trudgill, Peter. 1974. *Sociolinguistics: An Introduction to Language and Society*. Harmondsworth: Penguin.

Turner, Victor. 1969. *The Ritual Process: Structure and Anti-Structure*. Chicago: Aldine.

Veyne, Paul. 1976. *Lepain et Ie cirque*. Paris: Editions de Seuil.

Viola, Lynne. 1986. “Babi bunty and Peasant Women’s Protest during Collectivization.” *The Russian Review* 45: 23-42.

Walker, Alice. 1982. “Nuclear Exorcism.” *Mother Jones*, Sept.-Oct.

Walker, Jack E. 1966. “A Critique of the Elitist Theory of Democracy.” *American Political Science Review* 60: 285-95.

Walthall, Anne. 1983. “Narratives of Peasant Uprisings in Japan.” *Journal of Asian Studies* 43 (3): 571-87.

______. 1986. “Japanese *Gimin*: Peasant Martyrs in Popular Memory.” *American Historical Review* 91 (5): 1076-102.

Weber, Max. 1963. *The Sociology of Religion*. Boston: Beacon Press.

Weiner, Annette B. 1984. "From Words to Objects to Magic: 'Hard Words' and the Boundaries of Social Interaction." In *Dangerous Words: Language and Politics in the Pacific*, edited by Donald Lawrence Brenneis and Fred R. Myers. New York: New York University Press.

Weininger, Otto. 1906. *Sex and Character*. London: William Heinemann. In Sander Gilman, *Jewish Self-Hatred: Anti-Semitism and the Hidden Language of the Jews*. 1968. Baltimore: Johns Hopkins University Press.

Weller, Robert. 1987. "The Politics of Ritual Disguise: Repression and Response in Taiwanese Popular Religion." *Modem China* 13 (1): 17-39.

Wertheim, W. F. 1973. *Evolution and Revolution*. London: Pelican Books.

Wilentz, Sean, editor. 1985. *The Rites of Power: Symbolism, Ritual, and Politics since the Middle Ages*. Philadelphia: University of Pennsylvania Press.

Willis, Paul. 1977. *Learning to Labour*. Westmead: Saxon House.

Winn, Denise. 1983. *The Manipulated Mind: Brainwashing, Conditioning, and Indoctrination*. London: Octogon Press.

Wofford, Susanne. Forthcoming. "The Politics of Carnival in *Henry IV*." In *Theatrical Power: The Politics of Representation on the Shakespearean Stage*, edited by Helen Tartar. Stanford University Press.

Wortmann, Richard. 1985. "Moscow and Petersburg: The Problem of the Political Center in Tsarist Russia, 1881-1914." In *The Rites of Power: Symbolism, Ritual, and Politics since the Middle Ages*, edited by Sean

Wilentz. Philadelphia: University of Pennsylvania Press.

Wright, G. O. 1954. "Projection and Displacement: A Cross-cultural Study of Folk-tale Aggression." *Journal of Abnormal Psychology* 49: 523-28.

Wright, Richard. 1937. *Black Boy: A Record of Childhood and Youth*. New York: Harper and Brothers.

Yetman, Norman. 1970. *Voices from Slavery*. New York: Holt, Rinehart.

Zimbardo, Philip G. 1969. *The Cognitive Control of Motivation: The Consequences of Choice and Dissonance*. Glencoe, 111.: Scott, Foresman.

Zola, Emile. 1980. *The Earth (La Terre)*. Translated by Douglas Parmke. Harmondsworth: Penguin.

Zolberg, Aristide R. 1972. "Moments of Madness." *Politics and Society* 2 (2): 183-207.

國家圖書館出版品預行編目（CIP）資料

支配與抵抗的藝術：潛藏在順服背後的底層政治，公開與隱藏文本的權力關係／詹姆斯・斯科特（James C. Scott）著；黃楷君譯. -- 一版. -- 臺北市：麥田出版：英屬蓋曼群島商家庭傳媒股份有限公司城邦分公司發行, 2024.05
　面；　公分
譯自：Domination and the arts of resistance: hidden transcripts
ISBN 978-626-310-657-4（平裝）
1.CST: 政治文化　2.CST: 權力
57.016　　113003842

支配與抵抗的藝術

潛藏在順服背後的底層政治，公開與隱藏文本的權力關係

Domination and the Arts of Resistance: Hidden Transcripts

作者　詹姆斯・斯科特（James C. Scott）
譯者　黃楷君
校對　魏秋綢
責任編輯　林虹汝
封面設計　覓蠹設計室 廖勁智
印刷　前進彩藝有限公司
內頁排版　李秀菊
國際版權　吳玲緯　楊靜
行銷　闕志勳　吳宇軒　余一霞
業務　李再星　陳美燕　李振東
總編輯　劉麗真
事業群總經理　謝至平
發行人　何飛鵬
出版　麥田出版
台北市南港區昆陽街16號4樓
電話：886-2-25000888　傳真：886-2-2500-1951
發行　英屬蓋曼群島商家庭傳媒股份有限公司城邦分公司
台北市南港區昆陽街16號8樓
客服專線：02-25007718；25007719
24小時傳真專線：02-25001990；25001991
服務時間：週一至週五上午09:30-12:00；下午13:30-17:00
劃撥帳號：19863813　戶名：書虫股份有限公司
讀者服務信箱：service@readingclub.com.tw
城邦網址：http://www.cite.com.tw
香港發行所　城邦（香港）出版集團有限公司
香港九龍土瓜灣土瓜灣道86號順聯工業大廈6樓A室
電話：852-25086231　傳真：852-25789337
電子信箱：hkcite@biznetvigator.com
馬新發行所　城邦（馬新）出版集團
Cite（M）Sdn. Bhd.（458372U）
41, Jalan Radin Anum, Bandar Baru Seri Petaling,
57000 Kuala Lumpur, Malaysia.
電話：+6(03)-90563833　傳真：+6(03)-90576622
電子信箱：services@cite.my

一版一刷　2024年6月

ISBN 978-626-310-657-4（紙本書）　ISBN 978-626-310-656-7（EPUB）

定價：台幣590、港幣197